まえがき

税法学習は、税理士への真の第一歩!

　本書を手にしたみなさんの多くは、税理士試験の会計科目（簿記論、財務諸表論）の受験をされた方や無事合格された方だと思います。よくぞ、ここまで来られました！

　そして、いよいよ税法科目の学習をはじめようとされる方にあらためて伝えておきたいことがあります。それは、税理士とは「税法のプロフェッショナルであり、法律家である」ということです。

　ですから、税法の学習は税理士への真の第一歩を踏み出したことになります。

　ここからまた気を引き締めていけば、税理士試験の合格も間近です。

　さて、ネットスクールでは税理士試験を目指す方への資格支援の学校として、画期的なことを行いました。それは、本来、高額な受講料を払ってのみ手にすることのできる講座使用教材を書店やネットショップで市販することでした。

　これにより、独学者にも平等に合格を目指す機会を提供することができましたし、また、独学者が同じ教材を使用して講座学習に切り替えられるという利便性を高めることができました。

　一方で、講座使用教材を誰もが購入できるということは、講座の付加価値の希薄化を招き、さらには講座のノウハウの流出というリスクも抱えてしまうことになりかねません。

　しかしそれでも、人生を賭けてチャレンジする受験生にとってよりよい教材は生命線であり、その気持ちを想像したときに、講座使用教材を市販することについて一縷の迷いも生じることはありませんでした。さらに言えば、講座のノウハウとして主要な要素である講師からの説明を側注として書き添えることで、独学でもより理解の深まる教科書に仕上げることに注力いたしました。

　合格するための状況は我々が整えます。

　みなさんは、この本で勇気を持って始め、本気で学んでください。

　そうすれば、みなさん自身ばかりではなく、みなさんの周りの人たちをも幸せにできる、そんな人生が開けてきます。

　さあ、この一歩、いま踏み出しましょう！

税理士WEB講座
講師一同

目次

税理士試験　教科書
法人税法III　応用編

本書の構成・特長 ……………………………………………… iii
著者からのメッセージ ………………………………………… iv
ネットスクールの税理士WEB講座 …………………………… v
税理士試験合格に向けた学習 ………………………………… vi
ネットスクールWEB講座　合格者の声 …………………… viii
試験概要／法令等の改正情報の公開について ……………… x

Chapter 1　資本金等の額と利益積立金額
Section 1　別表五(一)Iの作成 ………………………… 1-2 (12)
Section 2　別表五(一)IIの作成 ……………………… 1-14 (24)

Chapter 2　給与等
Section 1　特定新株予約権を対価とする費用 ………… 2-2 (32)
Section 2　特定譲渡制限付株式を対価とする費用 …… 2-7 (37)

Chapter 3　減価償却(普通償却)
Section 1　資本的支出と修繕費 ………………………… 3-2 (42)
Section 2　中古資産の耐用年数 ……………………… 3-10 (50)
Section 3　償却方法の変更 …………………………… 3-15 (55)

Chapter 4　特別償却
Section 1　特別償却の概要 ……………………………… 4-2 (66)
Section 2　特別償却制度 ………………………………… 4-4 (68)
Section 3　特別償却不足額 …………………………… 4-10 (74)
Section 4　特別償却準備金 …………………………… 4-18 (82)

Chapter 5　特別控除
Section 1　試験研究費の特別控除 ……………………… 5-2 (98)
Section 2　資産取得の特別控除 ……………………… 5-20 (116)
Section 3　給与等の支給額が増加した場合の特別控除 … 5-27 (123)

Chapter 6　入会金等
Section 1　入会金等 …………………………………… 6-2 (136)
Section 2　保険料等の取扱い ………………………… 6-8 (142)

Chapter 7　使途秘匿金
Section 1　使途秘匿金課税 …………………………… 7-2 (148)

Chapter 8　同族会社等
Section 1　留保金課税 ………………………………… 8-2 (154)

Chapter 9　圧縮記帳等
Section 1　国庫補助金等の特別勘定 …………………… 9-2 (178)
Section 2　保険差益の特別勘定 ………………………… 9-7 (183)
Section 3　買換えの特別勘定 ………………………… 9-13 (189)
Section 4　収用等の圧縮記帳 ………………………… 9-19 (195)
Section 5　収用等の所得の特別控除 …………………… 9-30 (206)
Section 6　特定資産の交換 …………………………… 9-34 (210)
Section 7　先行取得の場合の圧縮記帳 ………………… 9-38 (214)
Section 8　圧縮記帳と資本的支出との関係 …………… 9-51 (227)

Chapter 10　借地権等
Section 1　リース取引 ………………………………… 10-2 (250)
Section 2　借地権 …………………………………… 10-13 (261)

Chapter 11　帰属事業年度
Section 1　リース譲渡 ………………………………… 11-2 (276)
Section 2　工事の請負 ………………………………… 11-7 (281)

Chapter 12　欠損金
Section 1　欠損金の繰越し …………………………… 12-2 (292)
Section 2　欠損金の繰戻し還付 ……………………… 12-5 (295)
Section 3　災害損失欠損金額 ………………………… 12-8 (298)
Section 4　債務免除等があった場合 ………………… 12-12 (302)

Chapter 13　租税公課
Section 1　還付金等 …………………………………… 13-2 (316)

Chapter 14　受取配当等
Section 1　みなし配当 ………………………………… 14-2 (322)
Section 2　自己株式 ………………………………… 14-10 (330)
Section 3　資本の払戻し …………………………… 14-15 (335)

Chapter 15　海外取引
Section 1　移転価格税制 ……………………………… 15-2 (342)
Section 2　タックスヘイブン税制 ………………… 15-11 (351)

Chapter 16　組織再編成
Section 1　組織再編税制の概要 ……………………… 16-2 (366)
Section 2　合併・分割型分割の課税関係 ………… 16-13 (377)
Section 3　現物出資・分社型分割の課税関係 …… 16-42 (406)
Section 4　現物分配の課税関係 …………………… 16-51 (415)
Section 5　株式交換等の課税関係 ………………… 16-55 (419)

Chapter 17　グループ法人税制
Section 1　グループ法人税制 ………………………… 17-2 (438)

Chapter 18　グループ通算制度
Section 1　グループ通算制度の概要 ………………… 18-2 (458)

Chapter 19　公益法人税制
Section 1　公益法人税制の概要 ……………………… 19-2 (474)

合格に必要な知識を効果的に習得するために

本書の構成・特長

本試験対策として必要な学習項目をセクションごとに整理し、効率よく学習を進められます。

このセクションで何を学習するのか、また、その学習の要点についてまとめています。

側注には、主に講師からの補足説明を記載し、理解の深度と学習のモチベーションが高まるよう工夫しています。

Section 1 別表五(一)Ⅰの作成

企業会計上の当期純利益と所得金額がその計算目的が異なることから一致しないように、企業会計上の純資産の額と税務上の純資産の額も基本的には一致しないことになります。これらの純資産の差異を集計する明細書を別表五(一)（利益積立金額及び資本金等の額の計算に関する明細書）といいます。

このSectionでは、別表五(一)Ⅰ（利益積立金額の計算に関する明細書）の作成を学習しま

1 利益積立金額の意義

1．概　要

利益積立金額は、企業会計上の利益剰余金（利益準備金や繰越利益剰余金等）に相当する概念です*01。

ただし、企業会計の目的は財政状態や経営成績を適正に把握することになりますが、法人税では課税の公平性が重視されるため、両者の金額は基本的には一致しません。したがって、企業会計上の利益剰余金とは別に、法人税独自に利益積立金額を集計する必要があります*02。

2．利益積立金額とは（法2十八、令9）

法人の所得の金額で留保している金額として次の(1)の金額の合計額

*01) 利益積立金額は、法人課税関係が終了した課所得のうち、法人の内部留保されている金額の額です。

*02) 利益積立金額を集計することにより、既に法人税された部分を把握することができ、二重課税をすることができます。

学習をはじめる前に

著者からのメッセージ

本書の著者であり、WEB講座の講師でもある田中政義先生から、本書を学習する前の心構えとしてメッセージがございます。本書を最大限に有効活用するためにも、まずはこのメッセージをお読みください。

プロフィール
講師　田中政義（たなかまさよし）
講師歴25年。法人税法担当。懇切丁寧な講義がわかりやすいと評判。受験生の親身になった詳しい解説で、多くの受験生を最短合格へと導く。

◆無駄のない学習教材こそ合格への近道
合格に向かって万全の体制を整えましょう！

応用編では、引き続き基本的な学習を行っていくとともに特殊項目も学習を行っていきます。
特殊項目より基本的な学習が大事ですが、年によっては、特殊項目が全面に出た本試験問題の出題もありますので、可能な限りリスクを減らすようにしていきましょう。

◆本試験に合格するための学習

教科書と問題集は「基礎導入編」「基礎完成編」「応用編」の３部構成となっています。
直前期までの学習は、応用編で万全となります。
直前期に備えて万全としておきましょう！

"講師がちゃんと教える" だから学びやすい！分かりやすい！

ネットスクールの税理士WEB講座

【開講科目】簿記論、財務諸表論、法人税法、消費税法、相続税法、国税徴収法

ネットスクールの税理士WEB講座の特長

◆自宅で学べる！　オンライン受講システム

臨場感のある講義をご自宅で受講できます。しかも、生配信の際には、チャットやアンケート機能を使った講師とのコミュニケーションをとりながらの授業となります。もちろん、講義は受講期間内であればお好きな時に何度でも講義を見直すことも可能です。

▲講義画面イメージ▲

★講義はダウンロード可能です★

オンデマンド配信されている講義は、お使いのスマートフォン・タブレット端末にダウンロードして受講することができます。事前にWi-Fi環境のある場所でダウンロードしておけば、通信料や通信速度を気にせず、外出先のスキマ時間の学習も可能です。
※講義をダウンロードできるのはスマートフォン・タブレット端末のみです。
※一度ダウンロードした講義の保存期間は1か月間ですが、受講期間内であれば、再度ダウンロードして頂くことは可能です。

ネットスクール税理士WEB講座の満足度

◆受講生からも高い評価をいただいております

WEB講座 79.5%

▶Zoom面談は、孤独な自宅学習の励みになりましたし、試験直前にお電話をいただいたときは本当に感動しました。（消費／上級コース）
▶合格できた要因は、質問を24時間受け付けている「学び舎」を積極的に利用したことだと思います。（簿財／上級コース）
▶質問事項や添削のレスポンスも早く対応して下さり、大変感謝しております。（相続／上級コース）
▶講義が1コマ30分程度と短かったので、空き時間等を利用して自分のペースで効率よく学習を進めることができました。（国徴／標準コース）

教材 82.3%

▶理論教材のミニテストと「つながる会計理論」のおかげで、今まで理解が難しかった論点が頭の中でつながった瞬間は感動しました。（財表／標準コース）
▶テキストが読みやすく、側注による補足説明があって理解しやすかったです。（全科目共通）

講師 78.2%

▶財務諸表論の穂坂先生の理論講義がとてもわかり易く良かったです。（簿財／上級コース）
▶先生方の学習面はもちろん精神的にもきめ細かいサポートのおかげで試験を乗り越えることができました。（法人／上級コース）
▶堀川先生の授業はとても面白いです。印象に残るお話をからめて授業を進めて下さるので、記憶に残りやすいです。（国徴／標準コース）
▶田中先生の熱意に引っ張られて、ここまで努力できました。（法人／標準コース）

※2019～2023年度試験向け税理士WEB講座受講生アンケート結果より

各項目について5段階評価
不満← 1 2 3 4 5 →満足

税理士WEB講座の詳細はホームページへ

ネットスクール株式会社 税理士WEB講座

https://www.net-school.co.jp/

ネットスクール 税理士講座　検索

※税理士講座の最新情報は、ホームページ等をご確認ください。

ネットスクールの書籍シリーズのご案内

税理士試験合格に向けた学習

教科書・問題集　Ⅰ基礎導入編

基礎導入編は"教科書（テキスト）"と"問題集"の内容を1冊にまとめた構成となっており、『教科書編』ではインプットを、『問題集編』ではアウトプットを繰り返すことにより、効率的に学習を進めることができます。何事も最初が肝心となりますので、まずは本書で法人税法学習の土台を作りあげていきましょう。

教科書／問題集　Ⅱ基礎完成編

基礎導入編での学習が終わったら、基礎完成編に移ります。基礎導入編と同様に、税理士試験で頻繁に出題される重要論点の基礎的事項を学習していきます。

基礎完成編も基礎導入編と同様に、教科書でインプットしたことを必ず問題集（教科書と別売りとなります）を使ってアウトプットし、学習した知識を定着させましょう。

理論集

理論学習に特化したテキストで、効果的で無駄のない理論学習を行えます。

また、重要理論については音声＆デジタル版のWダウンロードサービスを付帯し、移動中や外出先でも理論学習を行えるようにしております（別途有料サービス）ので、あわせてご利用ください。

教科書／問題集　Ⅲ応用編

基礎完成編での学習が終わったら、応用編の学習に移ります。試験対策として重要となる応用的な内容及び特殊論点を学習していくことになりますが、基礎導入編及び基礎完成編で学習した内容を基に学習を進めていただければ、無理なく学習を進めることができますので、復習する際は、基礎導入編及び基礎完成編も併せて復習するようにしましょう。

全経　税法能力検定試験　公式テキスト（3級／2級・1級）

　公益社団法人　全国経理教育協会（全経協会）では、経理担当者として身に付けておきたい法人税法・消費税法・相続税法・所得税法の実務能力を測る検定試験が実施されています。試験を受けることで、実務のスキルアップを図れるだけでなく、税理士試験の基礎学力の確認としても有効に活用することができます。税理士試験の学習と並行して、全経　税法能力検定試験の学習を進めることをお勧めします。

※検定試験の詳細は、全経協会公式ホームページをご確認ください。
https://www.zenkei.or.jp/

ラストスパート模試

　教科書（テキスト）での学習が一通り終わったら、本試験形式で構成された模擬試験問題を解きましょう。本シリーズでは、ネットスクールの税理士講師の先生が作成した模擬問題を3回分収載しています。

　試験問題を本体から取り外し、YouTubeで配信している「試験タイマー」を流しながら解くことで、試験本番の臨場感の中で解くことができます。学習してきた力を試験本番で十分に発揮できるよう訓練をしましょう。

 試験合格！

ネットスクール公式YouTubeチャンネル

試験勉強や合格後の実務に役立つ動画も随時配信中！

☑ 出題予想や本試験の講評・解説

☑ 最新の実務の動向を解説する「ネットスクール学びちゃんねる」

☑ 試験会場の雰囲気を味わえる試験タイマーなど

アカウントをお持ちの方はぜひチャンネル登録のうえ、ご覧ください。

※掲載している書影は、すべて2024年8月現在の最新版、教科書／問題集シリーズは2024年度版のものとなります。
※書籍のお求めは全国の書店・インターネット書店、またはネットスクールWEB-SHOPをご利用ください。

多数の"合格者の声"が信頼と実績の証です！
ネットスクールWEB講座 合格者の声

ネットスクールで見事！合格を勝ち取った受講生様からのお言葉を紹介いたします。

イトウ　ハルカ様（20代女性／学生）　第72回試験／消費税法合格

　私は他の予備校と併用する形で受講させていただいたのですが、画面を通しての講義でも質問などに親身に対応してくれてとても勉強しやすかったです。また、常に前向きな言葉をかけてくださる所にもとても勇気をもらいました。

　勉強方法については、学生で本業の学業も手を抜くことができないため、試験勉強は、毎日何時から何をするかの計画を立てて勉強しました。また、直前期は毎日総合問題を解き、問題解答のフォームやルーティーンを定着させるようにしました。直前期は複数の予備校の直前対策問題を解くようにしましたが、ネットスクールの教材は、特に予想問題が主要論点を抑えつつ初見の問題もあったため何度も活用させていただきました。

　YouTubeの解答速報を拝見し、丁寧な解説と勇気をもらえるような言葉を伝えてくれるネットスクールに興味を持ち、複数の科目を受講しましたが、丁寧な解説、教材、出題予想で本当に助かりました。受講してよかったです。

Y・K様（30代男性／一般会社勤務）　第72回試験／相続税法合格

　相続税法の受験は3回目となりますが過去2回不合格となった際には、計算・理論共に基本論点で解答できておりませんでした。そのため、基本論点を見直し、ネットスクールの参考書や問題集を何度も回転させて記憶の定着を図りました。

　また、単なる暗記ではなく理解力も伸ばさなければ本番の試験には対応できないので、制度の概要やなぜその制度が創設されたのかといった背景を理解することも重視しておりました。ネットスクールでは講義が分かりやすく、何度も気になったところは再生できるので納得いかないところは何度も視聴して理解することを心がけておりました。

　最後になりますが、試験直前になるとSNS等で他校の生徒が高得点を取った情報や理論予想などの投稿を目にすることがありますが、そのような情報に惑わされずにまずはネットスクールのカリキュラムをしっかりと消化してその中での問題は確実に解けるようにすることが非常に重要だと思いました。実際に相続税法の理論では、ネットスクールで出題されたところを完璧に理解しておりましたので、他校の理論の出題ランクは低い論点でしたがしっかりと点数を取ることが出来ました。

　これからは法人税法・消費税法の合格を目指して引き続きネットスクールにお世話になろうと考えております。引き続きどうぞよろしくお願いいたします。

M・S様（50代男性／一般会社勤務）第71回試験／国税徴収法・官報合格

以前は独学で市販の理論集や問題集を購入して勉強していましたが、配当額の計算でどうしてこのような計算結果となるのか、いまひとつ理解できないところもあり、本試験でも配当額を間違えて計算してしまったことから、その年度は残念ながら不合格となりました。

その後、国税徴収法のテキストを探していたところ、ネットスクールの通信講座を知り、もう一度勉強しなおそうと思い立ち、受講を決めました。

実際に講義を受けてみると、これまで理解が不完全だった「なぜこうなるのか」がすっきりと理解でき、まさに目からウロコが落ちる、という体験でした。

理論は、試験に直結する重要度が高いものに加え、「これは覚えておくべき」と自分が判断したものを全部暗記し、2～3日間で一回転するやり方で精度の向上に努めました。ただ単に暗記するだけではなく、横のつながりを意識することが大切だと思いましたので、どことつながっているのかもいっしょに覚えるようにしました。

答練は、通信講座のなかの問題と過去問で練習を繰り返しました。「ラストスパート模試」は過去8年分と模擬試験4回分が収録されていましたので、これだけでも練習量としては充分だったと思います。答案の書き方自体もあまりよく知らず、以前は隙間なくビッシリと書いていましたので、適度にスペースを空ける書き方を教えてもらったことも受講してよかった、と思いました。

おかげさまで国税徴収法に合格することができました。ありがとうございました。

S・K様（40代男性） 第72回試験／法人税法・官報合格

この度、ようやく官報合格となりました。これまでにお世話になった先生方、本当に本当にありがとうございました。私は他校の受講経験がなく比較することはできませんが、一番ありがたかったのは「学び舎」です。理解力不足や勘違いで何度もくだらない質問をしましたが、すぐに丁寧に詳しく解説を頂けたことが合格に結び付いたと確信しています。

受験勉強で私が一番苦労したのは、何と言っても勉強時間の確保です。仕事との両立はやはり厳しく、平日夜はほぼ時間がとれないため、毎朝3時に起床し朝に勉強するというスタイルで、1日約3～4時間は勉強に充てていました。主な1日のスケジュールは、朝は計算メインの勉強、通勤時間は車の中で、自分が吹き込んだオリジナル理論音声を聞きながらブツブツ念仏を唱え、昼休みは理論集の暗記、ベッドに入って寝るまでの時間も理論集の暗記といった内容でした。

私の理論暗記法は、短期間で繰り返し理論集を何回転もさせるやり方です。最初は重要語句を暗記ペンでマーカーし、覚えたら次の理論という感じでどんどん進めていき、少しずつ暗記ペンでマーカーした部分を増やしていきます。30～40回転目になると、ほとんどマーカーした状態になり、その頃からは、理論集を見ずに暗唱し、つまれば理論集を見て確認するというやり方に徐々にシフトしていきます。この方法は職場の先輩から教えてもらったもので、前回受験した国税徴収法と今回受験した法人税法はこの方法でほぼ全部暗記しました。直前期は数日で1回転できるようになり、最終的には60回転くらいさせたと思います。理論暗記に悩んでいる人にはお勧めです。

税理士試験はかなり長い年数を勉強に費やすことになり、それに比例して犠牲にしなければならないことも多いと思います。私も何度も諦めそうになりました。しかし、なんとか踏みとどまり、ネットスクールを信じて諦めずに継続したことで、5科目合格することができました。

税理士WEB講座の詳細はホームページへ　**ネットスクール株式会社 税理士WEB講座**

https://www.net-school.co.jp/　　ネットスクール 税理士講座　検索

税理士試験とは
試験概要

【試験科目】

税理士試験は、会計科目2科目・税法科目9科目の全11科目あります。このうち、会計科目2科目と税法科目3科目（選択必須科目1科目以上を含む）の合計5科目に合格する必要があります。1度の受験で5科目全てに合格する必要はなく、1科目ずつ受験することもできます。なお、1度合格した科目は生涯有効となります。

【試験日】

通常、8月第1又は第2週の火曜日〜木曜日に実施されます。

【合格点・合格発表】

合格基準点は各科目とも満点の60パーセントです。合格発表は11月下旬になります。
その他、税理士試験の詳細については、国税庁ホームページをご覧下さい。

https://www.nta.go.jp/index.htm
国税庁ホームページ ＞ 税の情報・手続・用紙 ＞ 税理士に関する情報 ＞ 税理士試験

本書シリーズ
法令等の改正情報の公開について

本書税理士シリーズについて、法令等の改正や会計基準等の変更があった場合には、改正・変更に関する情報を公開いたします。

https://www.net-school.co.jp/
読者の方へ ＞ 税理士試験/科目 ＞ 改正情報

凡例（略式名称……正式名称）

法……法人税法　　令……法人税法施行令　　規……法人税法施行規則
法附則……法人税法附則
措法……租税特別措置法　　措令……租税特別措置法施行令
基通……法人税法基本通達　　個通……法人税法個別通達
措通……租税特別措置法関係通達
耐令……減価償却資産の耐用年数等に関する省令
耐通……耐用年数の適用等に関する取扱通達
引用例
　令28①一イ……法人税法施行令第28条第1項第一号イ

（注）　本書は、令和6年度までの税制改正による令和6年4月1日現在施行の法令等に基づきます。
　　　また、問題の資料中に特別な指示がある場合を除き、当期は「令和7年4月1日から令和8年3月31日」までの期間であるものとして解答してください。
　　　なお、ミニテストについては、答案用紙はついていないことをご了承ください。

Chapter 1

資本金等の額と利益積立金額

Section 1 別表五㈠Ⅰの作成

企業会計上の当期純利益と所得金額がその計算目的が異なることから一致しないように、企業会計上の純資産の額と税務上の純資産の額も基本的には一致しないことになります。これらの純資産の差異を集計する明細書を別表五㈠（利益積立金額及び資本金等の額の計算に関する明細書）といいます。

このSectionでは、別表五㈠Ⅰ（利益積立金額の計算に関する明細書）の作成を学習します。

1 利益積立金額の意義

1. 概 要

利益積立金額は、企業会計上の利益剰余金（利益準備金や繰越利益剰余金等）に相当する概念です[*01]。

ただし、企業会計の目的は財政状態や経営成績を適正に把握することになりますが、法人税では課税の公平性が重視されるため、両者の金額は基本的には一致しません。したがって、企業会計上の利益剰余金とは別に、法人税独自に利益積立金額を集計する必要があります[*02]。

*01) 利益積立金額は、法人税の課税関係が終了した課税済所得のうち、法人の内部に留保されている金額の累積額です。

*02) 利益積立金額を集計することにより、既に法人税が課税された部分を把握することができ、二重課税を防止することができます。

2. 利益積立金額とは（法２十八、令９）

法人の所得の金額で留保している金額として次の(1)の金額の合計額から(2)の金額の合計額を減算した金額をいいます。

(1) 加算項目
　① 所得の金額
　② 受取配当等の益金不算入額、還付金等の益金不算入額
　③ 繰越欠損金の損金算入額　等

(2) 減算項目
　① 欠損金額
　② 法人税、地方法人税及び住民税として納付する金額
　③ 剰余金の配当、利益の配当又は剰余金の分配の額　等

＜図解＞

3. 別表四と利益積立金額との関係

(1) 当期の留保所得金額

当期の留保所得金額は、期末利益積立金額を構成しますが、この金額は、別表四の留保欄の最終値を指しています。

内　　容	金　　額	留　　保	社外流出
当　期　純　利　益			
加算			
小　　計			
減算			
小　　計			
仮　　　計			
合　　　計			
差　引　計			
総　　　計			
所　得　金　額		留保所得金額	

(2) 期末利益積立金額

当期末における利益積立金額の計算は、前期までに計算され繰り越された利益積立金額（期首現在利益積立金額）に、利益積立金額の当期増加額を加えて計算します。

＜図解＞

この計算を行う明細書を「別表五㈠Ⅰ（利益積立金額の計算に関する明細書）」といいます。

〈留保項目と社外流出項目〉

別表四上の加算減算の税務調整には、留保と社外流出の処分がありますが、これらの項目と別表五㈠Ⅰとの関係は、次のとおりです。

処　分	別表五㈠Ⅰ	内　　容	利益積立金額との関係
留　　保	別表五㈠Ⅰに記載が必要	確定決算による利益の留保額	利益積立金額を構成します。
		別表四で留保となる調整項目	
社外流出	別表五㈠Ⅰに無関係	確定決算による社外流出	利益積立金額を構成しません。
		別表四で社外流出となる調整項目	

2 別表五㈠の作成

1．別表四の処分欄の記載

別表四では、次のように金額欄に記載した額を、その税務調整の処分に応じて留保欄と社外流出欄にそれぞれ区分して記載し、集計することになります。

区　　　　分	金　額	留　保	社外流出
当期純利益の額	①	①－②	②
加算　損金経理法人税		○	
損金経理地方法人税		○	
損金経理住民税		○	
損金経理納税充当金		○	
損金経理附帯税等			○
損金経理過怠税			○
減価償却超過額		○	
繰延資産償却超過額		○	
役員給与の損金不算入額			○
交際費等の損金不算入額			○
貸倒引当金繰入超過額		○	
各種準備金積立超過額		○	
圧縮超過額		○	
貸倒引当金取崩もれ		○	
各種圧縮積立金・準備金の取崩額		○	
小　　計			
減算　減価償却超過額認容		○	
納税充当金支出事業税等		○	
受取配当等の益金不算入額			※○
法人税等還付金等の益金不算入額		○	
所得税額等還付金等の益金不算入額			※○
収用等の所得の特別控除額			※○
各種圧縮積立金・準備金の積立額認容		○	
小　　計			
仮　　計			
寄附金の損金不算入額			○
法人税額控除所得税額			○
控除対象外国法人税額			○
合　　計			
差　引　計			
欠損金等の当期控除額	△		※△○
総　　計			
所　得　金　額			

（注）　当期純利益の留保欄は、まず社外流出欄に確定決算による社外流出項目（剰余金の配当等）の金額を記載し、次に当期純利益から社外流出欄に記載した金額を控除した金額を留保欄に記載します。

2．別表五㈠Ⅰのひな型

別表五㈠Ⅰ（利益積立金額の計算に関する明細書）のひな型は、次のとおりです。

別表五㈠Ⅰ

区　　　　分	期首現在利益積立金額 ①	当期の増減 減 ②	当期の増減 増 ③	差引翌期首現在利益積立金額 ①−②+③
利　益　準　備　金				
積　立　金				
各事業年度の留保項目を記載します	前期繰越額を記載します	前期繰越額を消去する場合に記載します	当期に新たに発生した留保項目を記載します	翌期繰越額を記載します
繰　越　損　益　金	当期首残高	①の金額を転記	当期末残高	③の金額を転記
納　税　充　当　金	前期繰越額	期中取崩額	期末引当額	B／S計上額
未納法人税等　未納法人税及び未納地方法人税	△ 期首未納額	△ 期中納付分	中間 △／確定 △	△ 期末未納額
未納法人税等　未納道府県民税	△	△	中間 △／確定 △	△
未納法人税等　未納市町村民税	△	△	中間 △／確定 △	△
差　引　合　計　額				

⑴　**期首現在利益積立金額の欄の記載**

　前期の別表五㈠Ⅰの「差引翌期首現在利益積立金額」欄に記載され、当期に繰り越されてきている金額を記載（転記）します。

⑵　**当期の増減欄の記載**

　当期に新たに発生した別表四における留保項目等を増欄に、前期繰越額を消去する額を減欄に記載します。

⑶　**未納法人税等の欄の記載**

　法人税、地方法人税及び住民税として納付すべき金額は、利益積立金額のマイナス項目であるため、未納法人税等の欄は金額の前に△（マイナス）を付して表示します。

3．株主資本等変動計算書からの転記

株主資本等変動計算書に記載されている留保項目について、次のとおり転記を行います。

区　分	内　容
利益準備金等の積立額	積立額を増欄に記載します。
利益準備金等の取崩額	取崩額を減欄に記載します。
繰越利益剰余金	当期首残高を減欄に、当期末残高を増欄にそれぞれ記載し、洗替処理を行うことになります。

設例1－1　　株主資本等変動計算書からの転記

次の資料により、別表五(一)Ⅰへの記載を示しなさい。

＜資料＞

当社の当期における株主資本等変動計算書（一部）は、次のとおり記載されている。

(単位：円)

	利益剰余金			
	利益準備金	その他利益剰余金		
		新築積立金	別途積立金	繰越利益剰余金
当期首残高	12,000,000	20,000,000	50,000,000	15,000,000
当期変動額				
剰余金の配当				△ 40,000,000
剰余金の配当に伴う利益準備金の積立て	4,000,000			△ 4,000,000
新築積立金の取崩し		△ 20,000,000		20,000,000
別途積立金の積立て			10,000,000	△ 10,000,000
当期純利益				75,000,000
当期変動額合計	4,000,000	△ 20,000,000	10,000,000	41,000,000
当期末残高	16,000,000	0	60,000,000	56,000,000

解答

区　　　　分	期首現在利益積立金額	当期の増減 減	当期の増減 増	差引翌期首現在利益積立金額
	円	円	円	円
利　益　準　備　金	12,000,000		4,000,000	16,000,000
新　築　積　立　金	20,000,000	20,000,000		0
別　途　積　立　金	50,000,000		10,000,000	60,000,000
繰　越　損　益　金	15,000,000	15,000,000	56,000,000	56,000,000

解説

① 準備金及び積立金の積立額及び取崩額について、当期の増減欄に転記します。本問では利益準備金の積立額及び別途積立金の積立額をそれぞれ増欄に、新築積立金の取崩額を減欄に記載することになります。

② 繰越利益剰余金の増減を繰越損益金の行に記載しますが、当期首残高を減欄に記載し、当期末残高を増欄に記載することで洗替処理を行うことになります。

4．別表四からの転記

別表四における調整項目のうち、その処分が留保となるものについては、次のとおり転記を行います。

別表四上の調整項目	別表五㈠Ⅰへの記載
⑴ 当期に新たに発生した留保項目	増欄に記入します。
⑵ 前期繰越額の消去のために生じた項目	減欄に記入します。

⑴ 当期に新たに発生した留保項目の記載

当期に新たに発生した留保項目は、次の区分に応じ、それぞれ次のように記載します。

別表四上の調整項目		別表五㈠Ⅰへの記載
当期に新たに発生した項目	加算留保	増欄にプラス記入します。
	減算留保	増欄にマイナス記入します。

設例1－2　　別表四からの転記⑴

次の資料により、別表五㈠Ⅰへの記載を示しなさい。

＜資料＞

当社の当期における別表四には、次の記載がある。

別表四

	区　分	金　額	留　保	社外流出
加算	減価償却超過額（機械装置）	1,200,000	1,200,000	
	前払交際費否認	300,000	300,000	
減算	仮払寄附金認定損	400,000	400,000	

【解答】

別表五㈠Ⅰ

区　分	期首現在利益積立金額	当期の増減		差引翌期首現在利益積立金額
		減	増	
機械装置			1,200,000	1,200,000
前払交際費			300,000	300,000
仮払寄附金			△　400,000	△　400,000

【解説】

当期に新たに発生した留保項目は、当期の増減欄の増欄に記入します。別表四において加算留保とされた項目はプラス記入、別表四において減算留保とされた項目はマイナス記入となります。なお、別表五㈠Ⅰには、基本的には資産又は負債の項目（貸借対照表の項目）をもって記載することになります。

(2) 前期繰越額の消去のために生じた留保項目の記載

前期繰越額の消去のために生じた留保項目は、次の区分に応じ、それぞれ次のように記載します。

別表四上の調整項目		別表五㈠Ⅰへの記載
前期繰越額の消去の ために生じた留保項目	加算留保	減欄にマイナス記入します。
	減算留保	減欄にプラス記入します。

設例1－3　別表四からの転記(2)

次の資料により、別表五㈠Ⅰへの記載を示しなさい。

<資料>

当社の当期における別表四には、次の記載がある。

別表四

区　分	金　額	留　保	社外流出
加算　仮払寄附金消却否認	400,000	400,000	
減算　減価償却超過額認容（機械装置）	800,000	800,000	
減算　前払交際費認容	300,000	300,000	

【解答】

別表五㈠Ⅰ

区　分	期首現在 利益積立金額	当期の増減		差引翌期首現在 利益積立金額
		減	増	
機械装置	1,200,000	800,000		400,000
前払交際費	300,000	300,000		0
仮払寄附金	△ 400,000	△ 400,000		0

【解説】

前期繰越額の消去のために生じた留保項目は、既に行われている税務調整を受けての記入で、当期の増減欄の減欄に記入しますが、別表四において加算留保とされる項目はマイナス記入、別表四において減算留保とされる項目はプラス記入することになります。

5．納税充当金及び未納法人税等の欄の記載

区　分	別表五㈠Ⅰへの記載
納税充当金の欄	当期の増減欄に記入を行いますが、減欄には期中取崩額、増欄には当期引当額を記入します。
未納法人税等の欄	当期の増減欄の増欄に、中間申告分を「中間」の欄に、確定申告分を「確定」の欄にそれぞれ記入し、減欄には期中納付分を記入します。

設例1－4　　納税充当金及び未納法人税等の欄の記載

次の資料により、別表五㈠Ⅰへの記載を示しなさい。

＜資料＞

⑴　当社の当期における納税充当金の異動状況は、次のとおりである。

区　分	期首現在額	当期減少額	当期増加額	期末現在額
法　人　税	7,500,000円	7,500,000円	12,200,000円	12,200,000円
地方法人税	647,000円	647,000円		
住　民　税	653,000円	653,000円		
事　業　税	2,100,000円	2,100,000円		

（注１）　上記の表における当期減少額は、前期の確定申告に係る法人税、地方法人税、住民税及び事業税を納付するために取り崩したものである。

（注２）　当期増加額は、当期の確定申告により納付すべき法人税、地方法人税、住民税及び事業税の見積り額で、当期の費用に計上したものである。

⑵　当社が当期において納付した次の租税は、租税公課として当期の費用に計上している。

　　①　当期中間申告分の法人税額　　　　　　6,200,000円
　　②　当期中間申告分の地方法人税額　　　　　542,000円
　　③　当期中間申告分の住民税額　　　　　　　548,000円
　　④　当期中間申告分の事業税額　　　　　　1,800,000円

⑶　当期の確定申告により納付すべき税額は次のとおりである。

　　①　当期確定申告分の法人税額　　　　　　8,400,000円
　　②　当期確定申告分の地方法人税額　　　　　902,000円
　　③　当期確定申告分の住民税額　　　　　　　910,000円
　　④　当期確定申告分の事業税額　　　　　　2,400,000円

解答

区　　　　分	期首現在利益積立金額	当期の増減 減	当期の増減 増		差引翌期首現在利益積立金額
	円	円		円	円
納　税　充　当　金	10,900,000	10,900,000		12,200,000	12,200,000
未納法人税等　未納法人税及び未納地方法人税	△　8,147,000	△　14,889,000	中間	△　6,742,000	△　9,302,000
			確定	△　9,302,000	
未納法人税等　未　納　住　民　税	△　653,000	△　1,201,000	中間	△　548,000	△　910,000
			確定	△　910,000	
差　引　合　計　額					

解説

① 納税充当金については、減欄に期中取崩額を記入し、増欄には当期引当額を記入します。

② 未納法人税等の欄については、増欄のうち中間の欄には中間申告分を記入します。また、増欄のうち確定の欄には確定申告分を記入します。なお、減欄には期中納付分を記入することになりますが、その記入する金額は、期中に納付すべきものについて未納額がない場合には、期首現在の未納法人税等の額と中間の欄に記載した金額との合計額となります。

6．圧縮積立金等の記載

圧縮積立金や特別償却準備金の別表五㈠Ⅰへの記載は、その明細を示すため、次のように記載します。

区　分	項　目	記　載
株主資本等変動計算書からの転記	積　立　額	当期の増減欄の増欄に転記
別表四からの転記	積立金認定損	当期の増減欄の増欄にマイナス記入
	積立超過額	当期の増減欄の増欄にプラス記入

設例1-5　　　　　　　　　　　　　　　　　　圧縮積立金等の記載

次の資料により、別表五㈠Ⅰへの記入を示しなさい。

⑴　当社の当期の株主資本等変動計算書には、次の項目が記載されている。
　　圧縮積立金積立額　　　　　5,400,000円

⑵　当社の当期の別表四には、次の税務調整が記載されている。
　　（加算欄）
　　　圧縮積立金積立超過額　　1,440,000円
　　（減算欄）
　　　圧縮積立金認定損　　　　5,400,000円

解答

区　分	期首現在利益積立金額	当期の増減 減	当期の増減 増	差引翌期首現在利益積立金額
	円	円	円	円
圧　縮　積　立　金			5,400,000	5,400,000
圧　縮　積　立　金　認　定　損			△ 5,400,000	△ 5,400,000
圧縮積立金積立超過額			1,440,000	1,440,000

解説

①　株主資本等変動計算書における圧縮積立金の積立額は、利益準備金や任意積立金の積立額と同様に、別表五㈠Ⅰへ転記します。

②　圧縮積立金認定損及び圧縮積立金積立超過額は、相殺をしないで、別表四からそれぞれ転記します。

7．繰延税金資産及び繰延税金負債の記載

繰延税金資産及び繰延税金負債の別表五㈠Ⅰへの記載方法には、次の2通りの方法があります。

区　分	内　　　　　容
第一法	発生又は解消に基づいて繰延税金資産及び繰延税金負債の増加額及び減少額を把握し、別表五㈠Ⅰに記載する方法
第二法	洗替方式

答案を作成する上では、第一法によるか第二法によるかは問題の指示に従って処理することになります[02]。

[02] 特に指示がなければ、いずれの方法で処理しても正解になります。

設例1－6　繰延税金資産及び繰延税金負債の記載

次の資料により、別表五㈠Ⅰへの記入を示しなさい。

当社の当期における繰延税金資産及び繰延税金負債の異動状況は、次のとおりである。

区　　分	期首現在額	当期減少額	当期増加額	期末現在額
繰延税金資産	6,627,000円	6,147,000円	10,423,000円	10,903,000円
繰延税金負債	9,148,000円	1,948,000円	5,433,000円	12,633,000円

解答

(1) 第一法

別表五㈠Ⅰ

区　分	期首現在利益積立金額	当期の増減 減	当期の増減 増	差引翌期首現在利益積立金額
	円	円	円	円
繰延税金資産	△　6,627,000	△　6,147,000	△10,423,000	△10,903,000
繰延税金負債	9,148,000	1,948,000	5,433,000	12,633,000

(2) 第二法

別表五㈠Ⅰ

区　分	期首現在利益積立金額	当期の増減 減	当期の増減 増	差引翌期首現在利益積立金額
	円	円	円	円
繰延税金資産	△　6,627,000	△　6,627,000	△10,903,000	△10,903,000
繰延税金負債	9,148,000	9,148,000	12,633,000	12,633,000

解説

本問では、第一法によるか第二法によるか特に指示がないため、両方の記載を示していますが、実際の解答上は、問題の指示に従って処理します。特に指示がない場合には、繰延税金資産及び繰延税金負債の異動状況が別表五㈠Ⅰに適切に反映されていれば、いずれの方法によっても正解となります。

Section 2 別表五㈠ Ⅱの作成

利益積立金額と同様、資本金等の額も税務上の純資産の額を構成します。この資本金等の額についても企業会計上の金額と必ずしも一致しないため、税法独自に把握しておく必要があります。

このSectionでは、別表五㈠Ⅱ（資本金等の額の計算に関する明細書）の作成を学習します。

1 資本金等の額の意義

1．概　要

資本金等の額は、資本金の額及び企業会計上の資本剰余金の額の合計額に相当する概念です。株主等から出資を受けた金額であり、実質的な資本を指しています。

したがって、資本金等の額の増減取引は、資本等取引として課税関係を生じさせないこととされています。

2．資本金等の額とは（法２十六、令８）

法人が株主等から出資を受けた金額として次の金額の合計額をいいます。

(1) 資本金の額又は出資金の額

(2) ①の金額の合計額から②の金額の合計額を減算した金額

　① 加算項目

　　㈤ 株式の発行又は自己株式の譲渡をした場合に払い込まれた金銭等の額から増加した資本金の額又は出資金の額を減算した金額

　　㈹ 資本金の額又は出資金の額を減少した場合のその減少した金額相当額　等

　② 減算項目

　　準備金の額若しくは剰余金の額を減少して資本金の額若しくは出資金の額を増加した場合のその増加した金額相当額　等[01]

[01] **計算学習では、ここに挙げた項目を把握する程度で十分です。**

2 別表五㈠Ⅱの作成

別表五㈠Ⅱ（資本金等の額の計算に関する明細書）のひな型は、次のとおりです。

別表五㈠Ⅱ

区　分	期首現在資本金等の額	当期の増減		差引翌期首現在資本金等の額
		減	増	
資本金又は出資金	①　　　　円	②　　　　円	③　　　　円	④　　　　円
資本準備金				
差引合計額				

(1) 基本的な構造

別表五㈠Ⅰ（利益積立金額の計算に関する明細書）と同様で、次のとおりです。

① 前期繰越額を記載します。
② 前期繰越額を消去する場合に記載します。
③ 当期に新たに発生した資本金等の額を記載します。
④ 翌期繰越額を記載します。

(2) 差引翌期首現在資本金等の額

差引翌期首現在資本金等の額は、当期末の資本金等の額です。なお、寄附金の損金不算入額の計算で資本金の額及び資本準備金の額の合計額を使用しますが、差引翌期首現在の額によります。

設例2-1 別表五㈠Ⅱの記載(1)

次の資料により、別表五㈠Ⅱへの記載を示しなさい。

⑴　当社は、令和7年10月1日に第三者割当による増資を行い、新株を発行している。当社は、この増資により金銭50,000,000円の払込みを受けている。

⑵　当社は、払込みを受けた金額のうち30,000,000円を資本金とし、残額については資本準備金に計上している。なお、当期首現在における資本金等の額は100,000,000円（資本金の額である。）であった。

解答　別表五㈠Ⅱ

区　分	期首現在資本金等の額	当期の増減		差引翌期首現在資本金等の額
		減	増	
	円	円	円	円
資本金又は出資金	100,000,000		30,000,000	130,000,000
資本準備金			20,000,000	20,000,000
差引合計額	100,000,000		50,000,000	150,000,000

解説

増資により当期に増加した資本金等の額を、当期の増減の増欄に記載します。なお、増資の結果、期末資本金等の額は150,000,000円となります。

設例2－2

次の資料により、別表五㈠Ⅱへの記載を示しなさい。

当社（当期首における資本金の額は100,000,000円であり、資本金等の額も同額である。）は、当期において開催した定時株主総会において、当期首における利益準備金25,000,000円のうち10,000,000円を資本金に組み入れることを決議している。

解答

別表五㈠Ⅰ（利益積立金額の計算に関する明細書）

区　分	期首現在利益積立金額	当期の増減 減	当期の増減 増	差引翌期首現在利益積立金額
利 益 準 備 金	25,000,000円	10,000,000円	円	15,000,000円
積立金				
資本金等の額			10,000,000	10,000,000

別表五㈠Ⅱ（資本金等の額の計算に関する明細書）

区　分	期首現在資本金等の額	当期の増減 減	当期の増減 増	差引翌期首現在資本金等の額
資本金又は出資金	100,000,000円	円	10,000,000円	110,000,000円
資 本 準 備 金				
利 益 積 立 金 額			△ 10,000,000	△ 10,000,000
差 引 合 計 額	100,000,000		0	100,000,000

解説

当社が、利益準備金の資本組み入れについて行った経理処理は、次のとおりです。一旦は、この仕訳に基づいて別表五㈠への記入を行います。

当社が行った仕訳
（利益準備金）10,000,000円　（資　本　金）10,000,000円

ここで、資本金の増加額は資本金等の額の加算項目とされ、税務上の取扱いと当社の仕訳は一致していますが、準備金の資本組み入れ額は、税務上は資本金等の額の減算項目とされるため、当社が行った利益積立金額（利益準備金）を減算する仕訳とは取扱いが異なります。したがって、税務上はこの取引について、資本金等の額の減算とするための次の修正仕訳（考え方）が必要となります。

税務上の修正仕訳（考え方）
（資本金等の額）10,000,000円　（利益積立金額）10,000,000円

この修正仕訳を別表五㈠に反映させるため、別表五㈠Ⅰでは利益積立金額を増加させる（減算させてしまった金額をもとに戻す）ことになり、相手勘定である資本金等の額という項目をもって記載することになります。また、別表五㈠Ⅱでは資本金等の額を減算させることになり、相手勘定である利益積立金額という項目をもって記載することになります。

······· *Memorandum Sheet* ·······

Try it

別表五(一) I

次の資料により、別表五(一) I への記載を示しなさい。

<資料>

(1) 当社の当期における株主資本等変動計算書（一部）は、次のとおり記載されている。（単位：円）

	利益剰余金			
	利益準備金	その他利益剰余金		
		圧縮積立金(土地)	別途積立金	繰越利益剰余金
当期首残高	16,400,000	0	160,000,000	110,000,000
当期変動額				
剰余金の配当				△ 40,000,000
剰余金の配当に伴う利益準備金の積立て	4,000,000			△ 4,000,000
圧縮積立金(土地)の積立て		15,000,000		△ 15,000,000
別途積立金の積立て			40,000,000	△ 40,000,000
当期純利益				100,000,000
当期変動額合計	4,000,000	15,000,000	40,000,000	1,000,000
当期末残高	20,400,000	15,000,000	200,000,000	111,000,000

(2) 当社の当期における別表四には、次の記載がある。

別表四 (単位：円)

	区　分	金　額	留　保	社外流出
加算	損金経理納税充当金	60,000,000	60,000,000	
	損金経理法人税	30,000,000	30,000,000	
	損金経理地方法人税	3,090,000	3,090,000	
	損金経理住民税	3,120,000	3,120,000	
	減価償却超過額（機械装置）	75,000	75,000	
	役員給与の損金不算入額	4,000,000		4,000,000
	圧縮積立金積立超過額（土地）	2,000,000	2,000,000	
減算	納税充当金支出事業税等	10,000,000	10,000,000	
	受取配当等の益金不算入額	2,500,000		2,500,000
	一括貸倒引当金繰入超過額認容	300,000	300,000	
	圧縮積立金認定損（土地）	15,000,000	15,000,000	

(3) 租税公課に関する事項として次のものがある。

① 損金経理した租税のうちには、当期中間申告分の法人税30,000,000円、地方法人税3,090,000円、住民税3,120,000円、事業税11,000,000円がある。

② 当期の納税充当金の期中減少額の内容は、法人税28,000,000円、地方法人税2,884,000円、住民税2,912,000円、事業税10,000,000円については、前期から繰り越された納税充当金43,796,000円を全額取り崩して納付したものである。

③ 当期の確定申告により納付すべき税額は、法人税26,000,000円、地方法人税2,678,000円、住民税2,704,000円及び事業税8,000,000円である。

答案用紙

区　　　　分	期首現在利益積立金額	当期の増減 減	当期の増減 増	差引翌期首現在利益積立金額
	円	円	円	円
利　益　準　備　金	16,400,000			
別　途　積　立　金	160,000,000			
一括貸倒引当金	300,000			
繰　越　損　益　金	110,000,000			
納　税　充　当　金	43,796,000			
未納法人税等 / 未納法人税及び未納地方法人税	△ 30,884,000	△	中間 △ 確定 △	△
未納法人税等 / 未納住民税	△ 2,912,000	△	中間 △ 確定 △	△
差　引　合　計　額	296,700,000			

解 答

区　　　　分	期首現在利益積立金額	当期の増減 減	当期の増減 増	差引翌期首現在利益積立金額
	円	円	円	円
利　益　準　備　金	16,400,000		4,000,000	❶ 20,400,000
別　途　積　立　金	160,000,000		40,000,000	❶ 200,000,000
一　括　貸　倒　引　当　金	300,000	300,000		
圧　縮　積　立　金（土地）			15,000,000	❶ 15,000,000
圧　縮　積　立　金認定損（土地）			△ 15,000,000	△ 15,000,000
圧　縮　積　立　金積立超過額（土地）			2,000,000	❶ 2,000,000
機　械　装　置			75,000	❶ 75,000
繰　越　損　益　金	110,000,000	110,000,000	111,000,000	❶ 111,000,000
納　税　充　当　金	43,796,000	43,796,000	60,000,000	❶ 60,000,000
未納法人税等　未納法人税及び未納地方法人税	△ 30,884,000	△ 63,974,000	中間 ❶△ 33,090,000 確定 △ 28,678,000	△ 28,678,000
未納法人税等　未　納　住　民　税	△ 2,912,000	△ 6,032,000	中間 ❶△ 3,120,000 確定 △ 2,704,000	△ 2,704,000
差　引　合　計　額	296,700,000	84,090,000	149,483,000	❶ 361,173,000

解 説

① 利益積立金額の計算の基礎は、利益剰余金です。まず、株主資本等変動計算書の内容を転記します。

② 別表四の調整額については、留保項目を転記します。

③ 納税充当金支出事業税等について、別表四の調整金額と別表五㈠Ⅰの記載金額では金額が異なります。別表四では純額の調整、別表五㈠Ⅰでは総額記入となります。

Chapter 2

給与等

Section 1 特定新株予約権を対価とする費用

法人は、従業員や役員の業績の向上等に対する意欲を高めるために、新株予約権(いわゆるストック・オプション)を付与する場合があります。この新株予約権の付与は、従業員等からの役務提供の対価であることから、基本的には損金性があります。

ただし、その費用の認識時期について、会計上は、新株予約権の付与日から始まりますが、特定新株予約権については、法人税法では、所得税の課税に合わせた取扱いとされ、会計における計上時期とは異なることとなります。

このSectionでは新株予約権を対価とする費用を学習します。

1 帰属事業年度の特例(法54の2①②)

1．概　要(法54の2①)

内国法人が、個人から受けた役務の提供の対価として特定新株予約権[*01]を発行したときは、その個人においてその役務の提供につき、所得税法等に規定する給与等課税事由が生じた日においてその役務の提供を受けたものとして、法人税法の規定が適用されます。

2．給与等課税事由が生じない場合(法54の2②)

個人において、役務の提供につき、給与等課税事由が生じないときは、その役務の提供に係る費用の額は、特定新株予約権を発行した法人の各事業年度の損金の額に算入されません。

<図解>

［縦軸：株価／横軸：時間］

付与日の新株予約権の価額[*02]
行使価格
給与等＝所得税上
払込金額
追加報酬

権利付与 — 権利確定[*03] — 権利行使[*04] — 株式売却

会計上は、この期間に渡って「株式報酬費用」が計上されます。

権利行使
⇓
給与等課税事由の発生
⇓
給与の認識時期
(法人においては付与日の新株予約権の価額を費用)

[*01] 新株予約権とは、新株予約権を持っているものが予め定めた価格で会社に対して、新株の発行や会社が所有している自己株式を移転することを要求できる権利のことをいいます。特に取締役や従業員などに対して付与するものをストック・オプションといいます。
特定新株予約権とは、譲渡制限付新株予約権(譲渡についての制限その他の条件が付されている新株予約権)であって、一定の要件を満たすものをいいます。

[*02] 付与(付与の手段は新株予約権を発行)日の新株予約権の価額は、会計上の新株予約権の公正な評価額となります。法人税法においては、特定新株予約権の権利が行使された日において、その行使がされた特定新株予約権の価額相当額が法人において費用と認識されることになります。なお、払込金額がある場合にはその金額を控除した金額相当額が、価額相当額となります。

[*03] 権利確定とは、ストック・オプションの条件が達成され、権利が確定した日となります。なお、この時点での株価は付与日における株価と便宜上図は同額となっていますが、同額になるというわけではありません。

[*04] 新株予約権の権利を行使することにより、新株を取得することになります。

2 役務提供時の取扱い

会計上は、特定新株予約権が、従業員又は役員の役務提供の対価として発行される場合には、対象勤務期間にわたって、費用計上されることになります。

その対象勤務期間は、「付与日」から「権利確定日」までの期間をいいます。

税務上は、その費用を権利行使日に認識することとされているため、対象勤務期間に計上された株式報酬費用は、否認され、別表四で加算調整することになります。

〈役務提供時の会計上の仕訳〉

(借) 株式報酬費用×××／(貸) 新株予約権 ×××

前払株式報酬費用計上もれ（加算留保）

3 権利行使時の取扱い

1．費用の認識時期

会計上は、「付与日」から「権利確定日」までの期間にわたって費用に計上しますが、税務上においては否認されます[*01]。

税務上は、特定新株予約権の権利行使があった時に認識することとし、会計上費用計上されていることを前提に、次の調整をします。

〈権利行使時の会計上の仕訳〉

(借) 新株予約権×××／(貸) 資本金等×××

前払株式報酬費用計上もれ認容（減算留保）

2．給与等課税事由が生じない場合

給与等課税事由が生じない場合[*02]は、役務の提供に係る費用の額は、その特定新株予約権を発行した法人の各事業年度の損金の額に算入されないため、次の調整が必要となります。

〈権利行使時の会計上の仕訳〉

(借) 新株予約権×××／(貸) 資本金等×××

前払株式報酬費用計上もれ認容（減算留保）
株式報酬費用否認（加算社外流出）

*01) 所得税課税が生じるのは、早くても、特定新株予約権の権利行使時であり、所得税の税収が生じない段階で、法人税の税収を減少させないためです。

*02) 給与等課税事由が生じない場合とは、所得税法において適格ストック・オプション（一定の要件を満たす必要があります。）に該当するものであり、適格ストック・オプションに該当すると権利行使時において、所得税課税が繰り延べられることになります。これは、所得税課税がされないのにもかかわらず、法人税課税において、課税所得を減少させてしまうと、所得税と法人税とを総合して考えた場合においても、長期間にわたる課税の繰延べとなってしまうため、法人税法において、損金算入されないこととされています。

3．給与等課税事由が生ずる場合

給与等課税事由が生ずる場合[*03]は、役務の提供に係る費用の額は、一定の要件を満たすことにより、その特定新株予約権を発行した法人の各事業年度の損金の額に算入されますが、その権利の行使をした者が役員である場合において、過大部分などがあるときは、次の調整が必要となります。

〈権利行使時の会計上の仕訳〉

(借)新株予約権×××／(貸)資本金等×××

前払株式報酬費用計上もれ認容（減算留保）
役員給与の損金不算入額（加算社外流出）

<図解>

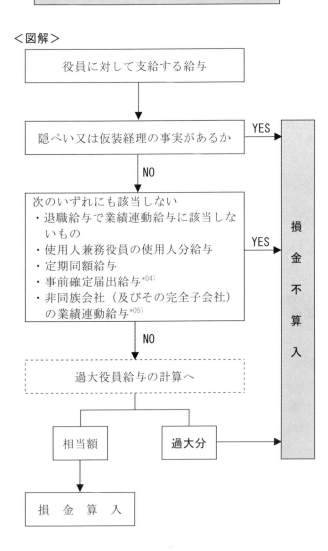

[*03] ストック・オプションは、適格の場合に、権利行使した時点での所得税課税が繰り延べられますが、原則の場合いわゆる非適格のストック・オプションの場合は、権利行使した時点で所得税課税がされることになります。したがって、所得税と法人税とを総合して考えた場合においても、通常の給与の支払と同様に、法人税で課税所得が減った分、所得税において給与所得に係る収入金額が計上されることになり、バランスがとれることになります。所得税における給与所得に係る収入金額は、取得した株式の時価－取得するために実際に支払った金額で計算します。

また、特定新株予約権は、特定譲渡制限付株式（2-7ページからのsection 2で学習）と異なり、権利行使が可能となったとしても株価次第では行使されずに消滅する可能性が残るため、給与等課税事由が生じた日に役務の提供を受けたものとすることとされています。

[*04] 特定新株予約権について、一定の要件に該当する事前確定届出給与に該当するものについては、事前に確定していれば、届出は不要とされています。なお、通常の新株予約権の場合は、損金算入されるためには、届出が必要です。ただし、いずれも、発行法人が上場企業等かその法人と支配関係がある法人の新株予約権（適格新株予約権）に限られます（業績連動給与について同じ。）。

[*05] 役員に対する特定新株予約権の支給については、業績連動給与に該当する（損金算入される）ためには、その役員が有価証券報告書を作成する企業（上場企業など）の役員である場合に限られます。

4 消滅時の取扱い（法54の2③）

　特定新株予約権が、権利を行使しないで消滅したときは、その消滅による利益の額は、発行法人の各事業年度の益金の額に算入しないこととされています。

　すなわち、特定新株予約権が権利確定後に消滅した場合には会計上は収益の額が生じますが、税務上は未だ損金の額に算入されていないため、その収益の額は益金不算入とされることになります。

〈消滅時の会計上の仕訳〉

（借）新株予約権×××／（貸）新株予約権戻入益×××

新株予約権戻入益の益金不算入額（減算留保）

設例1-1　ストック・オプション

次の資料により、当社の当期における税務上の調整を示しなさい。

(1) 当社は、令和元年10月28日の株主総会において、取締役に対し役務の提供の対価として、ストック・オプションを特定新株予約権として無償で付与することを決議している。前期までにその特定新株予約権の勤務対象期間が終了し、株式報酬費用として、20,000,000円が費用に計上されている。その株式報酬費用として計上された20,000,000円に係る特定新株予約権については、当期に権利行使がされ、その権利を行使した取締役において、給与等課税事由が生じている。なお、この特定新株予約権は事前確定届出給与に該当する。

(2) 当社が、当期において、現金支給した役員給与の総額は、52,000,000円である。なお、そのうち2,000,000円は、定期同額給与、事前確定届出給与及び業績連動給与のいずれにも該当しないものである。

(3) 当社の定款には、取締役に対する役員給与の支給限度額が60,000,000円と定められている。
なお、各人別の支給額について、不相当と高額と認められる金額はない。

解答

1. 過大役員給与

　(1) 損金不算入給与

　　2,000,000円

　(2) 過大役員給与（取締役・形式基準）

　　(20,000,000＋52,000,000－2,000,000)－60,000,000＝10,000,000円

　(3) 合　計

　　(1)＋(2)＝12,000,000円

（単位：円）

	区　分	金　額	留　保	社外流出
加算	役員給与の損金不算入額	12,000,000		12,000,000
減算	前払株式報酬費用計上もれ認容	20,000,000	20,000,000	

解説

① 会計上は、ストック・オプションに係る費用は、権利行使前の期間である勤務対象期間に計上することになりますが、特定新株予約権についての税務上の費用の認識時期は、権利行使時となり、本問は当期に権利行使を行っているため、前期以前に費用計上した金額を減算調整します。

② 特定新株予約権に係るストック・オプションの権利行使につき、給与等課税事由が生じている（非適格ストック・オプション）ため、過大役員給与の計算に含めることになります。

Section 2 特定譲渡制限付株式を対価とする費用

報酬、保険や補償条件等の役員就任条件は、中長期的な企業価値向上のために、優秀な人材を内外から確保し、経営者を含む業務執行者等の適切なインセンティブの創出に寄与するものであり、企業にとっては、いわば将来への投資となります。経営陣に中長期の企業価値創造を引き出すためのインセンティブを付与することができるよう金銭でなく株式による報酬がありますが、そのうち譲渡制限付株式を対価とするものがあり、税法が譲渡制限付株式（リストリクテッド・ストック）を対価とする報酬について、税法が妨げとならないようにするために、本規定が設けられています。

1 帰属事業年度の特例（法54①②）

1．概　要（法54①）

内国法人が、個人から受けた役務提供の対価として特定譲渡制限付株式[*01]が交付されたときは、その個人においてその役務提供につき所得税法等に規定する給与等課税額が生ずることが確定した日においてその役務提供を受けたもの[*02]として、法人税法の規定が適用されます。

2．給与等課税額が生じない場合（法54②）

個人において、役務の提供につき、給与等課税額が生じないときは、その役務の提供に係る費用の額は、特定譲渡制限付株式を交付した法人の各事業年度の損金の額に算入されません。

＜図解＞

法人	株式交付	損金算入
		解　除
	譲渡制限	売却可能
役員	給与課税なし	給与課税

2 株式交付時の取扱い

株式交付については、従業員又は役員から報酬債権の現物出資を受け、特定譲渡制限付株式を発行することになります。

税務上は報酬債権に相当する資本金等の額が増加することになります。

〈株式交付時の会計上の仕訳〉[*03]

（借）前払費用等×××／（貸）資本金等の額×××

調整なし

[*01] 特定譲渡制限付株式とは、いわゆるリストリクテッド・ストックのことです。金銭報酬債権を現物出資する方法により自社の現物株式を役員などに直接付与する株式報酬制度の一種となり、一定期間の譲渡制限と無償取得事由（いわゆる没収）の定めがあるものです。付与対象となる役員に中長期の企業価値向上に向けたインセンティブ付けを行うことを狙いとしています。

[*02] 通常、譲渡制限が解除された日に給与等課税額が生ずることが確定しますが、解除されていなくても、特定新株予約権と異なり、無償で取得される可能性がなくなった場合には、その時点で権利が確定したといえるため、解除された日又はそのなくなった日を給与等課税額が生ずることが確定した日といい、これらの日に役務の提供を受けたものとすることとされています。

[*03] 丁寧な会計処理及び税務処理は、一旦、前払費用等計上時に報酬債務が生じ、次に、その報酬債務を消去し、資本金等の額を計上します。ただ、その報酬債務を相殺するとテキストの仕訳となります。

3 役務提供時の取扱い

特定譲渡制限付株式が発行され、対象勤務期間（譲渡制限期間）に、従業員又は役員の役務提供について、費用計上されることになります。

税務上は、その費用を譲渡制限の解除時又は無償で取得する可能性がなくなった時に認識することとされているため、対象勤務期間（譲渡制限期間）に計上された株式報酬費用は、否認され、別表四で加算調整することになります。

〈役務提供時の会計上の仕訳〉

（借）株式報酬費用×××／（貸）前払費用等×××

前払株式報酬費用計上もれ（加算留保）

4 譲渡制限解除時の取扱い

1．費用の認識時期

税務上は、費用を譲渡制限の解除時又は無償で取得される可能性がなくなった日に認識することとし、会計上費用計上されていることを前提に、次の調整をします。

〈解除時等の会計上の仕訳〉

仕訳なし

前払株式報酬費用計上もれ認容（減算留保）

2．給与等課税額が生じない場合

給与等課税額が生じない場合[*01]は、役務の提供に係る費用の額は、その特定譲渡制限付株式を発行した法人の各事業年度の損金の額に算入されないため、次の調整が必要となります。

〈解除時等の会計上の仕訳〉

仕訳なし

前払株式報酬費用計上もれ認容（減算留保）
株式報酬費用否認（加算社外流出）

*01）給与等課税額が生じない場合とは、「その個人においてその役務の提供につき給与等課税額が生じないとき」をいい、具体的には、例えば、イ退任した場合、ロその内国法人がその個人から受けた役務の提供に係る特定譲渡制限付株式を無償で取得（いわゆる没収）した場合などが考えられるとされています。

3．給与等課税額が生ずることが確定した場合

給与等課税額が生ずることが確定した場合[*02]は、役務の提供に係る費用の額は、一定の要件を満たすことにより、届出不要の事前確定届出給与に該当（事前に確定していることが前提となります。）し、その特定譲渡制限付株式を発行した法人の各事業年度の損金の額に算入されますが、その給与等課税額が生じた者が役員である場合において、過大部分があるときは、次の調整が必要となります。

〈解除時等の会計上の仕訳〉

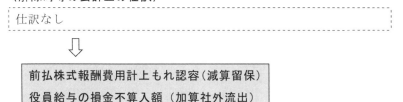

<図解>

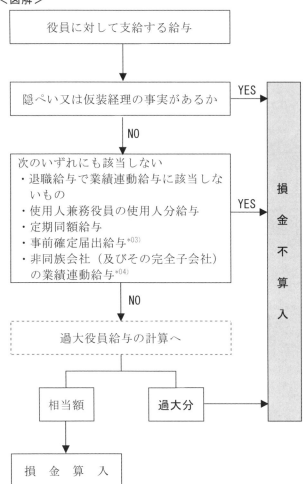

[*02] 上記のとおり、譲渡制限の解除時等に認識することになりますが、通常の給与の支払と同様に、譲渡制限が解除されると、法人税で課税所得が減り、その減った分、所得税において給与所得に係る収入金額が計上されることになり、バランスがとれることになります。

[*03] 役員に対する特定譲渡制限付株式の支給については、事前確定届出給与に該当する（損金算入される）ためには、発行法人が上場企業等かその法人と支配関係がある法人の株式（適格株式）に限られます。なお、事前確定届出給与に該当するために、一定の要件に該当し、事前に確定していれば、届出は不要とされています。

[*04] 役員に対する特定譲渡制限付株式の支給については、その評価の方法や実務が確立していないこと、また、会計上の取扱いも明らかにされていないことから、税法上積極的にこれを規定して損金算入可能とするには時期尚早と考えられ、当面の対応として業績連動給与に該当しないこととされています。

設例2－1　　　　　　　　　　　　　　　　　　　　　　　　　　　　　特定譲渡制限付株式

次の資料により、当社の当期における税務上の調整を示しなさい。

(1) 当社は、令和元年10月28日の株主総会において、取締役に対し役務の提供の対価として、特定譲渡制限付株式を無償で付与することを決議し、同年11月1日に交付している。当期の11月にその特定譲渡制限付株式の譲渡制限期間が終了し解除され、前期までに株式報酬費用として18,000,000円、当期において株式報酬費用として6,000,000円がそれぞれ費用に計上されている（事前確定届出給与に該当する。）。

(2) 当社が、当期において、現金支給した役員給与の総額は、52,000,000円である。なお、そのうち2,000,000円は、定期同額給与、事前確定届出給与及び業績連動給与のいずれにも該当しないものである。

(3) 当社の定款には、取締役に対する役員給与の支給限度額が60,000,000円と定められている。
　　なお、各人別の支給額について、不相当と高額と認められる金額はない。

解答

1．過大役員給与

(1) 損金不算入給与
　　2,000,000円

(2) 過大役員給与（取締役・形式基準）
　　(18,000,000＋6,000,000＋52,000,000－2,000,000)－60,000,000＝14,000,000円

(3) 合　計
　　(1)＋(2)＝16,000,000円

（単位：円）

区分		金　額	留　保	社外流出
加算	役員給与の損金不算入額	16,000,000		16,000,000
減算	前払株式報酬費用計上もれ認容	18,000,000	18,000,000	

解説

① 会計上は、特定譲渡制限付株式に係る費用は、対象勤務期間（譲渡制限期間）に計上することになりますが、税務上の費用の認識時期は、譲渡制限の解除時又は無償で取得する可能性がなくなった時となり、本問は当期に譲渡制限の解除を行っているため、前期以前に費用計上した金額を減算調整します。

② 特定譲渡制限付株式に係る費用につき、当期に譲渡制限が解除され、給与等課税額が生ずることが確定しているため、過大役員給与の計算に含めることになります。

　なお、特定譲渡制限付株式に係る費用は、事前に確定していることなどを要件に、届出を要しない事前確定届出給与に該当するとされています。

Chapter 3
減価償却(普通償却)

Section 1 資本的支出と修繕費

固定資産について修理、改良等のための支出を行った場合には、その支出が資本的支出に該当するか修繕費に該当するかにより税務上の取扱いが異なることになります。
「資本的支出」に該当するものは、その支出日の属する事業年度の損金の額に算入されませんが、「修繕費」に該当するものは、損金の額に算入されます。
このSectionでは、資本的支出と修繕費の取扱いを学習します。

1 資本的支出と修繕費の区分

1．資本的支出の例示（基通7−8−1）

資本的支出とは、固定資産の修理、改良等のために支出する金額のうち、固定資産の価値を高め又はその耐久性を増すこととなる金額をいいます[01]。

具　体　例
(1)　建物の避難階段の取付費用の額
(2)　用途変更のための模様替え等の費用の額
(3)　機械の部分品を特に高品質又は高性能のものに取替えた場合のその取替費用の額のうち、通常の取替費用の額を超える部分の金額　等

[01] 税法上は建物の増築等は本来の新たな資産の取得とされ、資本的支出の範囲には含まれません。

2．修繕費の例示（基通7−8−2）

修繕費とは、固定資産の修理、改良等のために支出する金額のうち、固定資産の通常の維持管理のため、又は原状を回復するために要した金額をいいます。修繕費は費用であり、その事業年度の損金の額に算入されます。

具　体　例
(1)　建物の移えい又は移築費用の額
(2)　機械装置の移設費用の額
(3)　地盤沈下した土地を沈下前の状態に回復するために行う地盛り費用の額　等

3．少額又は周期の短い費用の損金算入（基通7−8−3）

次の場合に該当する費用の額については、資本的支出に該当する場合であっても、修繕費として損金経理をすることができます。

要　件
(1)　一の修理、改良等のために要した費用の額が20万円未満の場合
(2)　修理、改良等がおおむね3年以内の期間を周期として行われることが既往の実績等からみて明らかな場合

4．資本的支出と修繕費の区分が明らかでない場合

一の修理、改良等のために要した費用の額のうちに資本的支出であるか修繕費であるかが明らかでない金額がある場合には、次の基準により区分します。

(1) 形式基準（基通7－8－4）

一の修理、改良等のために要した費用の額が、次のいずれかに該当するときは、修繕費として損金経理をすることができます。

要　　件
①　その金額が60万円未満の場合
②　その金額がその固定資産の前期末取得価額※の10％相当額以下である場合

※　前期末取得価額＝当初取得価額＋前期末までの資本的支出の額

(2) 区分の特例（基通7－8－5）

一の修理、改良等のために要した費用の額について、法人が継続して次の金額をそれぞれ修繕費又は資本的支出として経理しているときは、その経理が認められます。

要　　件
①　その金額の30％相当額とその固定資産の前期末取得価額※の10％相当額とのいずれか少ない金額（A）➡ 修繕費
②　その金額 －（A）➡ 資本的支出

※　前期末取得価額＝当初取得価額＋前期末までの資本的支出の額

5．まとめ

区分の流れをまとめると次のようになります。

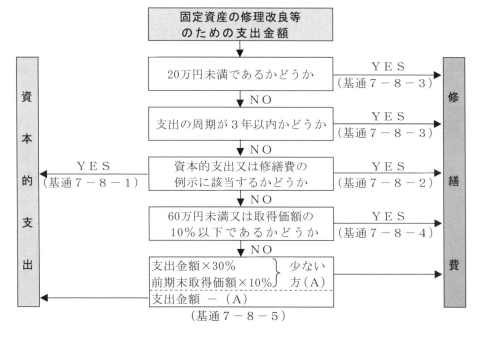

2 資本的支出の取扱い（令65①②）

　資本的支出は、取得価額を構成すべき支出であるため、原則として支出日の属する事業年度の損金の額には算入されません。

　減価償却資産に係る資本的支出の取扱いは、次のとおりです[*01]。

区　　分	資本的支出の取扱い
1．原　　則	減価償却資産本体と種類及び耐用年数を同じくする減価償却資産を新たに取得したものとされ、本体とは切り離して償却します。
2．取得価額に加算する場合	旧定額法又は旧定率法の場合には、資本的支出の額をその減価償却資産本体の取得価額に加算し、本体と一体的に償却することができます。

[*01] 減価償却資産以外の固定資産（土地など）に係る資本的支出の額は、その固定資産の取得価額に加算することになります。

1．原　　則

　資本的支出は、新たな資産の取得とされるため、本体と資本的支出のそれぞれについて償却限度額を計算し、減価償却超過額を計算することになります。

　この取扱いによる場合には、平成19年4月1日以後の取得に当たるため、定額法又は定率法により償却限度額を計算することになります。

　具体的には、次のように計算します。

```
基本算式
(1) 本　体
  ①　償却限度額 ➡ 通常どおりの計算
  ②　償却超過額
　　　会社計上償却費－償却限度額 → 減価償却超過額（加算留保）
(2) 資本的支出
  ①　償却限度額[*02] ➡ 定額法又は定率法により計算
  ②　償却超過額
　　　会社計上償却費[*03]－償却限度額 → 減価償却超過額（加算留保）
```

　なお、本体と資本的支出の償却方法が同一である場合（本体を定額法又は200％定率法により償却している場合）には、グルーピングを行うことになります。

[*02] 資本的支出は、支出年度においては、期中供用資産に該当するため、償却限度額の計算は、月割計算が必要となります。

[*03] 資本的支出の額を損金経理している場合には、その金額は、償却費として損金経理をした金額に含まれます。

2．取得価額に加算する場合（旧定額法又は旧定率法の場合）

旧定額法又は旧定率法を採用している減価償却資産に係る資本的支出は、本体の取得価額に加算され本体と一体的に償却することができます。この場合には、本体と資本的支出の償却限度額は合計され、一つの資産として減価償却超過額を計算することになります。

なお、この取扱いによる場合には、資本的支出についても本体と同じ旧定額法又は旧定率法により償却限度額を計算することになります[*04]。

基本算式

(1) 償却限度額

① 本体 → 通常どおりの計算

② 資本的支出 → 本体と同じ償却方法により計算

③ ①＋②

(2) 償却超過額

会社計上償却費[*05] －償却限度額 → 減価償却超過額（加算留保）

[*04] 一旦、この取扱いを受けた減価償却資産については、翌事業年度以後において、資本的支出を新たに取得したものとする「原則」の適用を受けることはできません。

[*05] 資本的支出の額を損金経理している場合には、その金額は、償却費として損金経理をした金額に含まれます。

設例 1 － 1　　　　　　　　　　　　　　　　　　　　資本的支出の取扱い

次の資料により、各設問に答えなさい。

種　類	取得価額	期首帳簿価額	当期償却費	耐用年数
機　械	6,000,000円	4,000,000円	800,000円	10年

（注1）平成19年3月31日以前に取得したものであり、償却方法の選定の届出はしていない。なお、令和7年6月10日に改良を行い、資本的支出となる改良費500,000円を支出しているが、修繕費として費用に計上している。

（注2）償却率等は、次のとおりである。

耐用年数	定額法償却率	平成24年4月1日以後取得の場合の定率法			旧定額法償却率	旧定率法償却率
		償却率	改定償却率	保証率		
10	0.100	0.200	0.250	0.06552	0.100	0.206

設問1　資本的支出を新たな資産の取得として取り扱う場合の当社の当期における税務上の調整を示しなさい。

設問2　資本的支出を本体の取得価額に加算する場合の当社の当期における税務上の調整を示しなさい。

解答 設問1

1. 機　械
   (1) 償却限度額
   $4,000,000 \times 0.206 = 824,000$ 円
   (2) 償却超過額
   $800,000 - 824,000 = \triangle 24,000 \rightarrow 0$ （切捨て）

2. 資本的支出
   (1) 償却限度額
   $500,000 \times 0.200 = 100,000$ 円 $\geqq 500,000 \times 0.06552 = 32,760$ 円
   $\therefore \ 100,000 \times \dfrac{10}{12} = 83,333$ 円
   (2) 償却超過額
   $500,000 - 83,333 = 416,667$ 円

（単位：円）

区　分		金　額	留　保	社外流出
加算	減価償却超過額（資本的支出）	416,667	416,667	
減算				

設問2

(1) 償却限度額
   ① 本　体
   $4,000,000 \times 0.206 = 824,000$ 円
   ② 資本的支出
   $500,000 \times 0.206 \times \dfrac{10}{12} = 85,833$ 円
   ③ 合　計
   $824,000 + 85,833 = 909,833$ 円

(2) 償却超過額
   $(800,000 + 500,000) - 909,833 = 390,167$ 円

（単位：円）

区　分		金　額	留　保	社外流出
加算	減価償却超過額（機械）	390,167	390,167	
減算				

解説

① **設問1**のケースでは、資本的支出は、本体とは別に新たな資産を取得したものとして取り扱われます。したがって、本体とは別に定率法により償却限度額を計算し、税務調整します。

② **設問2**のケースでは、資本的支出は、本体と一体的に償却することになります。

3．適用選択のまとめ

　旧定額法又は旧定率法により償却している減価償却資産について支出した資本的支出を新たな資産の取得とするか、本体の取得価額に加算するかは法人が任意に選択することができます。

　つまり、問題文に指示がある場合には、その指示に従って解答することになりますが、問題文に指示がない場合には、法人にとって有利な方法（損金不算入額が少なくなる方法）を選択することになります[06]。

*06) 定額法又は定率法により償却している資産については、新たな資産の取得とする方法しかないため、このような選択の問題は生じません。

基本算式

1．原則（新たな資産の取得とする場合）
　(1) 本　体
　　① 償却限度額 ➡ 旧定額法又は旧定率法により計算
　　② 償却超過額
　　　会社計上償却費－償却限度額
　(2) 資本的支出
　　① 償却限度額 ➡ 定額法又は定率法により計算
　　② 償却超過額
　　　会社計上償却費－償却限度額
　(3) 合　計
　　　(1)+(2)

2．特例（取得価額に加算する場合）
　(1) 償却限度額
　　① 本体 ➡ 旧定額法又は旧定率法により計算
　　② 資本的支出 ➡ 旧定額法又は旧定率法により計算
　　③ ①+②
　(2) 償却超過額
　　　会社計上償却費－償却限度額

3．判　定
　　1．＜2．の場合 ➡ 本体と資本的支出は別々に調整
　　　　　　　　　　　減価償却超過額（本　　体）
　　　　　　　　　　　　　　　　　　（資本的支出）
　　1．＞2．の場合 ➡ 本体と資本的支出は一本で調整
　　　　　　　　　　　減価償却超過額（本体・資本的支出）

設例1－2　　　　　　　　　　　　　　　　　　　　　　　　　　　　　　　　適用選択

次の資料により、当社の当期における税務上の調整を示しなさい。

種　類	取得価額	期首帳簿価額	当期償却費	耐用年数
機　械	5,000,000円	3,000,000円	600,000円	10年

(注1) 平成19年3月31日以前に取得したものであり、償却方法の選定の届出はしていない。なお、令和7年8月20日に改良を行い、資本的支出となる改良費300,000円を支出しているが、修繕費として費用に計上している。

(注2) 償却率等は、次のとおりである。

耐用年数	定額法償却率	平成24年4月1日以後取得の場合の定率法			旧定額法償却率	旧定率法償却率
		償却率	改定償却率	保証率		
10	0.100	0.200	0.250	0.06552	0.100	0.206

解答

1. 原　則
   (1) 本　体
     ① 償却限度額
        3,000,000×0.206＝618,000円
     ② 償却超過額
        600,000－618,000＝△18,000 → 0（切捨て）
   (2) 資本的支出
     ① 償却限度額
        300,000×0.200＝60,000円 ≧ 300,000×0.06552＝19,656円
        ∴ 60,000×$\frac{8}{12}$＝40,000円
     ② 償却超過額
        300,000－40,000＝260,000円
   (3) 合　計
        (1)＋(2)＝260,000円

2. 特　例
   (1) 償却限度額
     ① 本　体
        3,000,000×0.206＝618,000円
     ② 資本的支出
        300,000×0.206×$\frac{8}{12}$＝41,200円
     ③ 合　計
        618,000＋41,200＝659,200円
   (2) 償却超過額
        (600,000＋300,000)－659,200＝240,800円

3. 判　定
     1．＞ 2．　　∴　240,800円

(単位:円)

区　分		金　額	留　保	社外流出
加算	減価償却超過額（機械）	240,800	240,800	
減算				

解説

　機械本体は平成19年3月31日以前に取得されたものであり「旧定率法」により償却しますが、資本的支出部分については原則（定率法）と特例（旧定率法）の有利判定が必要となります。なお、判定の結果、償却超過額が少なく計算される「特例」によることになります。

〈翌事業年度の取扱い〉

　資本的支出に係る償却方法に定率法を採用している場合には、支出事業年度の翌事業年度において、次の特例を適用することができます。

(1) **資本的支出の特例**（令65④）

　前事業年度において、資本的支出の規定により損金の額に算入されなかった金額がある場合において、旧減価償却資産[*07]及び追加償却資産[*08]について定率法を採用しているときは、その事業年度開始時に、これらの資産の帳簿価額の合計額を取得価額とする一の減価償却資産を、新たに取得したものとすることができます。

[*07] 資本的支出があった場合の減価償却資産本体を指しています。

[*08] 資本的支出があった場合の資本的支出部分を指しています。

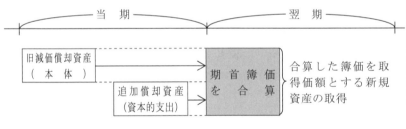

(2) **複数の資本的支出の特例**（令65⑤）

　前事業年度において、資本的支出の規定により損金の額に算入されなかった金額がある場合において、その金額に係る追加償却資産について定率法を採用し、かつ、(1)の適用を受けないときは、その事業年度開始時に、その適用を受けない追加償却資産のうち種類及び耐用年数を同じくするものの期首帳簿価額の合計額を取得価額とする一の減価償却資産を、新たに取得したものとすることができます。

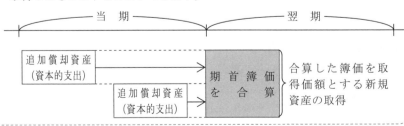

Section 2 中古資産の耐用年数

「法定耐用年数」は、新品のものを取得した場合の耐用年数であり、取得した資産が中古のものである場合には、合理的な耐用年数と言えない場合もあります。そこで、中古資産を取得した場合には、原則として残存使用可能期間を見積り、その見積もった耐用年数によって償却することを認めています。

このSectionでは、中古資産の耐用年数の取扱いを学習します。

1 耐用年数の見積り

中古資産の耐用年数は、原則として使用可能期間を見積り、その見積もった使用可能期間を耐用年数とすることとされています。しかし、使用可能期間の算定は実際には困難な場合も多く、資本的支出の支出状況の区分に応じて次の方法により算定します[*01]。

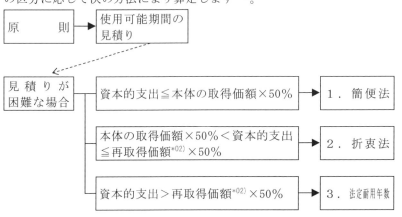

*01) 耐用年数の見積りは、中古資産の事業供用年度で認められるものです。事業供用年度に算定しなかったときは、その後の事業年度において算定することは認められません（耐通1－5－1）。

*02) 再取得価額とは、その中古資産を再び新品で取得するものとした場合の時価をいいます。

1．簡便法（耐令4）

(1) 判　定

使用可能期間の見積りが困難な場合において、次の要件に該当するときは、簡便法により耐用年数を見積もります。

要　件
資本的支出の額≦その中古資産の本体の取得価額×50%

(2) 耐用年数の見積り

基本算式
① 法定耐用年数の全部を経過している場合
　法定耐用年数×20%
② 法定耐用年数の一部を経過している場合
　（法定耐用年数－経過年数[*03]）＋経過年数×20%

*03) 年数だけでなく月数まで経過期間が確認できる場合は、月数に換算して計算します。

※　計算した年数の1年未満の端数は切捨て、その年数が2年に満たない場合には2年とします。

設例2-1　簡便法

次の資料により、中古資産の耐用年数を簡便法により計算しなさい。なお、資本的支出の額はないものとする。

中古資産	経過年数	法定耐用年数
A	6年	10年
B	25年	24年
C	4年	5年

解答

(1)　A
　　（10－6）＋6×20％＝5.2　→　5年

(2)　B
　　24×20％＝4.8→4年

(3)　C
　　（5－4）＋4×20％＝1.8＜2年　　∴　2年

解説

Aは耐用年数の一部が経過している場合、Bは耐用年数の全部が経過している場合、Cは耐用年数の一部が経過している場合（計算結果が2年に満たない場合）に該当します。なお、計算結果に年未満の端数がある場合には切捨て、計算結果が2年未満の場合には2年とします。

2．折衷法（耐通1-5-6）

(1) 判定

使用可能期間の見積りが困難な場合において、次の要件に該当するときは、折衷法により耐用年数を見積もります。

要件

$$\text{その中古資産の本体の取得価額} \times 50\% < \text{資本的支出の額} \leqq \text{その中古資産の再取得価額} \times 50\%$$

(2) 耐用年数の見積り

取得価額の総額を、中古資産本体の取得価額については簡便法を適用し、資本的支出部分については新品であるものとして法定耐用年数を適用した場合の1年あたりの償却額で除すことにより平均年数を算定します。

基本算式

$$\left[\text{その中古資産の本体の取得価額}^{*04} + \text{資本的支出の額}\right] \div \left[\frac{\text{その中古資産の本体の取得価額}}{\text{簡便法による年数}} + \frac{\text{資本的支出の額}}{\text{法定耐用年数}}\right]$$

*04) 圧縮記帳の適用を受ける場合でも、圧縮記帳前の取得価額となります。

※ 計算した年数の1年未満の端数は切捨て、その年数が2年に満たない場合には2年とします。

設例2-2　　　　　　　　　　　　　　　　　　　　　　　　　　　　　　折衷法

次の資料により、中古資産の耐用年数を折衷法により計算しなさい。

(1) 当社は、当期において建物A（法定耐用年数は28年である。）を30,000,000円で取得している。なお、建物Aは、建築後9年を経過した中古のものであり、その耐用年数を見積もることは困難であると認められる。

(2) 当社は、建物Aを事業の用に供するに当たって16,000,000円の改良費（資本的支出）を支出し、修繕費として費用に計上している。

なお、建物Aの再取得価額は45,000,000円である。

解答

(1) 判定

30,000,000×50％＝15,000,000円＜16,000,000円≦45,000,000×50％＝22,500,000円

∴ 折衷法

(2) 耐用年数

$(30,000,000＋16,000,000) \div \left(\dfrac{30,000,000}{\underset{※}{20}} + \dfrac{16,000,000}{28}\right) ＝22.2\cdots \rightarrow 22$年

※ （28－9）＋9×20％＝20.8 → 20年

解説

建物Aについて支出した資本的支出の額は、建物A本体の取得価額の50％を超え、再取得価額の50％以下であるため、折衷法により中古資産の耐用年数を計算します。

3．法定耐用年数による場合（耐通1－5－2）

使用可能期間の見積りが困難な場合において、次の要件に該当するときは、もはや新品同様と考えるため、中古資産の耐用年数の見積りは認められず、法定耐用年数によることになります。

要　件
資本的支出の額＞その中古資産の再取得価額×50％

4．減価償却との関係

中古資産を事業の用に供するに当たって支出した資本的支出の額は、取得価額を構成します。また、法人がその資本的支出の額を取得価額としないで修繕費等の費用に計上した場合には、その額は償却費として損金経理をした金額として取り扱います。

設例2－3　　　　　　　　　　　　　　　　　　　　　　　減価償却との関係

次の資料により、当社の当期における税務上の調整を示しなさい。

(1) 当社は、令和7年10月14日に貨物自動車A（法定耐用年数5年）を1,900,000円で取得し、車両及び運搬具として資産に計上するとともに、直ちに事業の用に供している。

(2) 貨物自動車Aは、2年を経過した中古のものであり、耐用年数を見積もることは困難と認められる。なお、事業の用に供するに当たり改良費400,000円を支出し、当期の費用に計上している。

(3) 当社は、決算に当たり、貨物自動車Aに係る減価償却費として800,000円を当期の費用に計上している。

(4) 当社は償却方法について何ら届け出をしていない。なお、償却率等の資料は次のとおりである。

耐用年数	定額法償却率	平成24年4月1日以後取得の場合の定率法			旧定額法償却率	旧定率法償却率
		償却率	改定償却率	保証率		
3	0.334	0.667	1.000	0.11089	0.333	0.536
4	0.250	0.500	1.000	0.12499	0.250	0.438
5	0.200	0.400	0.500	0.10800	0.200	0.369

解答

(1) 耐用年数
  ① 判定
    400,000円 ≦ 1,900,000 × 50% = 950,000円 ∴ 簡便法
  ② 耐用年数
    (5 − 2) + 2 × 20% = 3.4 → 3年

(2) 償却限度額
  (1,900,000 + 400,000) × 0.667 = 1,534,100円 ≧ (1,900,000 + 400,000) × 0.11089 = 255,047円
  ∴ 1,534,100 × $\frac{6}{12}$ = 767,050円

(3) 償却超過額
  (800,000 + 400,000) − 767,050 = 432,950円

(単位：円)

	区　分	金　額	留　保	社外流出
加算	減価償却超過額（貨物自動車Ａ）	432,950	432,950	
減算				

解説

① 改良費の額（資本的支出の額）が、貨物自動車Ａ本体の取得価額の50％以下であるため、簡便法により耐用年数を求めます。

② 事業の用に供するに当たって支出した改良費の額を、費用に計上しているため、改良費の額を取得価額に加算するのとあわせて償却費として損金経理をした金額に含め、償却超過額を計算します。

Section 3 償却方法の変更

償却方法は法人が選定することができますが、その償却方法が資産の使用状況の変化などに伴って適切でなくなってしまう場合もあります。そこで償却方法を変更することを認め、変更のための手続きや計算方法についての定めが置かれています。
このSectionでは、償却方法の変更の取扱いを学習します。

1 定額法から定率法への変更等

1．取扱い（基通7－4－3）

旧定額法を旧定率法に変更した場合又は定額法を定率法に変更した場合には、その後の償却限度額は、変更事業年度開始日における帳簿価額を基礎とし、法定耐用年数に応ずる償却率により計算します。

2．償却限度額の計算

変更事業年度の期首帳簿価額を基礎として、次の算式により計算します。

> **基本算式**
> 期首帳簿価額（税務上の金額）×定率法[*01]又は旧定率法償却率

*01) 定率法の場合は、通常の場合と同様に、取得価額を用いて償却保証額の計算を行い、調整前償却額が償却保証額に満たない場合は、改定取得価額による計算により償却限度額を計算します。

設例3－1 旧定額法から旧定率法への変更

次の資料により、当社の当期における償却限度額を計算しなさい。

(1) 当社は、その有する構築物の償却方法を、当期より旧定額法から旧定率法に変更することについて、令和7年2月25日に申請書を提出していたが、当期末において承認又は却下の通知を受けていない。

(2) 当社の有する構築物（平成19年3月31日以前に取得したものである。）の取得価額等の資料は、次のとおりである。

種類等	取得価額	期首帳簿価額	耐用年数
構築物	31,800,000円	19,750,000円	50年

（注） 前期から繰り越された償却超過額が350,000円ある。

(3) 耐用年数が50年に場合の旧定率法償却率は0.045、旧定額法償却率は0.020である。

解答
償却限度額（旧定率法）
(19,750,000＋350,000)×0.045＝904,500円

解説
旧定額法から旧定率法への変更の場合には、通常の旧定率法の計算と何ら変わりません。変更が認められているか否かの確認をしっかりするようにしてください。

＜償却方法の変更手続き＞

① 申　請

　減価償却資産につき選定した償却方法（法定償却方法を含みます。）を変更しようとするときは、その新たな償却方法を採用しようとする事業年度開始日の前日までに、変更の申請書を納税地の所轄税務署長に提出し、その承認を受けなければなりません。

② 承認又は却下

　税務署長は①の申請書を提出した内国法人が、現によっている償却の方法を採用してから相当期間を経過していないとき又は所得金額の計算が適正に行われ難いと認めるときは、その申請を却下することができます。

　また、承認又は却下の処分は、原則として、その申請をした内国法人に対して書面により通知することとされています。

③ 自動承認

　①の申請書の提出があった場合において、①の事業年度終了の日までに処分がなかったときは、その日においてその承認があったものとみなされます。

2 定率法から定額法への変更等

1．取扱い（基通7－4－4）

旧定率法を旧定額法に変更した場合又は定率法を定額法に変更した場合には、その後の償却限度額は、次の２．に定める取得価額及び残存価額を基礎とし、次の３．に定める年数に応ずるそれぞれの償却方法に係る償却率により計算します。

2．取得価額及び残存価額

(1) 平成19年3月31日以前に取得した減価償却資産

償却方法を旧定率法から旧定額法へ変更した減価償却資産（平成19年3月31日以前に取得した減価償却資産）の取得価額及び残存価額は、次のとおりです。

区　分	取　扱　い
取得価額	変更事業年度の期首帳簿価額を取得価額とみなします。
残存価額	実際取得価額の10％相当額を残存価額とします。

(2) 平成19年4月1日以後に取得した減価償却資産

償却方法を定率法から定額法へ変更した減価償却資産（平成19年4月1日以後に取得した減価償却資産）については、変更事業年度の期首帳簿価額を取得価額とみなします[02]。

[02] 平成19年4月1日以後に取得した減価償却資産については、残存価額はありません。

3．耐用年数

(1) 償却率の選択

償却率は、次の耐用年数のうちいずれか少ない年数に応ずる償却率によります。

① 法定耐用年数
② 法定耐用年数－経過年数＝残存年数（2年未満は2年とします。）

(2) 経過年数の算定方法

上記(1)②の計算における経過年数は、未償却残額割合に応ずる経過年数として求めます[03]。

[03] 実際の経過年数は、使用しません。

① 未償却残額割合

基本算式

$$\frac{変更年度の期首帳簿価額}{取得価額} \quad \begin{bmatrix} 小数点以下4位 \\ 四　捨　五　入 \end{bmatrix}$$

② 経過年数

経過年数は、未償却残額割合を未償却残額表にあてはめて求めることになります。

設例3-2　償却方法の変更

次の資料により、当社の当期における税務上の調整を示しなさい。

⑴　当社は、当社が有する機械装置について、当期より償却方法を旧定率法から旧定額法へ変更する旨の申請書を令和7年2月28日に提出している。なお、当該申請について、当期末までに承認又は却下の通知は受けていない。

⑵　当社が有する機械装置の減価償却に関する資料は、次のとおりである。

種　類	取得価額	期首帳簿価額	当期償却費	耐用年数	取得年月
機械装置	26,250,000円	9,712,500円	1,680,000円	12年	平成18年9月

⑶　耐用年数12年の場合の経過年数に応ずる旧定率法未償却残額割合は、次のとおりである。

　　経過年数5年の場合　…　0.383

　　経過年数6年の場合　…　0.316

⑷　耐用年数に応ずる旧定額法による償却率は、次のとおりである。

耐用年数	6年	7年	8年	12年
償却率	0.166	0.142	0.125	0.083

解答

⑴　耐用年数

　①　$\dfrac{9,712,500}{26,250,000} = 0.370$

　②　$0.316 < 0.370 < 0.383$　　∴　6年

　③　$12 - 6 = 6$年

⑵　償却限度額

　　$(9,712,500 - 26,250,000 \times 0.1) \times 0.166 = 1,176,525$円

⑶　償却超過額

　　$1,680,000 - 1,176,525 = 503,475$円　減価償却超過額（機械装置）（加算留保）

解説

①　償却方法の変更の申請書を、前期末までに提出し、当期末までに処分を受けていないことから、承認があったものとみなされ、当期から変更後の旧定額法により償却限度額を計算することになります。

②　旧定率法から旧定額法へ償却方法を変更した場合には、経過年数を控除した耐用年数により償却することができます。なお、経過年数は、未償却残額割合を求め、未償却残額表にあてはめてみたときの直近下位の経過年数によることになります。

③　旧定率法から旧定額法へ償却方法を変更した場合には、期首帳簿価額を取得価額とみなすことになります。なお、残存価額は実際取得価額の10％となります。

3 まとめ（定率法から定額法の場合等）

(1) 耐用年数
　① 未償却残額割合
　　$\dfrac{変更年度の期首帳簿価額}{取得価額}$ （小数点以下4位四捨五入）
　② 未償却残額表 → 経過年数
　③ 法定耐用年数－経過年数 → 償却率を選択 ┄┄┐
(2) 償却限度額　　　　　　　　　　　　　　　　　　│
　（期首帳簿価額－実際取得価額×0.1）×償却率 ←┄┤
　　　　　又は　　　　　　　　　　　　　　　　　　│
　期首帳簿価額×償却率 ←┄┄┄┄┄┄┄┄┄┄┄┄┄┘
(3) 償却超過額
　会社計上償却費－(2) → 減価償却超過額（加算留保）

（注）定額法から定率法の場合等の償却限度額

　　変更事業年度の税務上の期首簿価×定率法又は旧定率法償却率

Try it　資本的支出、修繕費

次の資料により、当社の当期における税務上の調整を示しなさい。なお、当社は、償却方法の選定の届出はしていない。

種　類	取得価額	期首帳簿価額	当期償却費	事業供用年月日	法定耐用年数
建物　A	40,000,000円	24,000,000円	1,500,000円	平成9年3月26日	24年
建物　B	50,000,000円	—	1,200,000円	令和7年9月12日	24年
機　械	6,000,000円	4,800,000円	1,000,000円	令和6年4月4日	10年

（注1）建物Aについては令和7年5月21日に改良を行い、避難階段の取付工事を行い、取付に要した費用1,400,000円を支出し、修繕費として費用に計上している。

（注2）建物Bについては法定耐用年数のうち7年経過したものを取得したものであり、事業の用に供するに当たって改良費30,000,000円を支出し、修繕費として費用計上している。なお、この建物Bの再取得価額は100,000,000円である。

（注3）令和8年3月4日に上記機械につき部品を取り替えているが、通常200,000円の部品代であるところ、600,000円を要している。なお、これについては修繕費として費用に計上している。

（注4）償却率等は、次のとおりである。

耐用年数	定額法償却率	平成24年4月1日以後取得の場合の定率法			旧定額法償却率	旧定率法償却率
		償却率	改定償却率	保証率		
10	0.100	0.200	0.250	0.06552	0.100	0.206
17	0.059	0.118	0.125	0.04038	0.058	0.127
18	0.056	0.111	0.112	0.03884	0.055	0.120
19	0.053	0.105	0.112	0.03693	0.052	0.114
20	0.050	0.100	0.112	0.03486	0.050	0.109
24	0.042	0.083	0.084	0.02969	0.042	0.092

【答案用紙】

1．建物A

(1) 償却限度額

①　本　体

②　資本的支出

③　合　計

(2) 償却超過額

2．建物B

　⑴　耐用年数

　　①　判　　定

　　②　耐用年数

　⑵　償却限度額

　⑶　償却超過額

3．機　　械

　⑴　償却限度額

　　①　本　　体

　　②　資本的支出

　　③　合　　計

　⑵　償却超過額

(単位：円)

	項　　　目	金　　額	留　保	社外流出
加算				
減算				

解 答

1. 建物A

   (1) 償却限度額 （0.042＜0.092　∴　本体の取得価額に加算）

   ① 本　体

   $24,000,000 \times 0.092 = 2,208,000$ 円

   ② 資本的支出

   $1,400,000 \times 0.092 \times \dfrac{11}{12} = 118,066$ 円 ❶

   ③ 合　計

   $2,208,000 + 118,066 = 2,326,066$ 円

   (2) 償却超過額

   $(1,500,000 + 1,400,000) - 2,326,066 = 573,934$ 円

2. 建物B

   (1) 耐用年数

   ① 判　定

   $50,000,000 \times 50\% = 25,000,000$ 円 ＜ $30,000,000$ 円 ≦ $100,000,000 \times 50\% = 50,000,000$ 円

   ∴　折衷法

   ② 耐用年数

   $(50,000,000 + 30,000,000) \div \left(\dfrac{50,000,000}{\text{※}18} + \dfrac{30,000,000}{24} \right) = 19.8\cdots \to 19$ 年 ❶

   ※ $(24 - 7) + 7 \times 20\% = 18.4 \to 18$ 年

   (2) 償却限度額

   $(50,000,000 + 30,000,000) \times 0.053 \times \dfrac{7}{12} = 2,473,333$ 円

   (3) 償却超過額

   $(1,200,000 + 30,000,000) - 2,473,333 = 28,726,667$ 円

3. 機　械

   (1) 償却限度額

   ① 本　体

   $4,800,000 \times 0.200 = 960,000$ 円 ≧ $6,000,000 \times 0.06552 = 393,120$ 円　　∴　$960,000$ 円 ❶

   ② 資本的支出

   ※$400,000 \times 0.200 = 80,000$ 円 ≧ $400,000 \times 0.06552 = 26,208$ 円

   ※　$600,000 - 200,000 = 400,000$ 円

   ∴　$80,000 \times \dfrac{1}{12} = 6,666$ 円 ❶

   ③ 合　計

   $960,000 + 6,666 = 966,666$ 円

   (2) 償却超過額

   $(1,000,000 + 400,000) - 966,666 = 433,334$ 円

(単位:円)

項　目	金　額	留　保	社外流出
加算　減価償却超過額			
（建物　A）	573,934	❷　　573,934	
（建物　B）	28,726,667	❷28,726,667	
（機　械）	433,334	❷　　433,334	
減算			

解説

① 避難階段の取付費用は、資本的支出に該当します。

② 当社は償却方法について選定の届出をしていないため、平成10年3月31日以前に取得した建物Aの償却方法は、法定償却方法である旧定率法となります。平成19年3月31日以前に取得した減価償却資産につき支出した資本的支出は、新たな資産の取得とするか本体の取得価額に加算するかを選択することができますが、特例の方の償却率（×0.9を乗ずる場合は、その乗じた率で比較）が大きい場合には、特例の方が有利となります。旧定率法の方が定額法より償却率が大きいため、本体の取得価額に加算した方が有利となります。

③ 資本的支出につき損金経理した場合には、償却費として損金経理した金額となります。

④ 建物Bは中古資産ですが、取得に際して資本的支出をしているため、中古資産の耐用年数につき判定を行っていきます。

⑤ 中古資産に係る資本的支出が、本体の取得価額の50％超であり、かつ、再取得価額（新品の場合の取得価額）の50％以下である場合には、中古資産の耐用年数の見積りは折衷法によることとなります。

⑥ 機械の部品を取り替えた場合において、通常の取替え費用より、多く支払う部分については、資本的支出となります。本問の場合は、平成19年4月1日以後取得の減価償却資産につき資本的支出がされたものであるため、新たな資産の取得とされます。また、本体と償却方法、設備の種類の区分、耐用年数が一致するため、グルーピング計算を行っていきます。

.... *Memorandum Sheet* ....

Chapter 4
特別償却

Section 1 特別償却の概要

法人税法に規定する減価償却を普通償却といいますが、法人税における減価償却はこの普通償却だけでなく、租税特別措置法に規定されている特別償却という制度もあります。特別償却は、設備投資の促進等を目的とする政策的な理由から、通常の償却限度額とは別枠で償却費の計上を認めるものです。
このSectionでは、特別償却の取扱いを学習します。

1 制度の概要

1. 償却限度額

特別償却の適用を受ける減価償却資産に係る償却限度額は、普通償却限度額に対して特別償却限度額の分だけ拡大されています。
具体的には、特別償却の適用を受ける減価償却資産の償却限度額は、普通償却限度額と特別償却限度額の合計額となります。

> **基本算式**
> 償却限度額＝普通償却限度額＋特別償却限度額

特別償却限度額は、各種の政策目的から設けられる制度ごとに定められています。

2. 特別償却制度の種類

特別償却には、初年度特別償却と割増償却の2種類があります。

種　類	特別償却限度額の計算
(1) 初年度特別償却	取得価額×一定割合
(2) 割増償却[*01]	普通償却限度額×一定割合

(1) **初年度特別償却**

減価償却資産を取得して、事業の用に供した事業年度（償却初年度）において、取得価額に一定割合を乗じて計算した金額を特別償却限度額とする制度です。適用対象となる資産の取得を伴います。

(2) **割増償却**

減価償却資産の普通償却限度額に一定割合を乗じて計算した金額を特別償却限度額とする制度です。償却初年度に限らず、一定期間に渡って適用されることになります。

*01) 問題文に参考数値が与えられることもありますので、割増償却の規定と問題文にありましたら、普通償却限度額に参考数値を乗ずる計算をします。

3．計算上の注意点（共通事項）

(1) 適用対象法人

租税特別措置法上の優遇規定として規定されているため、原則として青色申告書を提出する法人（青色申告法人）に適用対象法人が限定[02]されています。

[02] 中小企業者等に適用される制度について、適用除外事業者に該当した場合は、適用不可となります（基礎完成編参照）。

(2) 他の特別償却等との重複適用不可

同一の事業年度中に、同一の資産について適用できる租税特別措置法上の優遇規定は、原則として１つの規定に限られています。

したがって、特別償却と他の特別償却、特別償却と法人税額の特別控除、特別償却と租税特別措置法上の圧縮記帳[03]との重複適用は認められません。

[03] 法人税法上の圧縮記帳との重複適用は可能です。

(3) グルーピング適用不可

特別償却（特別償却準備金を選択する場合を除きます。）の適用を受ける資産については、他の資産とのグルーピングは行えません[04]。

したがって、仮に他のグルーピングの要件を満たす資産であったとしても特別償却の適用を受ける場合には、その資産のみで償却限度額及び償却超過額を計算することになります。

[04] 特別償却限度額は、適用要件を満たす資産について、その資産を対象に認められるものです。グルーピングを行ってしまうと、適用要件を満たさない他の資産の償却限度額として特別償却限度額が使用されることになってしまいます。

4．まとめ

(1) 初年度特別償却

基本算式
(1) 償却限度額
　① 普通償却
　② 特別償却
　　取得価額×一定割合
　③ ①＋②
(2) 償却超過額
　会社計上償却費－(1)　　減価償却超過額（加算留保）

(2) 割増償却

基本算式
(1) 償却限度額
　① 普通償却
　② 特別償却
　　普通償却限度額×一定割合
　③ ①＋②
(2) 償却超過額
　会社計上償却費－(1)　　減価償却超過額（加算留保）

Section 2 特別償却制度

特別償却は、各種の政策的配慮に基づいて租税特別措置法に規定されています。それぞれの政策目的に応じて、各種制度が設けられ、対象法人や対象資産、特別償却限度額が定められています。

このSectionでは、中小企業者等の機械等の特別償却等の取扱いを学習します。

1 中小企業者等の機械等の特別償却（措法42の6）

1．制度の概要

中小企業者等（適用除外事業者に該当する場合を除きます。）が、新品の特定機械装置等を取得等し、事業の用に供した場合には、供用年度の償却限度額は、普通償却限度額と特別償却限度額との合計額とされます。

(1) **対象法人**
中小企業者等であること（適用除外事業者を除きます。）

(2) **対象資産**
新品の特定機械装置等を取得等し、事業供用すること

(注) 中小企業者等に該当するか否かの判定は、事業供用日の現況によります。

2．中小企業者等の意義（措法42の4⑲、措令27の4⑰）

(1) **中小企業者等**
中小企業者等とは、中小企業者又は農業協同組合等で、青色申告書を提出するものをいいます。

(2) **中小企業者の意義**
中小企業者とは、次の法人をいいます。

中小企業者	資本金の額若しくは出資金の額が1億円以下の法人のうち次の法人以外の法人等をいう。
除外される法人	(1) その発行済株式又は出資の総数又は総額（自己株式等を除く。以下同じ。）の$\frac{1}{2}$以上が同一の大規模法人の所有に属している法人 (2) (1)のほか、その発行済株式又は出資の総数又は総額の$\frac{2}{3}$以上が複数の大規模法人の所有に属している法人

(注) 大規模法人とは、資本金の額等が1億円超の法人及び大法人（資本金5億円以上の法人等）との間にその大法人による完全支配関係がある普通法人等です。

＜中小企業者の具体例＞

当社が資本金1億円以下であり、問題文中に次のコメント[*01]がある場合には、当社は中小企業者に該当します。

① 当社の株主はすべて個人である。
② 当社の株主に法人株主はいない。　等

[*01] いずれも、大規模法人による支配がないことを示すコメントです。

3．対象資産の範囲（措法42の6①、措令27の6②④）

対象資産である特定機械装置等とは、新品の機械装置等で次のものをいいます。

⑴　取得価額が160万円以上の機械及び装置
⑵　取得価額が70万円以上のソフトウエアのうち一定のもの
⑶　取得価額が120万円以上の工具のうち一定のもの
⑷　その他一定のもの

4．償却限度額（措法42の6①）

中小企業者等の機械等の特別償却の適用を受ける場合の償却限度額は、次のように計算します[*02]。

基本算式
　償却限度額＝普通償却限度額＋**特別償却限度額**
　　　　　　　　　　　　　　　取得価額×30％

[*02] 特別償却の適用を受ける資産は、その適用を受ける事業年度において他の資産とのグルーピングはできません。

設例2−1　　　　　　　　　　　　　　　　　　　　　　　中小企業者等の機械等の特別償却

次の資料により、当社の当期における税務上の調整を示しなさい。

(1) 当社（青色申告法人）が当期中に取得した新品の機械装置Aに関する資料は、次のとおりである。

種類等	取得価額	会社計上償却費	耐用年数	事業供用年月日
機械装置A	3,500,000円	2,000,000円	11年	令和7年5月14日

(2) 当社が選定し届け出ている償却方法は定率法であり、耐用年数11年の場合の償却率は0.182、保証率は0.05992、改定償却率は0.200である。

(3) 当社の資本金の額は100,000,000円（適用除外事業者に該当しない。）であり、設立以来異動はない。なお、当社の株主に法人株主はいない。

解答

(1) 償却限度額

① 普通償却

3,500,000×0.182＝637,000円 ≧ 3,500,000×0.05992＝209,720円

∴ $637,000 \times \dfrac{11}{12} = 583,916$円

② 特別償却

3,500,000×30％＝1,050,000円

③ 合計

583,916＋1,050,000＝1,633,916円

(2) 償却超過額

2,000,000−1,633,916＝366,084円

（単位：円）

	区　分	金　額	留　保	社外流出
加算	減価償却超過額（機械装置A）	366,084	366,084	
減算				

解説

通常の特別償却限度額は、取得価額に30％を乗じて計算します。普通償却限度額との合計額が償却限度額となります。

2 特定経営力向上設備等を取得した場合の特別償却等（措法42の12の4）

1．制度の概要

青色申告書を提出する中小企業者等で中小企業等経営強化法の経営力向上計画の認定を受けたものが、生産等設備[*01]を構成する機械装置、工具、器具備品、建物附属設備及びソフトウエアで、新品の経営力向上設備等に該当するもののうち、一定の規模以上のもの（特定経営力向上設備等）の取得等をして、事業の用に供した場合には、その特定経営力向上設備等の普通償却限度額との合計でその取得価額までの特別償却が認められます。

[*01] 生産等設備とは、その法人の指定事業の用に直接供される減価償却資産で構成されるものをいい、事務用器具備品、本店、寄宿舎等の建物附属設備、福利厚生施設に係るもの等は該当しません。

(1) 対象法人
　　中小企業者等で中小企業等経営強化法の経営力向上計画の認定を受けたもの（適用除外事業者を除きます。）

(2) 対象資産
　　新品の特定経営力向上設備等を取得等し、事業供用すること

2．対象資産の範囲

対象資産である特定経営力向上設備等とは、生産性向上設備、収益力強化設備、経営資源集約化設備又はデジタル化設備に該当するもの[*02]のうち次のものをいいます。

(1) 取得価額が160万円以上の機械及び装置
(2) 取得価額が70万円以上のソフトウエア
(3) 取得価額が30万円以上の器具備品又は工具
(4) 取得価額が60万円以上の建物附属設備
(5) その他一定のもの

[*02] 経営強化法の認定を受けたもので、生産性向上設備については、生産性が旧モデル比年平均1％以上改善する設備のことであり、収益力強化設備とは、投資収益率が年平均5％以上の投資計画に係る設備をいいます。デジタル化設備は、テレワーク等を促進させるためのものです。

3．償却限度額

償却限度額は、次のように計算します。

```
基本算式
　償却限度額＝普通償却限度額＋特別償却限度額
　特別償却限度額＝取得価額－普通償却限度額
```

設例2-2　対象法人が特定経営力向上設備等を当期に取得した場合の特別償却

次の資料により、当社の当期における減価償却超過額を計算しなさい。

(1) 当社（中小企業者等で中小企業等経営強化法の経営力向上計画の認定を受けたものであり、適用除外事業者に該当しない。）が当期中に取得した新品の機械装置Aに関する資料は、次のとおりである。なお、機械装置Aは、特定経営力向上設備等に該当するものである。

種　類　等	取得価額	会社計上償却費	耐用年数	事業供用年月日
機械装置A	3,500,000円	3,500,000円	11年	令和7年5月14日

(2) 当社が選定し届け出ている償却方法は定率法であり、耐用年数11年の場合の償却率は0.182、保証率は0.05992、改定償却率は0.200である。

(3) 当社の資本金の額は100,000,000円であり、設立以来異動はない。なお、当社の株主に法人株主はいない。

解答

(1) 償却限度額

① 普通償却

3,500,000×0.182＝637,000円 ≧ 3,500,000×0.05992＝209,720円

∴ $637,000 \times \dfrac{11}{12} = 583,916$円

② 特別償却

3,500,000－583,916＝2,916,084円

③ 合　計

583,916＋2,916,084＝3,500,000円

(2) 償却超過額

3,500,000－3,500,000＝0（税務調整なし）

.... *Memorandum Sheet* ....

Section 3 特別償却不足額

普通償却に係る償却不足額は切捨てられ、繰り越すことは認められていません。しかし、各種政策上の見地から認められている特別償却に係る償却不足額（特別償却不足額）については、適用時期に弾力性を与えることにより利用度を高めてもらう観点から、1年間に限って繰越しが認められています。

このSectionでは、特別償却不足額の取扱いを学習します。

1 制度の概要（措法52の2）

1．特別償却不足額の意義

特別償却不足額とは、その事業年度開始日前1年以内に開始した各事業年度において生じた特別償却限度額に係る不足額のうち、その事業年度前の各事業年度の損金の額に算入された金額以外の金額をいいます[01]。

具体的には、次のように計算します。

> **基本算式**
> ① 償却不足額（マイナスの金額）
>   ＝会社計上償却費－（普通償却限度額＋特別償却限度額）
> ② 特別償却限度額
> ③ ①と②のいずれか少ない方 ➡ 1年間繰越し

[01] 当期まで連続して青色申告書を提出している場合に限って適用されます。

①と②の比較を行い、いずれか少ない金額を採ることにより、特別償却限度額に係る不足額を求めています。

2．当期に特別償却不足額が発生した場合

当期に特別償却不足額が発生する場合には、減価償却について次のような計算となります。

> **基本算式**
> (1) 償却限度額
>   ① 普通償却
>   ② 特別償却
>   ③ ①＋②
> (2) 償却超過額
>   会社計上償却費－(1)＝△ ×××
>   ××× と特別償却限度額(1)②のいずれか少ない方[02]
>   ∴ ○○○円（1年間繰越）

[02] 繰越が認められるのは特別償却に係る償却不足額です。普通償却に係る償却不足額は、繰越は認められません（認めた場合には、利益操作に利用される可能性があるためです。）。

＜図解＞

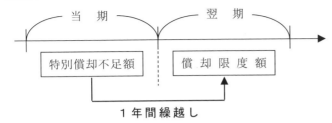

　当期に発生した特別償却不足額は、翌期の償却限度額として使用することができます。

設例3-1　　　　　　　　　　　　　　　　　　　　　　　　　　特別償却不足額(1)

次の資料により、設問の場合ごとに当期における特別償却不足額を計算しなさい。

(1) 普通償却限度額　1,600,000円
(2) 特別償却限度額　1,300,000円

【設問1】　会社計上償却費が3,100,000円である場合
【設問2】　会社計上償却費が2,250,000円である場合
【設問3】　会社計上償却費が1,400,000円である場合

解答　【設問1】

(1) 償却限度額
  ① 普通償却
    1,600,000円
  ② 特別償却
    1,300,000円
  ③ ①+②=2,900,000円

(2) 償却超過額
   3,100,000−2,900,000=200,000円
   （注）償却超過額が生じるため特別償却不足額はありません。

【設問2】

(1) 償却限度額
  ① 普通償却
    1,600,000円
  ② 特別償却
    1,300,000円
  ③ ①+②=2,900,000円

(2) 償却超過額
   2,250,000−2,900,000=△650,000
   650,000円＜1,300,000円　　∴　650,000円（1年間繰越）

【設問3】

(1) 償却限度額
  ① 普通償却
    1,600,000円
  ② 特別償却
    1,300,000円
  ③ ①+②=2,900,000円

(2) 償却超過額
   1,400,000−2,900,000=△1,500,000
   1,500,000円＞1,300,000円　　∴　1,300,000円（1年間繰越）

解説

① 【設問1】では、償却超過額が生じるため、特別償却不足額は生じません。通常どおり償却超過額を別表四で加算調整します。

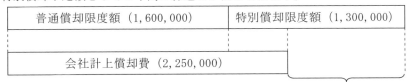

償却超過額 200,000 円

② 【設問2】では、償却不足額が生じますが、すべて特別償却限度額に係る償却不足額であるため、特別償却不足額として1年間の繰越しが認められます。

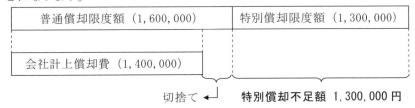

特別償却不足額 650,000 円

③ 【設問3】では、【設問2】と同様に償却不足額が生じますが、繰越しが認められるのは、特別償却限度額に係る償却不足額のみであるため、普通償却に係る償却不足額200,000円は、切り捨てられることになります。

普通償却限度額 (1,600,000)	特別償却限度額 (1,300,000)
会社計上償却費 (1,400,000)	

切捨て ← 特別償却不足額 1,300,000 円

3. 前期に特別償却不足額が発生している場合（措法52の2①、措令30②）

(1) 概要

前期に特別償却不足額が発生している場合には、減価償却について次のような計算となります。

基本算式
(1) 償却限度額
　① 普通償却
　② 特別償却不足額*03
　③ ①＋②
(2) 償却超過額
　　会社計上償却費－(1) ➡ 減価償却超過額（○○）（加算留保）

*03) 前期から繰り越された特別償却不足額です。

<図解>

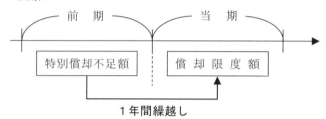

前期に発生した特別償却不足額は、当期の償却限度額として使用することができます。

(2) 特別償却不足額がある場合の償却限度額の計算

① 定率法の場合

基本算式
① 普通償却
　(イ)（期首帳簿価額－特別償却不足額）×定率法償却率
　(ロ) 取得価額×保証率
　(ハ)(イ)≧(ロ)の場合
　　➡ (イ)の金額
　　(イ)＜(ロ)の場合
　　➡（期首帳簿価額－特別償却不足額）×改定償却率
　　　　改定取得価額
② 特別償却不足額
③ ①＋②

定率法の計算では、前期において特別償却限度の全額の特別償却を受けた場合と、特別償却不足額を繰り越した場合との調整を図るため、期首帳簿価額から特別償却不足額を控除した金額を基礎として償却限度額を計算することになります。

② 定額法の場合

> 基本算式
> ① 普通償却
>   取得価額×定額法償却率 → 通常の計算
> ② 特別償却不足額
> ③ ①+②

　定額法の計算では、特別償却不足額は取得価額には影響しないため（普通償却限度額の計算に帳簿価額は使用しないため）通常の計算と変わりません。

(3) グルーピングとの関係

　特別償却不足額を当期の償却限度額として使用する場合には、特別償却の適用を受ける場合と同様に、その資産については他の資産とのグルーピングは認められません。

設例3−2　　　　　　　　　　　　　　　　　　　　　　　　　　　　　　　　特別償却不足額(2)

次の資料により、当社の前期及び当期における税務上の調整を示しなさい。

(1) 当社は、前期の令和6年4月1日に新品の機械及び装置（耐用年数は5年のものである。）を15,000,000円で取得し、直ちに事業の用に供している。

(2) 当社は、前期において償却費として9,925,000円を費用に計上しており、当期においては償却費として2,500,000円を費用に計上している。

(3) 当社は、機械及び装置の償却方法として定率法によっているが、耐用年数が5年の場合の200％定率法による償却率等の資料は、次のとおりである。

償　却　率　…　0.400
改定償却率　…　0.500
保　証　率　…　0.10800

(4) 当社は製造業を営む資本金の額が100,000,000円（数年来異動はない。）の青色申告書を提出する法人であり、特別償却不足額の繰越しのための手続きは、すべて適法に行っている。

解答

1. 前期の計算
   (1) 償却限度額
      ① 普通償却
         $15,000,000 \times 0.400 = 6,000,000$ 円 $\geq 15,000,000 \times 0.10800 = 1,620,000$ 円
         $\therefore \ 6,000,000 \times \dfrac{12}{12} = 6,000,000$ 円
      ② 特別償却
         $15,000,000 \times 30\% = 4,500,000$ 円
      ③ ①+② = 10,500,000 円
   (2) 償却超過額
      $9,925,000 - 10,500,000 = \triangle 575,000$
      575,000 円 < 4,500,000 円 $\therefore$ 575,000 円（1年間繰越）

2. 当期の計算
   (1) 償却限度額
      ① 普通償却
         $(15,000,000 - 9,925,000 - 575,000) \times 0.400 = 1,800,000$ 円 $\geq 15,000,000 \times 0.10800$
         $= 1,620,000$ 円 $\therefore$ 1,800,000 円
      ② 特別償却不足額
         575,000 円
      ③ ①+② = 2,375,000 円
   (2) 償却超過額
      $2,500,000 - 2,375,000 = 125,000$ 円

(単位：円)

	区　分	金　　額	留　保	社外流出
加算	減　価　償　却　超　過　額 （機械及び装置）	125,000	125,000	
減算				

解説

① 前期に特別償却不足額が生じているため、その特別償却不足額は当期に繰り越されてきていることになります。
② 特別償却不足額が繰り越されてきている場合には、定率法による普通償却限度額の計算は、期首帳簿価額からその特別償却不足額を控除して償却率を乗ずることになります。なお、前期から繰り越された特別償却不足額は、当期の償却限度額として使用することになります。

Section 4 特別償却準備金

特別償却は各種政策目的から認められるものであり、会社法の「相当の償却」に該当しません。そこで、会社法との調整から多額の償却費を計上しなくても特別償却と同様の効果が得られるように、特別償却準備金を積立てることが認められています。このSectionでは、特別償却準備金の取扱いを学習します。

1 制度の概要（措法52の3①）

1．特別償却準備金の積立て

法人で特別償却の適用を受けることができるものが、特別償却の適用を受けることに代えて、各特別償却対象資産別に特別償却限度額以下の金額を損金経理の方法により特別償却準備金として積み立てたとき（決算確定日までに剰余金の処分により積立金として積み立てたときを含む。）は、その積み立てた金額は、その事業年度の損金の額に算入することができます。

> **基本算式**
> ※ 積立金経理の場合 → 特別償却準備金認定損（減算留保）
> (1) 積立限度額
> (2) 積立超過額
>   会社計上積立額−(1) → 特別償却準備金積立超過額（加算留保）

2．積立限度額の計算[*01]

特別償却準備金は、特別償却に代えて適用する制度であるため、その特別償却に係る特別償却限度額が、積立限度額となります。

> **基本算式**
> 積立限度額＝特別償却限度額

[*01] 特別償却対象資産ごとに計算します。

3．普通償却との関係

(1) 帳簿価額との関係

特別償却準備金制度による場合には、普通償却と特別償却を分離して計算するために、帳簿価額から特別償却準備金の積立額は控除しません。このため翌期以降は減価償却制度による特別償却の場合に比して、償却費は過大な状態となります。ただし、減価償却とは別に、特別償却準備金の積立額は、一定期間に渡って均等取崩しを行い、その取崩額を益金の額に算入することとされています。

(2) グルーピングとの関係

特別償却準備金を積立てた場合には、普通償却の計算と特別償却の計算は分離して計算されることになるため、グルーピングすべきものについては、グルーピングをしなければなりません[*02]。

*02) 減価償却による特別償却の場合には、償却限度額は個々の資産ごとに計算し、グルーピングをすることはできません。

設例4-1　　　　　　　　　　　　　　　　　　　　特別償却準備金の積立て

次の資料により、当社の当期における税務上の調整を示しなさい。

(1) 当社が当期において取得した機械装置（いずれも新品のものである。）に係る減価償却に関する資料は、次のとおりである。なお、機械装置A及び機械装置Bは、同一の設備に属するものである。

種　類	取得価額	会社計上償却費	期末帳簿価額	事業供用年月日	耐用年数
機械装置A	19,000,000円	2,700,000円	16,300,000円	令和7年10月1日	11年
機械装置B	6,000,000円	800,000円	5,200,000円	令和8年3月1日	11年

(2) 当社は、上記(1)で取得した機械装置について、特別償却の適用を受けることに代えて、当期の株主資本等変動計算書において特別償却準備金を次のとおり積み立てている。

種　類	特別償却準備金の積立額
機械装置A	9,500,000円
機械装置B	2,400,000円

(3) 当社は、償却方法として定率法を採用しており、耐用年数11年の場合の200％定率法による償却率等は次のとおりである。

償　却　率	0.182
改定償却率	0.200
保　証　率	0.05992

(4) 当社は、資本金の額が50,000,000円（株主に大規模法人はいない。）の青色申告書を提出する法人（適用除外事業者に該当しない。）である。

解答

1. 減価償却
   (1) 償却限度額
   ① $19,000,000 \times 0.182 = 3,458,000$円 $\geqq 19,000,000 \times 0.05992 = 1,138,480$円
   ∴ $3,458,000 \times \dfrac{6}{12} = 1,729,000$円

   ② $6,000,000 \times 0.182 = 1,092,000$円 $\geqq 6,000,000 \times 0.05992 = 359,520$円
   ∴ $1,092,000 \times \dfrac{1}{12} = 91,000$円

   ③ ①+② = 1,820,000円

   (2) 償却超過額
   $(2,700,000 + 800,000) - 1,820,000 = 1,680,000$円

2. 特別償却準備金
   (1) 機械装置A
   ① 積立限度額
   $19,000,000 \times 30\% = 5,700,000$円
   ② 積立超過額
   $9,500,000 - 5,700,000 = 3,800,000$円

   (2) 機械装置B
   ① 積立限度額
   $6,000,000 \times 30\% = 1,800,000$円
   ② 積立超過額
   $2,400,000 - 1,800,000 = 600,000$円

(単位:円)

	区 分	金 額	留 保	社外流出
加算	減価償却超過額 （機械装置A・B）	1,680,000	1,680,000	
	特別償却準備金積立超過額 （機械装置A） （機械装置B）	3,800,000 600,000	3,800,000 600,000	
減算	特別償却準備金認定損 （機械装置A） （機械装置B）	9,500,000 2,400,000	9,500,000 2,400,000	

解説

① 当社は、資本金の額が1億円以下であり、株主に大規模法人もいないことから中小企業者に該当します。

② 機械装置A及び機械装置Bについて、特別償却準備金を積み立てているため、減価償却の計算についてはグルーピングが必要になります。

③ 特別償却準備金の積立額を別表四で減算するのを忘れないように注意しましょう。

2 積立不足額がある場合（措法52の3②）

1．積立不足額の繰越し

特別償却準備金として損金算入された金額が、特別償却限度額に満たない場合において、その事業年度終了の日の翌日以後1年以内に終了する各事業年度において、各特別償却対象資産別にその満たない金額以下の金額を損金経理の方法により特別償却準備金として積み立てたとき（決算確定日までに剰余金の処分により積立金として積み立てたときを含む。）は、その積み立てた金額は、その事業年度の損金の額に算入することができます[*01]。

*01) 減価償却制度による特別償却の適用との調整を図るため、特別償却準備金の積立不足額は特別償却不足額と同様に1年間の繰越しが認められています。

基本算式
積立不足額＝積立限度額－損金算入積立額

＜図解＞

特別償却準備金の積立不足額は、減価償却との関係がないため、単純に次のように求められます。

2．当期の積立限度額

前期から繰り越された特別償却準備金に係る積立不足額がある場合には、その積立不足額は、当期の積立限度額として使用することができます。

基本算式
当期の積立限度額＝繰越積立不足額

＜図解＞

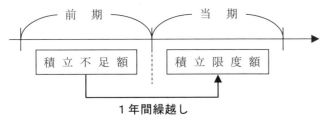

前期に発生した特別償却準備金の積立不足額は、当期の積立限度額として使用することができます。

3 特別償却準備金の取崩し（措法52の3⑤⑥）

1．均等取崩し

(1) 取扱い

前事業年度から繰り越された特別償却準備金については、積立事業年度別及び特別償却対象資産別に区分した金額ごとに、(2)の金額をそれぞれその事業年度の益金の額に算入しなければなりません。

(2) 要取崩額

特別償却準備金は、原則として7年間（84月）で均等額の取崩しを行うことになりますが、その対象資産の耐用年数が10年未満である場合には、60と耐用年数×12のいずれか少ない期間（月数）により均等額の取崩しを行うことになります。

基本算式

特別償却準備金の損金算入額 × $\dfrac{その各事業年度の月数}{※84}$

※　耐用年数10年未満の場合
① 60
② 耐用年数×12
③ ①と②のいずれか少ない方

(注) 耐用年数と取崩期間の関係をまとめると、次のようになります。

耐用年数	取崩期間
10年以上	84
5～9年	60
2～4年	耐用年数×12

2．譲渡した場合

特別償却準備金に係る特別償却対象資産を有しないこととなった場合（譲渡した場合）等には、次の金額を取崩し、その事業年度の益金の額に算入しなければなりません。

基本算式

要取崩額＝特別償却準備金の損金算入額－既益金算入額

設例4-2　　　　　　　　　　　　　　　　　　　　　　　　　　特別償却準備金の取崩し

次の資料により、当社の当期における特別償却準備金に係る税務上の調整を示しなさい。

(1) 当社は、前期の株主資本等変動計算書において特別償却準備金を次のとおり積み立てている。なお、当社は、当期においてC機械装置を第三者に譲渡している（譲渡損益の計算は適正に行われている。）。

種　類	積　立　額	耐用年数
A機械装置	3,250,000円	8年
B機械装置	1,800,000円	12年
C機械装置	1,000,000円	10年

（注）　A機械装置の積立額については、積立超過額が130,000円ある。

(2) 当社は、当期において特別償却準備金の取崩しに係る処理は一切行っていない。

(3) 当社は、製造業を営む資本金の額が100,000,000円（株主はすべて個人である。）の内国法人であり、設立以来連続して青色の申告書により確定申告書を提出している。

解答

(1) 取崩もれ

① A機械装置

8年＜10年

60＜8×12＝96　　∴　60

∴　$(3,250,000 - 130,000) \times \dfrac{12}{60} = 624,000$円

② B機械装置

12年≧10年

∴　$1,800,000 \times \dfrac{12}{84} = 257,142$円

③ C機械装置

1,000,000円

（単位：円）

	区　分	金　額	留　保	社外流出
加算	特別償却準備金取崩もれ			
	（A機械装置）	624,000	624,000	
	（B機械装置）	257,142	257,142	
	（C機械装置）	1,000,000	1,000,000	
減算				

解説

① 特別償却準備金の取崩期間は耐用年数に応じて定められているため、耐用年数が10年以上か10年未満かをチェックするようにしましょう。なお、要取崩額は、損金の額に算入された特別償却準備金の額を基礎に計算することになります。

② 他に譲渡した資産に係る特別償却準備金については、取崩しが必要です。損金の額に算入された特別償却準備金の額から既に益金の額に算入された金額を控除した金額を、取り崩して益金の額に算入することになります。

4 まとめ

基本算式

(1) 取崩し

※ 積立金経理の場合 → 特別償却準備金取崩額（加算留保）

① 要取崩額

特別償却準備金の損金算入額 × $\dfrac{その各事業年度の月数}{84}$

※ 耐用年数10年未満の場合

(イ) 60

(ロ) 耐用年数 × 12

(ハ) (イ)と(ロ)のいずれか少ない方

（譲渡した場合：特別償却準備金の損金算入額 － 既益金算入額）

② 取崩もれ

① － 会社計上取崩額 → 特別償却準備金取崩もれ（加算留保）

(2) 積立て

※ 積立金経理の場合 → 特別償却準備金認定損（減算留保）

① 積立限度額

＝特別償却限度額

② 積立超過額

会社計上積立額 － ① → 特別償却準備金積立超過額（加算留保）

Memorandum Sheet

Try it 特別償却

次の資料により、当社の当期における税務上の調整を示しなさい。

(1) 当社が当期において減価償却費として費用に計上した金額のうち、留意すべきものは次のとおりである。

種 類 等	取得価額	期首帳簿価額	減価償却費	耐用年数	事業供用日
工場用建物A	23,000,000円	22,100,000円	1,300,000円	24年	令和6年4月9日
機械及び装置B	1,500,000円	—	1,000,000円	15年	令和7年4月9日
機械及び装置C	3,000,000円	—	1,800,000円	11年	令和7年10月5日

(注) 機械及び装置BとCは、当期において取得した新品のものである。

(2) 当社は減価償却資産の償却方法について、何ら選定の届出をしていない。なお、耐用年数に応ずる償却率等は次のとおりである。

① 減価償却資産の旧定額法、旧定率法、定額法及び定率法（平成19年4月1日から平成24年3月31日取得分）の償却率等

| 耐用年数 | 定額法償却率 | 定率法 | | | 旧定額法償却率 | 旧定率法償却率 |
		償却率	改定償却率	保証率		
11	0.091	0.227	0.250	0.04123	0.090	0.189
15	0.067	0.167	0.200	0.03217	0.066	0.142
24	0.042	0.104	0.112	0.02157	0.042	0.092

② 平成24年4月1日以後に取得をされた減価償却資産の定率法の償却率等

| 耐用年数 | 定率法 | | |
	償却率	改定償却率	保証率
11	0.182	0.200	0.05992
15	0.133	0.143	0.04565
24	0.083	0.084	0.02969

(3) 当社は、製造業を営む資本金の額が100,000,000円（設立以来異動はない。なお、当社の株主はすべて個人である。）の青色申告書を提出する内国法人（適用除外事業者に該当しない。）である。

答案用紙

1．工場用建物A
 (1) 償却限度額

 (2) 償却超過額

2．機械及び装置B

　⑴　償却限度額

　⑵　償却超過額

3．機械及び装置C

　⑴　償却限度額

　⑵　償却超過額

（単位：円）

	項　　目	金　　額	留　　保	社外流出
加算				
減算				

解 答

1. 工場用建物A
   (1) 償却限度額
       23,000,000×0.042＝966,000円❶
   (2) 償却超過額
       1,300,000−966,000＝334,000円

2. 機械及び装置B
   (1) 償却限度額
       1,500,000×0.133＝199,500円≧1,500,000×0.04565＝68,475円
       ∴ $199,500×\frac{12}{12}$＝199,500円❶
   (2) 償却超過額
       1,000,000−199,500＝800,500円

3. 機械及び装置C
   (1) 償却限度額
       ① 普通償却
          3,000,000×0.182＝546,000円≧3,000,000×0.05992＝179,760円
          ∴ $546,000×\frac{6}{12}$＝273,000円❶
       ② 特別償却
          3,000,000×30％＝900,000円❶
       ③ ①＋②＝1,173,000円
   (2) 償却超過額
       1,800,000−1,173,000＝627,000円

	項　　　目	金　　額	留　　保	社外流出
加算	減価償却超過額 （工場用建物A） （機械及び装置B） （機械及び装置C）	334,000 800,500 627,000	❷334,000 ❷800,500 ❷627,000	
減算				

解 説

　機械及び装置Bについては、取得価額が160万円未満であるため、中小企業者等の機械等の特別償却の適用を受けることはできません。

Try it　　　　　　　　　　　　　　　　　　　　　　　　　　　　　　　　　　　　特別償却

次の資料により、当社の当期における税務上の調整を示しなさい。

(1) 当社の当期における減価償却について考慮すべきものとして、次のものがある。なお、機械装置A及び機械装置Bは、同一の設備に属するものである。

種　類	取得価額	会社計上償却費	期末帳簿価額	事業供用年月日	耐用年数
機械装置A	15,000,000円	2,500,000円	8,000,000円	令和5年6月5日	11年
機械装置B	20,000,000円	5,000,000円	8,000,000円	令和6年10月10日	11年
機械装置C	25,000,000円	4,000,000円	21,000,000円	令和8年2月24日	11年

（注1）　機械装置Aについては、前々期において租税特別措置法第42条の6第1項〈中小企業者等が機械等を取得した場合の特別償却〉の規定の適用を受けることに代えて、株主資本等変動計算書において特別償却準備金を4,500,000円積み立てている（税務上適正額である。）。なお、この特別償却準備金については、積立後、全く取り崩していない。

（注2）　機械装置Bは、前期において、租税特別措置法第42条の6第1項〈中小企業者等が機械等を取得した場合の特別償却〉の規定の適用を受けているが、前期から繰り越された特別償却不足額が820,000円ある。

（注3）　機械装置Cは、当期において租税特別措置法第42条の6第1項〈中小企業者等が機械等を取得した場合の特別償却〉の規定の適用を受けることに代えて、株主資本等変動計算書において特別償却準備金を8,000,000円積み立てている。

(2) 当社は、償却方法として定率法を採用しており、耐用年数11年の場合の定率法による償却率等は次のとおりである。

200%定率法	
償　却　率	0.182
改定償却率	0.200
保　証　率	0.05992

(3) 当社は、資本金の額が50,000,000円（株主は全員個人である。）の青色申告書を提出する法人（適用除外事業者に該当しない。）である。

答案用紙

1. 機械装置A

(1) 償却限度額

(2) 償却超過額

2．機械装置B
　⑴　償却限度額

　⑵　償却超過額

3．機械装置C
　⑴　償却限度額

　⑵　償却超過額

4．特別償却準備金
　⑴　取崩し
　　①　要取崩額

　　②　取崩もれ

　⑵　積立て
　　①　積立限度額

　　②　積立超過額

(単位：円)

	項　　　　目	金　　額	留　　保	社外流出
加算				
減算				

解 答

1. 機械装置A
   (1) 償却限度額
      $(8,000,000 + 2,500,000) \times 0.182 = 1,911,000$円 $\geq 15,000,000 \times 0.05992 = 898,800$円
      ∴ $1,911,000$円
   (2) 償却超過額
      $2,500,000 - 1,911,000 = 589,000$円

2. 機械装置B
   (1) 償却限度額
      ① 普通償却
         $(8,000,000 + 5,000,000 - 820,000❶) \times 0.182 = 2,216,760$円 $\geq 20,000,000 \times 0.05992$
         $= 1,198,400$円　　∴ $2,216,760$円
      ② 特別償却不足額
         $820,000$円❶
      ③ ①+②=$3,036,760$円
   (2) 償却超過額
      $5,000,000 - 3,036,760 = 1,963,240$円

3. 機械装置C
   (1) 償却限度額
      $25,000,000 \times 0.182 = 4,550,000$円 $\geq 25,000,000 \times 0.05992 = 1,498,000$円
      ∴ $4,550,000 \times \dfrac{2}{12} = 758,333$円
   (2) 償却超過額
      $4,000,000 - 758,333 = 3,241,667$円

4. 特別償却準備金
   (1) 取崩し（機械装置A）
      ① 要取崩額
         11年 ≧ 10年❶
         ∴ $4,500,000 \times \dfrac{12}{84} = 642,857$円
      ② 取崩もれ
         $642,857 - 0 = 642,857$円
   (2) 積立て（機械装置C）
      ① 積立限度額
         $25,000,000 \times 30\% = 7,500,000$円❶
      ② 積立超過額
         $8,000,000 - 7,500,000 = 500,000$円

	項　目	金　額	留　保	社外流出
加算	減価償却超過額 　　（機械装置Ａ） 　　（機械装置Ｂ） 　　（機械装置Ｃ） 特別償却準備金取崩もれ 　　（機械装置Ａ） 特別償却準備金積立超過額 　　（機械装置Ｃ）	 589,000 1,963,240 3,241,667 642,857 500,000	 ❶　　589,000 ❶　1,963,240 ❶　3,241,667 ❶　　642,857 ❶　　500,000	
減算	特別償却準備金認定損 　　（機械装置Ｃ）	 8,000,000	 ❶　8,000,000	

解　説

① 機械装置Ａについて特別償却準備金を積み立てていますが、特別償却準備金は、償却限度額の計算に影響を与えないものです。また、特別償却準備金の取崩しの計算についても、減価償却の計算には関係がないものです。

　なお、特別償却準備金の取崩しは、法定耐用年数が10年以上であるため、7年均等償却となります。前期においても取崩しをしていませんが、前期においても要取崩額相当額の税務調整が生じていることになります。

② 機械装置Ｂについて、前期から繰り越された特別償却不足額があります。特別償却不足額が繰り越された場合の定率法の償却限度額（調整前償却額）の計算は、期首帳簿価額からその特別償却不足額を控除して計算します。機械装置ＡとＢは同一の設備の種類ですが、機械装置Ｂについて直接の特別償却不足額があるため、グルーピングできません。また、機械装置ＡとＣは同一の設備の種類と書かれていないことから、グルーピング計算を行いません。

③ 機械装置Ｃについて、特別償却準備金を積み立てていますが、特別償却準備金積立超過額と減価償却超過額の計算は、別々に計算します。

Chapter 5

特別控除

Section 1 試験研究費の特別控除

法人が製品の製造技術の開発等のために試験研究費を支出した場合には、その試験研究費の額を基礎として計算した一定の金額の税額控除が認められています。試験研究費の特別控除は、法人の試験研究活動を促進し、科学技術の向上とその開発力の強化を図るという政策目的から認められている租税特別措置法上の優遇規定の一つです。
このSectionでは、試験研究費の特別控除を学習します。

1 試験研究費の総額に係る税額控除（措法42の4①②③⑲）

1. 制度の概要

青色申告法人の各事業年度において、試験研究費の額（その試験研究費に充てるため他の者から支払を受ける金額を控除した金額。以下同じ。）がある場合には、その事業年度の法人税額から、特別控除額を控除することができます。

> **適用要件**
> ① 青色申告法人であること
> ② 当期に試験研究費の額があること [*01]
> ③ 所得が前期の所得以下の一定の事業年度を除き、イ継続雇用者給与等支給額がその継続雇用者比較給与等支給額を超えること（一定の場合には一定の要件）、ロ国内設備投資額が減価償却費の総額の30％を超えること、の要件のいずれかに該当すること [*02]

[*01] 試験研究費の額があればよく、過去の実績に対して増加しているかどうかは問われていません。

[*02] 継続雇用者とは当期及び前期の各月において給与等の支給を受けた国内雇用者をいい、継続雇用者給与等支給額とは、継続雇用者に対する当期に損金の額に算入される給与等の支給額をいいます。また、継続雇用者比較給与等支給額とは、継続雇用者に対する前期に損金の額に算入される給与等の支給額をいいます。

2. 特別控除額の計算

(1) 特別控除額

試験研究費の総額に係る税額控除制度（以下「総額制度」といいます。）に係る特別控除額は、次のとおり計算します。

> **基本算式**
> (1) 支出基準額
> （当期の試験研究費の額－特別試験研究費の額 [*03]）× 総額制度に係る税額控除割合
> (2) 税額基準額
> 当期の法人税額×25％（±5％）
> (3) 特別控除額
> (1)と(2)のいずれか少ない方

[*03] 次の特別試験研究費の額のところでみています。

（注）税額基準における「当期の法人税額」は、所得金額に税率を乗じて計算した法人税額（別表一②の法人税額）を指しています。

(2) 税額控除割合

増減試験研究費割合を次のとおりに区分し、それぞれの区分による算出方法により計算される割合となります。なお、小数点以下3位未満切捨[04]となります。

*04) 納税者にとって不利な端数処理になります。

> **基本算式**
> ① 増減試験研究費割合が12%超
> 　11.5% ＋ （その割合 － 12%） × 0.375 （最高14%）
> ② 増減試験研究費割合が12%以下
> 　11.5% － （12% － その割合） × 0.25 （最低1%）

増減試験研究費割合に応じて、1%から14%の範囲に設定されています。

(3) 増減試験研究費割合

増減試験研究費割合とは、次の算式により計算した割合をいいます。

> **基本算式**
> $$\frac{増減試験研究費^{*05)}}{比較試験研究費}$$

*05) 端数処理はありません。通常は割り切れないため、割り切れないまま使用します。

(4) 増減試験研究費

当期試験研究費の額から比較試験研究費の額を減算した金額であり、マイナスの金額が生じた場合は、増減試験研究費割合もマイナスとなります。

(5) 比較試験研究費の額

比較試験研究費の額とは、当期開始日前3年以内に開始した各事業年度の試験研究費の額の合計額をその3年以内に開始した各事業年度の数で除して計算した金額で、次の算式により計算します。

> **基本算式**
> $$\frac{直近過去3年間の試験研究費の額の合計額}{3}$$

＜図解＞

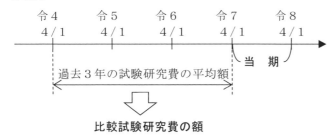

Chapter 5 | 特別控除 | 5-3

(6) 税額基準割合

総額制度に係る税額基準割合は、次の区分に応じた割合となります。

基本算式

① 増減試験研究費割合が±4％以下

25％

② 増減試験研究費割合が±4％超

増減試験研究費割合＞4％

∴ 当期の法人税額×25％＋当期の法人税額×※

※ （増減試験研究費割合－4％）×0.625

（小数点以下3位未満切捨、最高5％）

△増減試験研究費割合＜△4％

∴ 当期の法人税額×25％－当期の法人税額×※

※ （0に満たない部分の割合－4％）×0.625

（小数点以下3位未満切捨、最高5％）

(注) ±4％以下とは、△4％から＋4％までのことをいい、±4％超とは、それ以外（例、△5％や＋5％が該当）をいいます。

設例1-1　増減試験研究費割合(1)

次の資料により、当社（非中小企業者等）の当期における増減試験研究費割合を計算しなさい。

－資料－

事業年度	R4.4.1～R5.3.31	R5.4.1～R6.3.31	R6.4.1～R7.3.31	R7.4.1～R8.3.31
試験研究費の額	42,500,000円	43,200,000円	52,700,000円	56,600,000円

解答

(1) 総額制度に係る税額控除割合

① 当期試験研究費

56,600,000円

② 比較試験研究費

$$\frac{42,500,000+43,200,000+52,700,000}{3}=46,133,333円$$

③ 増減試験研究費

①－②＝10,466,667円（マイナスの場合は、そのまま）

④ 増減試験研究費割合

$$\frac{③}{②}=0.2268\cdots$$

設例1-2　増減試験研究費割合(2)

次の資料により、当社（非中小企業者等）の当期における増減試験研究費割合を計算しなさい。

－資料－

事業年度	R4.4.1～R5.3.31	R5.4.1～R6.3.31	R6.4.1～R7.3.31	R7.4.1～R8.3.31
試験研究費の額	42,500,000円	43,200,000円	52,700,000円	46,000,000円

解答

(1) 総額制度に係る税額控除割合

① 当期試験研究費

46,000,000円

② 比較試験研究費

$$\frac{42,500,000+43,200,000+52,700,000}{3}=46,133,333円$$

③ 増減試験研究費

①－②＝△133,333（マイナスの場合は、そのまま）

④ 増減試験研究費割合

$$\frac{③}{②}=△0.0028\cdots$$

設例1-3 税額控除割合(1)

次の資料により、当社（非中小企業者等）の当期における総額に係る税額控除割合を計算しなさい。

－資料－

事業年度	R4.4.1〜R5.3.31	R5.4.1〜R6.3.31	R6.4.1〜R7.3.31	R7.4.1〜R8.3.31
試験研究費の額	42,500,000円	43,200,000円	52,700,000円	56,600,000円

解答

(1) 総額制度に係る税額控除割合

① 当期試験研究費　　56,600,000円

② 比較試験研究費　　46,133,333円

③ 増減試験研究費　　①－②＝10,466,667円（マイナスの場合は、そのまま）

④ 増減試験研究費割合

$\frac{③}{②}=0.2268\cdots$

⑤ 税額控除割合

④＞12％　∴　$11.5\% + (\frac{③}{②} - 12\%) \times 0.375 = 0.15507\cdots$（小数点以下3位未満切捨、最高14％）　→　0.14

設例1-4 税額控除割合(2)

次の資料により、当社（非中小企業者等）の当期における総額に係る税額控除費割合を計算しなさい。

－資料－

事業年度	R4.4.1〜R5.3.31	R5.4.1〜R6.3.31	R6.4.1〜R7.3.31	R7.4.1〜R8.3.31
試験研究費の額	42,500,000円	43,200,000円	52,700,000円	46,000,000円

解答

(1) 総額制度に係る税額控除割合

① 当期試験研究費　　46,000,000円

② 比較試験研究費　　46,133,333円

③ 増減試験研究費　　①－②＝△133,333（マイナスの場合は、そのまま）

④ 増減試験研究費割合

$\frac{③}{②}=\triangle 0.0028\cdots$

⑤ 税額控除割合

④≦12％　∴　$11.5\% - (12\% - \frac{③}{②}) \times 0.25 = 0.0842\cdots$

（小数点以下3位未満切捨、最低1％）　→　0.084

設例1-5　試験研究費総額に係る税額控除(1)

次の資料により、当社（非中小企業者等）の当期における総額に係る税額控除額を計算しなさい。なお、当期の法人税額は69,600,000円である。

事業年度	R 4.4.1〜R 5.3.31	R 5.4.1〜R 6.3.31	R 6.4.1〜R 7.3.31	R 7.4.1〜R 8.3.31
試験研究費の額	42,500,000円	43,200,000円	52,700,000円	56,600,000円

解答

(1) 総額制度に係る税額控除割合
　① 当期試験研究費　　56,600,000円
　② 比較試験研究費　　46,133,333円
　③ 増減試験研究費　　10,466,667円（マイナスの場合は、そのまま）
　④ 増減試験研究費割合　　0.2268…
　⑤ 税額控除割合　　0.14

(2) 支出基準額
　　56,600,000×0.14＝7,924,000円

(3) 税額基準額　　④＞4％　　∴　69,600,000×25％＋69,600,000×0.05※＝20,880,000円
　　※　(④－4％)×0.625＝0.11679…（小数点以下3位未満切捨、最高5％）　→　0.05

(4) 特別控除額
　　(2)<(3)　　∴　7,924,000円（別表一・法人税額の下控除）

設例1-6　試験研究費総額に係る税額控除(2)

次の資料により、当社（非中小企業者等）の当期における総額に係る税額控除額を計算しなさい。なお、当期の法人税額は69,600,000円である。

事業年度	R 4.4.1〜R 5.3.31	R 5.4.1〜R 6.3.31	R 6.4.1〜R 7.3.31	R 7.4.1〜R 8.3.31
試験研究費の額	42,500,000円	43,200,000円	52,700,000円	46,000,000円

解答

(1) 総額制度に係る税額控除割合
　① 当期試験研究費　　46,000,000円　　② 比較試験研究費　　46,133,333円
　③ 増減試験研究費　　△133,333　　　　④ 増減試験研究費割合　　△0.0028…
　⑤ 税額控除割合　　0.084

(2) 支出基準額
　　46,000,000×0.084＝3,864,000円

(3) 税額基準額
　　△0.0028…≧△4％
　　∴　69,600,000×25％＝17,400,000円

(4) 特別控除額
　　(2)<(3)　　∴　3,864,000円（別表一・法人税額の下控除）

3．特別試験研究費がある場合（措法42の4⑦）

(1) 制度の概要

青色申告法人の各事業年度において、特別試験研究費の額がある場合には、その事業年度の法人税額から、特別控除額を控除することができます。

この制度は、その事業年度に特別試験研究費の額がある場合に、その事業年度の所得に対する法人税額から次の金額の合計額（「特別研究税額控除限度額」といいます。）を控除することができる制度となっています。

なお、この特別研究税額控除限度額は、当期の法人税額の10％相当額が限度とされています。

特別研究税額控除限度額	① その事業年度の特別試験研究費の額のうち<u>特別試験研究機関等</u>[*06]と共同して行う試験研究又は特別試験研究機関等に委託する試験研究に係る試験研究費の額の30％相当額
	② その事業年度の特別試験研究費の額のうち<u>他の者と共同して行う試験研究又は他の者に委託する試験研究であって、革新的なもの又は国立研究開発法人等における研究開発の成果を実用化するために行うもの</u>に係る試験研究費の額として一定の金額の25％[*07]相当額
	③ その事業年度の特別試験研究費の額のうち<u>①及び②の試験研究費の額以外</u>の試験研究費の額の20％[*8]相当額

(2) 特別控除額

特別試験研究費に係る税額控除制度に係る特別控除額は、次のとおり計算します。

> 基本算式
> ① 支出基準額
> 　当期の上記箱図①×30％＋当期の上記箱図②×25％＋当期の上記箱図③×20％
> ② 税額基準額
> 　当期の法人税額×10％
> ③ 特別控除額
> 　①と②のいずれか少ない方

(3) 特別試験研究費の額

特別試験研究費の額とは、試験研究費の額のうち一定の試験研究に係るもので契約又は協定[*9]に基づいて行われるものをいいます。

[*06] 国の試験研究機関、大学その他これらに準ずる者をいいます。

[*07] 控除率25％とされるものには、特別試験研究費の額のうち特定新事業開拓事業者、成果活用促進事業者との共同研究又は委託研究に係る一定の試験研究費の額があります。特定新事業開拓事業者とは、新事業開拓事業者のうち特定事業活動（自らの経営資源以外の経営資源を活用し、高い生産性が見込まれる事業を行うこと又は新たな事業の開拓を行うことを目指した事業活動をいいます。）を行い、又は行おうとする会社で一定の要件を満たすものをいいます。

[*08] 控除率20％とされるものには、「新規高度研究業務従事者」に対する人件費があります。

[*09] 契約又は協定は、その契約又は協定において、その試験研究に要する費用の分担及びその明細並びにその試験研究の成果の帰属及びその公表に関する事項が定められているものに限るなどとされています。なお、上記①30％を乗ずる特別試験研究費として、イ国の試験研究機関等又は大学等と共同して行う試験研究ロ国の試験研究機関等又は大学等に委託する試験研究があり、上記③の20％を乗ずるものとして、その用途に係る対象者が少数である医薬品に関する試験研究があります。

設例1－7　　　　　　　　　　　　　　　　　　　　　　特別試験研究費がある場合

次の資料により、当社の当期における試験研究費の特別控除額を計算しなさい。

(1) 当社が当期において支出した試験研究費の額は38,000,000円（大学と共同して行う特別試験研究費の額に該当するものが3,000,000円含まれている。）である。
(2) 当期における総額に係る税額控除割合は、9％（増減試験研究費割合2％）であるものとする。
(3) 当社の当期末における資本金の額は200,000,000円であり、当期の法人税額（別表一②の金額）は20,880,000円である。

解答

1．総　額
　(1) 支出基準額
　　　(38,000,000－3,000,000)×9％＝3,150,000円
　(2) 税額基準額
　　　20,880,000×25％＝5,220,000円
　(3) (1)＜(2)　　∴　3,150,000円

2．特　別
　(1) 支出基準額
　　　3,000,000×30％＝900,000円
　(2) 税額基準額
　　　20,880,000×10％＝2,088,000円
　(3) (1)＜(2)　　∴　　900,000円

3．特別控除額
　　3,150,000＋900,000＝4,050,000円（別表一・法人税額の下控除）

解説

特別試験研究費の額に係る支出基準額は、特別試験研究費のうち、特別試験研究機関等と共同して行う試験研究又は特別試験研究機関等に委託する試験研究の場合は30％、革新的なものに係る試験研究費の額として一定のものは25％、それ以外の特別試験研究費は20％の割合を乗ずることになります。

2 中小企業者等の特例（措法42の4④⑤⑥）

1．制度の概要

中小企業者等（適用除外事業者に該当する場合を除きます。）の各事業年度（総額制度の適用を受ける事業年度を除きます[*01]。）において、試験研究費の額がある場合には、その事業年度の法人税額から特別控除額を控除することができます。

適用要件
① 当社が中小企業者等に該当していること
② 当期に試験研究費の額があること[*02]

[*01] 総額制度と中小企業者等の特例制度は、いずれかの制度を選択して適用することになります。

[*02] 総額制度と同様に試験研究費の額があればよく、過去の実績に対して増加しているかどうかは問われていません。

2．特別控除額

(1) 特別控除額

中小企業者等の特例に係る特別控除額は、次のとおり計算します。

基本算式
(1) 支出基準額 （当期の試験研究費の額－特別試験研究費の額）×中小企業者等の特例制度に係る税額控除割合
(2) 税額基準額 当期の法人税額×税額基準割合
(3) 特別控除額 (1)と(2)のいずれか少ない方

(2) 税額控除割合

増減試験研究費割合を次のとおりに区分し、それぞれの区分による算出方法により計算される割合となります。なお、小数点以下3位未満切捨となります。

基本算式
① 増減試験研究費割合が12％超 12％＋（増減試験研究費割合－12％）×0.375（最高17％）
② 増減試験研究費割合が12％以下 12％

試験研究費割合に応じて、12％から17％の範囲に設定されています。

(3) 税額基準割合

中小企業者等の特例に係る税額基準割合は、次の区分に応じた割合となります。

基本算式
① 増減試験研究費割合が12％超 35％
② 増減試験研究費割合が12％以下 25％

3．制度の選択

　総額制度と中小企業者等の特例制度は選択適用の関係にありますが、その適用の選択は次のとおり行います。

区　　分	適用する制度
中小企業者等の場合	中小企業者等の特例制度＋特別試験研究費制度
中小企業者等以外の法人の場合	総額制度＋特別試験研究費制度

　当社が中小企業者等に該当する場合には、規定上は総額制度を選択することも可能ですが、税額控除割合の設定との関係から中小企業者等の特例制度が必ず有利となります。したがって、中小企業者等の特例制度を適用することになります。

設例1-8　中小企業者等制度に係る税額控除額(1)

次の資料により、当社（中小企業者等）の当期における税額控除額を計算しなさい。なお、当期の法人税額は42,960,000円であり、比較試験研究費の額は46,133,333円である。

－資料－

事業年度	R4.4.1〜R5.3.31	R5.4.1〜R6.3.31	R6.4.1〜R7.3.31	R7.4.1〜R8.3.31
試験研究費の額	42,500,000円	43,200,000円	52,700,000円	56,600,000円

解答

(1) 中小企業者等制度に係る税額控除割合
 ① 当期試験研究費　56,600,000円
 ② 比較試験研究費　46,133,333円
 ③ 増減試験研究費　10,466,667円（マイナスの場合は、そのまま）
 ④ 増減試験研究費割合
  $\frac{③}{②} = 0.2268\cdots$
 ⑤ 税額控除割合
  $\frac{③}{②} > 12\%$　∴　$12\% + \left(\frac{③}{②} - 12\%\right) \times 0.375 = 0.16007\cdots$（小数点以下3位未満切捨、最高17％）　→　0.160

(2) 支出基準額
　56,600,000 × 0.160 ＝ 9,056,000 円

(3) 税額基準額
　42,960,000 × 35％ ＝ 15,036,000 円

(4) 特別控除額
　(2) < (3)　∴　9,056,000円（別表一・法人税額の下控除）

設例1-9　中小企業者等制度に係る税額控除額(2)

次の資料により、当社（中小企業者等）の当期における税額控除額を計算しなさい。なお、当期の法人税額は42,960,000円であり、比較試験研究費の額は46,133,333円ある。

－資料－

事業年度	R 4.4.1 ～R 5.3.31	R 5.4.1 ～R 6.3.31	R 6.4.1 ～R 7.3.31	R 7.4.1 ～R 8.3.31
試験研究費の額	42,500,000円	43,200,000円	52,700,000円	36,600,000円

解答

(1) 中小企業者等制度に係る税額控除割合

① 当期試験研究費　　36,600,000円

② 比較試験研究費　　46,133,333円

③ 増減試験研究費　　△9,533,333（マイナスの場合は、そのまま）

④ 増減試験研究費割合

$\dfrac{③}{②} = △0.2066\cdots$

⑤ 税額控除割合

$\dfrac{③}{②} \leqq 12\% \therefore \ 12\%$

(2) 支出基準額

36,600,000×12％＝4,392,000 円

(3) 税額基準額

42,960,000×25％＝10,740,000 円

(4) 特別控除額

(2)＜(3)　　∴　4,392,000円（別表一・法人税額の下控除）

4 高水準型制度（措法42の4②③⑤⑥）

1．制度の概要

青色申告法人が、次の場合には、税額控除割合に一定の割合｛原則の税額控除割合×(試験研究費割合－10％)×0.5（10％上限）｝を加算することとされています。

> 当期の試験研究費の額が、平均売上金額の10％相当額を超える支出水準である場合[*01]

また、税額基準額の計算上、調整前法人税額×（試験研究費割合－10％）×2（小数点以下3位未満切捨、最高10％）を加算します（中小企業者等制度の35％の適用を受ける場合を除きます。）。

[*01] 最近の出題傾向から、適用ありの場合の基本算式まで覚える必要はなく、適用なしの判定ができれば、十分と考えられます。

2．適用判定

(1) 判定

高水準型制度の適用判定は、次のとおり行います。

基本算式
① 当期試験研究費
② 平均売上金額　$\dfrac{\text{当期以前4年間の売上金額の合計額}}{4}$
③ 試験研究費割合[*02]　$\dfrac{\text{当期の試験研究費の額}}{\text{平均売上金額}}$
④ 判　定　　③≦10％　∴　適用なし

[*02] 端数処理はありません。通常は割り切れないため、割り切れないまま使用します。

(2) 平均売上金額

当期及び当期開始日前3年以内に開始した各事業年度の売上金額（営業外収益とされるものは除きます。）の平均額をいいます。

＜図解＞

平均売上金額は、当期を含む4年間の売上金額の平均額です。

設例1-10　　　　　　　　　　　　　　　　　　　　　　　　高水準型制度の適用判定

次の資料により、試験研究費の特別控除に係る高水準型制度の適用有無の判定を示しなさい。

当社が当期において支出した試験研究費の額は10,000,000円であり、当期における平均売上金額は160,000,000円である。

解答

① 当期試験研究費
　　10,000,000円
② 平均売上金額
　　160,000,000円
③ 試験研究費割合
　　$\dfrac{①}{②}$
④ 判　定
　　③≦10%　　∴　適用なし

解説

試験研究費割合が10%を超える水準で支出されているか否かを判定します。

4 試験研究費の範囲（措法42の4⑲一、措通42の4(1)-1、3、4、5）

1．試験研究費の額

試験研究費の額*01)とは、製品の製造又は技術の改良、考案若しくは発明に係る試験研究のために要する一定の費用*02)又は対価を得て提供する新たな役務の開発に係る試験研究として一定のもののために要する費用その他一定の費用で、具体的には次の費用をいいます。

(1) 試験研究費の額に含まれるもの

① 原材料費
② 人件費（専門的知識をもってその試験研究業務に専ら従事する者に係るもの。）
③ 経費
④ 委託試験研究費の額
⑤ 試験研究用減価償却資産の減価償却費（特別償却に係るものを含む。）*03)
⑥ 試験研究用固定資産の通常行われる取替更新に基づく除却損、譲渡損等

(2) 試験研究費の額に含まれないもの

① 事務職員、守衛、運転手等のように試験研究に直接従事していない者に係る人件費
② 試験研究用減価償却資産に係る特別償却準備金の積立額
③ 試験研究用固定資産の災害、研究項目の廃止等に基づく臨時的、偶発的な除却損、譲渡損等

2．試験研究費の額から控除するもの

試験研究費に充てるため、他の者から支払を受ける金額は、税額控除の対象となる試験研究費の額から控除する必要があります。具体的には、次のようなものがあります。

区　分	内　　容
国庫補助金等	国等からその試験研究費に充てるため交付を受けた補助金（返還不要の確定した金額に限ります。）
受託試験研究費	他の者から支払いを受ける委託試験研究費の額*04)

＜図解＞

当社の試験研究費の額から控除します

当社が支出した試験研究費の額から、Ａ社より受領した受託試験研究費の額を控除した金額が、当社における税額控除の対象額となります。

---

*01) 損金算入される試験研究を行うために要する原材料費、人件費（専門的知識をもって試験研究の業務に専ら従事する者に係るもの）及び経費の額などのほか、試験研究のために要する一定の費用の額で研究開発費として損金経理した金額のうち、棚卸資産若しくは固定資産（事業供用時において試験研究の用に供する固定資産を除きます。）の取得に要した金額とされるべき費用の額等が該当します。

*02) 製品の製造又は技術の改良、考案若しくは発明に係る試験研究については、新たな知見を得るため又は利用可能な知見の新たな応用を考案するために行うものに限られます。

*03) 試験研究用減価償却資産に係る試験研究費の額は、当期の損金の額に算入されるものに限られています。そのため、減価償却超過額等の損金不算入とされる金額は試験研究費の額に含まれません。

*04) 委託試験研究費の額は、その委託試験研究費を支払った法人において税額控除の対象となるため、支払いを受けた法人の試験研究費の額から控除します。

設例 1－11　試験研究費の範囲

次の資料により、当社の当期における試験研究費の特別控除額を計算しなさい。

(1) 当社が当期において支出した試験研究費は60,100,000円であり、その内訳は次のとおりである。
　① 原材料費　　　　　　　　　　　　　18,000,000円
　② 人件費（専任研究員分）　　　　　　17,500,000円
　③ 人件費（事務職員分）　　　　　　　 4,300,000円
　④ 法定福利費（専任研究員分）　　　　 2,500,000円
　⑤ 法定福利費（事務職員分）　　　　　 1,800,000円
　⑥ 経費　　　　　　　　　　　　　　　16,000,000円（注）
　　（注）このうちには、研究項目の廃止に基づく除却損が2,500,000円、B社に支払った委託研究費の額が4,000,000円含まれている。

(2) (1)のほか、A社からの委託による試験研究に充てるため、A社から支払いを受けた委託研究費の額が6,000,000円ある。当社は、A社から支払いを受けた金額を当期の収益に計上している。

(3) 当社の当期の法人税額（別表一①の金額）は29,880,000円である。

(4) 当社は、青色申告書を提出する中小企業者に該当する法人である。なお、税額控除割合は12％、税額基準額割合は25％であるものとする。

解答

(1) 当期試験研究費
　60,100,000－4,300,000－1,800,000－2,500,000－6,000,000＝45,500,000円

(2) 特別控除額
　① 支出基準額
　　45,500,000×12％＝5,460,000円
　② 税額基準額
　　29,880,000×25％＝7,470,000円
　③ ①＜②　∴　5,460,000円

解説

① 人件費（法定福利費を含みます。）は、専任研究員分のみが試験研究費に含まれます。また、研究項目の廃止に基づく除却損は、臨時的な経費であり試験研究費に含まれません。

② 当社が委託研究費を支払った場合には、その支払った金額は試験研究費の額に含まれますが、支払を受けた場合には、その支払いを受けた金額は当社の試験研究費の額から控除する必要があります。

5 まとめ

1. 総額制度

基本算式（高水準型制度を除きます。以下同じ。）
(1) 判　定
　　所得が前期の所得以下の一定の事業年度を除き、イ継続雇用者給与等支給額がその継続雇用者比較給与等支給額を超えること、ロ国内設備投資額が減価償却費の総額の30%を超えること、の要件のいずれかに該当すること
(2) 支出基準額
　　当期試験研究費の額（特別試験研究費を控除）×総額制度に係る税額控除割合
(3) 税額基準額
　① 増減試験研究費割合が±4%以下
　　25%
　② 増減試験研究費割合が±4%超
　　増減試験研究費割合＞4%
　　∴ 当期の法人税額×25%＋当期の法人税額×※
　　　※ （増減試験研究費割合－4%）×0.625
　　　　　　　　（小数点以下3位未満切捨、最高5%）
　　△増減試験研究費割合＜△4%
　　∴ 当期の法人税額×25%－当期の法人税額×※
　　　※ （0に満たない部分の割合－4%）×0.625
　　　　　　　　（小数点以下3位未満切捨、最高5%）
(4) 特別控除額
　　(2)と(3)のいずれか少ない方

2. 中小企業者等の特例制度

基本算式
(1) 支出基準額
　　当期試験研究費の額（特別試験研究費を控除）×中小企業者等の特例制度に係る税額控除割合
(2) 税額基準額
　　当期の法人税額×25%（又は35%）
(3) 特別控除額
　　(1)と(2)のいずれか少ない方

3．特別試験研究費制度

基本算式

(1) 支出基準額

　　国の試験研究機関、大学等の特別試験研究費の額×30％＋他の者と共同又は委託して行う試験研究であって、革新的なもの×25％＋その他の特別試験研究費の額×20％

(2) 税額基準額

　　当期の法人税額×10％

(3) 特別控除額

　　(1)と(2)のいずれか少ない方

Section 2 資産取得の特別控除

資産取得の特別控除制度は、法人の設備投資を促進するために設けられた租税特別措置法上の税額控除制度です。政策目的に合致する資産を取得した場合に、その取得価額の一定割合分の税額控除を認める制度です。
このSectionでは、資産取得の特別控除を学習します。

1 資産取得の特別控除の概要

資産取得の特別控除のうち、学習上重要性のある規定は次のとおりです。

(1) 中小企業者等の機械等の特別控除
(2) 特定経営力向上設備等の特別控除

これらの規定は適用対象となる法人の範囲は異なりますが、対象資産が中小企業者等の機械等の特別償却制度等と同様のものであり、その法人の規模に応じていずれかの制度を選択して適用することになります。

＜図解＞

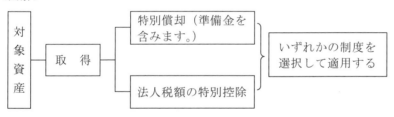

2 中小企業者等の機械等の特別控除（措法42の6②、措令27の6⑧）

1．制度の概要

特定中小企業者等が、新品の特定機械装置等を取得等し、事業の用に供した場合において、特別償却の適用を受けないときは、供用年度の法人税額から特別控除額を控除します。

(1) **対象法人**
　　特定中小企業者等であること（適用除外事業者を除きます。）
(2) **対象資産**
　　新品の特定機械装置等を取得等し、事業供用すること
(3) **選択適用**
　　特別償却の適用を受けないこと

（注）　特定中小企業者等とは、中小企業者等に該当し、かつ、資本金の額が3,000万円以下の法人をいいます。なお、特定中小企業者等に該当するか否かの判定は、事業供用日の現況によります。

2．対象資産の範囲[*01]（措法42の6①、措令27の6②④）

対象資産である特定機械装置等とは、新品の機械装置等で次のものをいいます。なお、中小企業者等の機械等の特別償却の対象資産と同様です。

(1) 取得価額が160万円以上の機械及び装置
(2) 取得価額が70万円以上のソフトウエアのうち一定のもの
(3) 取得価額が120万円以上の工具のうち一定のもの
(4) その他一定のもの

[*01] 対象資産の範囲は特別償却の場合と同じです。

3．特別控除額

中小企業者等の機械等の特別控除の適用を受ける場合の特別控除額は、次のように計算します。

基本算式
(1) 税額控除限度額
　　特定機械装置等の取得価額の合計額×7％
(2) 税額基準額
　　当期の法人税額×20％
(3) 特別控除額
　　(1)と(2)のいずれか少ない方

なお、特別償却不足額の繰越しの規定との関係から、控除不足額（税額控除限度額のうち税額基準額を超えるため控除しきれない金額＝繰越税額控除限度超過額）については1年間の繰越しが認められています。

設例2−1　　　　　　　　　　　　　　　　　　　　中小企業者等の機械等の特別控除

次の資料により、当社の当期における法人税額の特別控除額を計算しなさい。

(1) 当社は、令和7年7月1日に新品の機械及び装置A（法定耐用年数6年のものである。）を19,400,000円で取得し、取得後直ちに事業の用に供している。なお、当社は特別償却と特別控除の選択適用ができる資産については、特別控除を選択することとしている。

(2) 当社の当期における法人税額（別表一②の金額）は9,088,000円である。

(3) 当社は設立以来、資本金の額が30,000,000円（当社の株主に法人株主はいない。）の青色申告書を提出する法人である。

解答

(1) 税額控除限度額

　　19,400,000×7％＝1,358,000円

(2) 税額基準額

　　9,088,000×20％＝1,817,600円

(3) (1) ＜ (2)　　∴　1,358,000円

3 特定経営力向上設備等の特別控除（措法42の12の4②③④）

1．制度の概要

青色申告書を提出する中小企業者等で中小企業等経営強化法の経営力向上計画の認定を受けたものが、特定経営力向上設備等を事業の用に供した場合において、特別償却の適用を受けないときは、供用年度の法人税額から特別控除額を控除します。

(1) 対象法人

中小企業者等で中小企業等経営強化法の経営力向上計画の認定を受けたもの（適用除外事業者に該当する場合を除きます。）

(2) 対象資産

新品の特定経営力向上設備等を取得等し、事業供用すること

2．対象資産の範囲

対象資産である特定経営力向上設備等とは、生産性向上設備、収益力強化設備、経営資源集約化設備又はデジタル化設備に該当するもの[01]のうち次のものをいいます。

(1) 取得価額が160万円以上の機械及び装置
(2) 取得価額が70万円以上のソフトウエア
(3) 取得価額が30万円以上の器具備品又は工具
(4) 取得価額が60万円以上の建物附属設備
(5) その他一定のもの

[01] 対象資産の範囲は特別償却の場合と同じです。

3．特別控除額

対象資産が通常の特定機械装置等又は特定経営力向上設備等により、適用対象法人及び控除割合が異なります。

対象資産	法人の区分	適用の有無	控除割合
通常の特定機械装置等	下記以外の中小企業者等	なし	−
	資本金が3,000万円以下の中小企業者等	あり	7％
適用対象法人が取得した特定経営力向上設備等	下記以外の中小企業者等	あり	7％
	資本金が3,000万円以下の中小企業者等	あり	10％

特定経営力向上設備等の特別控除の適用を受ける場合の特別控除額は、次のように計算します。

> **基本算式**
> (1) 税額控除限度額
> 　　特定経営力向上設備等の取得価額の合計額×7％（又は10％）
> (2) 税額基準額
> 　　当期の法人税額×20％
> (3) 特別控除額
> 　　(1)と(2)のいずれか少ない方

　なお、特別償却不足額の繰越しの規定との関係から、控除不足額（税額控除限度額のうち税額基準額を超えるため控除しきれない金額）については1年間の繰越しが認められています。

設例2-2　特定経営力向上設備等の特別控除(1)

次の資料により、当社の当期における法人税額の特別控除額を計算しなさい。

(1) 当社（中小企業等経営強化法の経営力向上計画の認定を受けている。）は、令和7年7月1日に新品の機械及び装置A（法定耐用年数6年のものである。特定経営力向上設備等に該当する。）を19,400,000円で取得し、取得後直ちに事業の用に供している。なお、当社は特別償却と特別控除の選択適用ができる資産については、特別控除を選択することとしている。

(2) 当社の当期における法人税額（別表一②の金額）は8,160,000円である。

(3) 当社は設立以来、資本金の額が100,000,000円（当社の株主に法人株主はいない。）の青色申告書を提出する法人（適用除外事業者に該当しない。）である。

解答

(1) 税額控除限度額

19,400,000×7％＝1,358,000円

(2) 税額基準額

8,160,000×20％＝1,632,000円

(3) (1)＜(2)　∴　1,358,000円

設例2−3　　　　　　　　　　　　　　　　　　　　　　特定経営力向上設備等の特別控除(2)

次の資料により、当社の当期における法人税額の特別控除額を計算しなさい。

(1) 当社（中小企業等経営強化法の経営力向上計画の認定を受けている。）は、令和7年7月1日に新品の機械及び装置A（法定耐用年数6年のものである。特定経営力向上設備等に該当する。）を19,400,000円で取得し、取得後直ちに事業の用に供している。なお、当社（適用除外事業者に該当しない。）は、特別償却と特別控除の選択適用ができる資産については、特別控除を選択することとしている。

(2) 当社の当期における法人税額（別表一②の金額）は8,160,000円である。

(3) 当社は設立以来、資本金の額が30,000,000円（当社の株主に法人株主はいない。）の青色申告書を提出する法人である。

解答

(1) 税額控除限度額

19,400,000×10％＝1,940,000円

(2) 税額基準額

8,160,000×20％＝1,632,000円

(3) (1)＞(2)　　∴　1,632,000円

解説

特定経営力向上設備等に該当する場合には、当社が中小企業者等であれば、特別控除の適用を受けることができ、当社が特定中小企業者等であれば、さらに、控除割合も7％でなく、10％となります。

Section 3 給与等の支給額が増加した場合の特別控除

雇用情勢は改善しましたが、給与所得者の平均給与額は大企業等を除き、増加しない傾向にあります。このような状況の中、個人所得の拡大を図るため、法人の労働分配の増加を促すことを目的として、法人が支給する給与等が増加した場合に、増加額に対して一定割合の税額控除を認める制度（所得拡大促進税制）が設けられています。
このSectionでは、給与等の支給額が増加した場合の特別控除制度を学習します。

1 制度の概要（措法42の12の5）

青色申告法人が各事業年度において、国内雇用者に対して給与等を支給する場合において、次の要件を満たすときは、その事業年度の調整前法人税額から特別控除額を控除します。

〈中小企業者等の場合〉（適用除外事業者に該当する場合を除きます。）

適用要件

$$\frac{雇用者給与等支給額 - 比較雇用者給与等支給額}{比較雇用者給与等支給額} \geqq 1.5\%$$

〈中小企業者等以外の場合〉 従業員数2,000人以下の中堅企業の場合

適用要件

$$\frac{継続雇用者給与等支給額 - 継続雇用者比較給与等支給額}{継続雇用者比較給与等支給額} \geqq 3\%$$

2．雇用者給与等支給額

適用年度の損金の額に算入される国内雇用者[※01]に対する給与等の支給額（その給与等に充てるため他の者から支払を受ける金額（雇用安定助成金額を除く。）を控除した金額）をいいます。

※01）法人の使用人（特殊関係使用人及び使用人兼務役員を除きます。）のうち国内事業所に勤務する雇用者をいいます。

3．比較雇用者給与等支給額

適用年度の前事業年度の損金の額に算入される国内雇用者に対する給与等の支給額（その給与等に充てるため他の者から支払を受ける金額（雇用安定助成金額を除く。）を控除した金額）をいいます。

4．国内雇用者

法人の使用人のうちその法人の有する国内の事業所に勤務する雇用者として一定のものに該当するものをいいます。

5．継続雇用者給与等支給額

継続雇用者（法人の適用業年度及びその前事業年度の期間内の各月分のその法人の給与等の支給を受けた国内雇用者として一定のものをいう。）に対するその適用年度の給与等の支給額（その給与等に充てるため他の者から支払を受ける金額（一定のものを除く。）を控除した金額）として一定の金額をいいます。

6. 継続雇用者比較給与等支給額

法人の継続雇用者に対する前事業年度の給与等の支給額として一定の金額をいいます。

7. 控除対象雇用者給与等支給増加額

法人の雇用者給与等支給額からその比較雇用者給与等支給額を控除した金額（その金額がその法人の調整雇用者給与等支給増加額を超える場合には、その調整雇用者給与等支給増加額）をいいます。

8. 特別控除額

給与等の支給額が増加した場合の特別控除は、次の算式により計算した金額となります。

〈中小企業者等の場合〉

> **基本算式**
>
> ① 税額控除限度額
>
> 　　控除対象雇用者給与等支給増加額×15％[※1][※2]
>
> ② 税額基準額　当期の法人税額×20％
>
> ③ 特別控除額　①と②のいずれか少ない方→給与等増加の特別控除
>
> 　　　　　　　　　　　　　　　　（別表一・法人税額の下控除）
>
> ※1　次の場合には、上記割合に15％加算
>
> $$\frac{雇用者給与等支給額 - 比較雇用者給与等支給額}{比較雇用者給与等支給額} \geqq 2.5\%$$
>
> ※2　次の場合には、上記割合に10％加算
>
> $$\frac{損金算入教育訓練費の額 - 比較教育訓練費の額}{比較教育訓練費の額} \geqq 5\% \quad かつ$$
>
> $$\frac{損金算入教育訓練費の額}{雇用者給与等支給額} \geqq 0.05\%$$

（注1）　教育訓練費とは、法人がその国内雇用者の職務に必要な技術又は知識を習得させ、又は向上させるために支出する費用で次のものをいいます。

　① 法人がその国内雇用者に対して教育、訓練、研修、講習その他これらに類するもの（以下「教育訓練等」という。）を自ら行う場合

　　イ　教育訓練等のために講師又は指導者（その法人の役員又は使用人である者を除く。）に対して支払う報酬等の費用

　　ロ　教育訓練等のために施設、設備その他の資産を賃借する場合におけるその賃借に要する費用等

　② 法人から委託を受けた他の者が教育訓練等を行う場合

　　その教育訓練等のために当該他の者に対して支払う費用

　　　　③　法人がその国内雇用者を他の者が行う教育訓練等に
　　　　　参加させる場合
　　　　　　当該他の者に対して支払う授業料等の費用
(注２) 比較教育訓練費の額
　　　法人の適用年度開始の日前１年以内に開始した各事業年度の
　　損金算入される教育訓練費の額の合計額をその各事業年度の数
　　で除して計算した金額をいいます。
(注３) 控除対象雇用者給与等支給増加額
　　　雇用者給与等支給額－比較雇用者給与等支給額
　　　≦雇用者給与等支給額（雇用安定助成金額を控除した金額）－
　　　比較雇用者給与等支給額（雇用安定助成金
　　　額）　　　∴　いずれか少

*02) 従業員数2,000人超の場合は、出題の可能性を考慮して、見ていかないことにします。

〈中小企業者等以外の場合〉従業員数2,000人以下[*02]の中堅企業の場合

基本算式

① 税額控除限度額

　　控除対象雇用者給与等支給増加額 × 10% [※1][※2]

② 税額基準額

　　当期の法人税額 × 20%

③ 特別控除額

　　①と②のいずれか少ない方 ➡ 給与等増加の特別控除

　　　　　　　　　　　　　（別表一・法人税額の下控除）

※1　次の場合には、上記割合に15％加算

$$\frac{継続雇用者給与等支給額 - 継続雇用者比較給与等支給額}{継続雇用者比較給与等支給額} \geq 4\%$$

※2　次の場合には、上記割合に５％加算

$$\frac{損金算入教育訓練費の額 - 比較教育訓練費の額}{比較教育訓練費の額} \geq 10\% \quad かつ$$

$$\frac{損金算入教育訓練費の額}{雇用者給与等支給額} \geq 0.05\%$$

2 まとめ

〈中小企業者等の場合〉

基本算式

(1) 判 定

$$\frac{\text{雇用者給与等支給額}-\text{比較雇用者給与等支給額}}{\text{比較雇用者給与等支給額}} \geqq 1.5\% \quad \therefore \quad 適用あり$$

(2) 特別控除額

① 税額控除限度額

控除対象雇用者給与等支給増加額×15%^{※1※2}

② 税額基準額　当期の法人税額×20%

③ 特別控除額　①と②のいずれか少ない方→給与等増加の特別控除

（別表一・法人税額の下控除）

※1　次の場合には、上記割合に15%加算

$$\frac{\text{雇用者給与等支給額}-\text{比較雇用者給与等支給額}}{\text{比較雇用者給与等支給額}} \geqq 2.5\%$$

※2　次の場合には、上記割合に10%加算

$$\frac{\text{損金算入教育訓練費の額}-\text{比較教育訓練費の額}}{\text{比較教育訓練費の額}} \geqq 5\% \quad かつ$$

$$\frac{\text{損金算入教育訓練費の額}}{\text{雇用者給与等支給額}} \geqq 0.05\%$$

〈中小企業者等以外の場合〉従業員数2,000人以下の中堅企業の場合

基本算式

(1) 判 定

$$\frac{\text{継続雇用者給与等支給額}-\text{継続雇用者比較給与等支給額}}{\text{継続雇用者比較給与等支給額}} \geqq 3\%$$

$$\therefore \quad 適用あり$$

(2) 特別控除額

① 税額控除限度額

控除対象雇用者給与等支給増加額×10%^{※1※2}

② 税額基準額

当期の法人税額×20%

③ 特別控除額

①と②のいずれか少ない方→給与等増加の特別控除

（別表一・法人税額の下控除）

※1　次の場合には、上記割合に15%加算

$$\frac{\text{継続雇用者給与等支給額}-\text{継続雇用者比較給与等支給額}}{\text{継続雇用者比較給与等支給額}} \geqq 4\%$$

※2　次の場合には、上記割合に5%加算

$$\frac{\text{損金算入教育訓練費の額}-\text{比較教育訓練費の額}}{\text{比較教育訓練費の額}} \geqq 10\% \quad かつ$$

$$\frac{\text{損金算入教育訓練費の額}}{\text{雇用者給与等支給額}} \geqq 0.05\%$$

設例3-1　給与等の支給額が増加した場合の特別控除（中小企業者等の場合）

次の資料により、当社（適用除外事業者に該当しない。）の当期における法人税額の特別控除額を計算しなさい。

(1) 当社の当期における給与等支給額は455,400,000円である。また、前期における給与等支給額は402,500,000円であった。

(2) 当社の当期における法人税額（別表一②の欄に記載されている金額）は70,800,000円である。

(3) 当社は、青色申告書を提出する中小企業者である。

解答

(1) 判　定

$$\frac{455,400,000-402,500,000}{402,500,000}=13.1\cdots\% \geq 1.5\%$$

∴　適用あり

(2) 特別控除額

① 税額控除限度額

$(455,400,000-402,500,000)\times 30\%^{※}=15,870,000$円

※　$13.1\cdots\% \geq 2.5\%$　∴　30%

② 税額基準額

$70,800,000 \times 20\% = 14,160,000$円

③ 特別控除額

①＞②　∴　14,160,000円

設例３−２　給与等の支給額が増加した場合の特別控除（中小企業者等以外の場合）

次の資料により、当社の当期における法人税額の特別控除額を計算しなさい。

(1) 当社の当期における給与等支給額は455,400,000円である。また、前期における給与等支給額は402,500,000円であった。なお、前期首から当期末まで、雇用者に変動は生じていない。

(2) 当社の当期における法人税額（別表一②の欄に記載されている金額）は74,240,000円である。

(3) 当社は、青色申告書を提出する法人（常時使用する従業員数は2,000人以下である。）であるが、中小企業者に該当しない。

解答

(1) 判　定

$$\frac{455,400,000 - 402,500,000}{402,500,000} = 13.1\cdots\% \geqq 3\%$$

∴　適用あり

(2) 特別控除額

① 税額控除限度額

$(455,400,000 - 402,500,000) \times 25\%^{※} = 13,225,000$円

※　$13.1\cdots\% \geqq 4\%$　∴　25％

② 税額基準額

$74,240,000 \times 20\% = 14,848,000$円

③ 特別控除額

①＜②　∴　13,225,000円

設例3-3　給与等の支給額が増加した場合の特別控除・教育訓練費がある場合（中小企業者等の場合）

次の資料により、当社（適用除外事業者に該当しない。）の当期における法人税額の特別控除額を計算しなさい。

(1) 当社の当期における給与等支給額は455,400,000円である。また、前期における給与等支給額は402,500,000円であった。

(2) 当社の当期における法人税額（別表一②の欄に記載されている金額）は70,800,000円である。

(3) 当社は、青色申告書を提出する中小企業者である。

(4) 当社の教育訓練費は、当期において5,000,000円、前期において4,000,000円、前々期において3,000,000円、前々々期において2,000,000円である。

解答

(1) 判　定

$$\frac{455,400,000-402,500,000}{402,500,000}=13.1\cdots\% \geq 1.5\%$$

∴　適用あり

(2) 特別控除額

① 税額控除限度額

$(455,400,000-402,500,000) \times 40\%^{※1、2} = 21,160,000$円

※1　$13.1\cdots\% \geq 2.5\%$

※2　$\dfrac{5,000,000-4,000,000}{4,000,000}=25\% \geq 5\%$　かつ

$\dfrac{5,000,000}{455,400,000}=1.09\cdots\% \geq 0.05\%$

∴　40%

② 税額基準額

$70,800,000 \times 20\% = 14,160,000$円

③ 特別控除額

①＞②　∴　14,160,000円

設例3-4　給与等の支給額が増加した場合の特別控除・教育訓練費がある場合（中小企業者等以外の場合）

次の資料により、当社の当期における法人税額の特別控除額を計算しなさい。

(1) 当社の当期における給与等支給額は455,400,000円である。また、前期における給与等支給額は402,500,000円であった。なお、前期首から当期末まで、雇用者に変動は生じていない。

(2) 当社の当期における法人税額（別表一②の欄に記載されている金額）は74,240,000円である。

(3) 当社は、青色申告書を提出する法人（常時使用する従業員数は2,000人以下である。）であるが、中小企業者に該当しない。

(4) 当社の教育訓練費は、当期において5,000,000円、前期において3,500,000円、前々期において3,000,000円、前々々期において2,000,000円である。

解答

(1) 判　定

$$\frac{455,400,000 - 402,500,000}{402,500,000} = 13.1\cdots\% \geqq 3\%　\therefore 適用あり$$

(2) 特別控除額

① 税額控除限度額

$(455,400,000 - 402,500,000) \times 30\%^{※1、2} = 15,870,000円$

※1　$13.1\cdots\% \geqq 4\%$

※2　$\dfrac{5,000,000 - 3,500,000}{3,500,000} = 42.8\cdots\% \geqq 10\%$　かつ

$\dfrac{5,000,000}{455,400,000} = 1.09\cdots\% \geqq 0.05\%$

$\therefore 30\%$

② 税額基準額

$74,240,000 \times 20\% = 14,848,000円$

③ 特別控除額

①＞②　∴　14,848,000円

Try it 試験研究費の特別控除

次の資料により、試験研究費の特別控除を計算しなさい。

(1) 当社(資本金4億円)が当期において支出した試験研究費の額は次のとおりであり、当期における平均売上金額は840,000,000円である。なお、当期の所得金額は前期の所得金額以下であるため、試験研究費の特別控除の適用はある。

① 原材料費　　　　　　　　　　　　　21,000,000円
② 人件費(専任研究員分)　　　　　　　15,300,000円
③ 人件費(事務職員分)　　　　　　　　 3,200,000円
④ 人件費(事務職兼研究職の兼任者分)　 6,300,000円(うち研究職分4,800,000円)
⑤ 経費　　　　　　　　　　　　　　　14,600,000円(注)

(注) このうちには、通常の取替え更新に基づく除却損が1,300,000円、B社に支払った委託研究費の額が3,000,000円含まれている。

(2) C社から試験研究を受託し、収受した金額が12,000,000円あり、収益に計上されている。

(3) 当社の最近の各事業年度における試験研究費の額は、次のとおりである。

事 業 年 度	試験研究費の額
令和2年4月1日～令和3年3月31日	17,000,000円
令和3年4月1日～令和4年3月31日	18,000,000円
令和4年4月1日～令和5年3月31日	38,000,000円
令和5年4月1日～令和6年3月31日	41,000,000円
令和6年4月1日～令和7年3月31日	35,000,000円

(3) 当社の当期の法人税額(別表一①の金額)は76,560,000円である。

答案用紙

1．総　額

(1) 高水準制度の判定
　① 当期試験研究費

　② 平均売上金額
　③ 試験研究費割合

　④ 判　定

(2) 総額制度に係る税額控除割合
　① 当期試験研究費

　② 比較試験研究費

③ 増減試験研究費

④ 増減試験研究費割合

⑤ 税額控除割合

(2) 特別控除額

解 答

1. 総 額

 (1) 高水準制度の判定

  ① 当期試験研究費

   $21,000,000 + 15,300,000 + 14,600,000 - 12,000,000 = 38,900,000$ 円 ❶

  ② 平均売上金額　840,000,000円

  ③ 試験研究費割合

   $\dfrac{38,900,000}{840,000,000}$ ❶

  ④ 判 定　③≦10%　∴ 適用なし ❶

 (2) 総額制度に係る税額控除割合

  ① 当期試験研究費

   38,900,000円

  ② 比較試験研究費

   $\dfrac{38,000,000 + 41,000,000 + 35,000,000}{3} = 38,000,000$ 円 ❶

  ③ 増減試験研究費

   ①－②＝900,000円 ❶

  ④ 増減試験研究費割合

   $\dfrac{③}{②} = 0.023\cdots$

  ⑤ 税額控除割合

   ④≦12% ❸　∴　$11.5\% - (12\% - その割合) \times 0.25 = 0.0909\cdots$
   　　　　→　0.090 ❶ （最低1%）

 (3) 特別控除額

  ① 支出基準額

   $38,900,000 \times 0.090 = 3,501,000$ 円 ❶

  ② 税額基準額

   $76,560,000 \times 25\% = 19,140,000$ 円 ❶

  ③ ①＜②　∴　3,501,000円 ❶

> **解　説**
>
> ①　人件費は、専門的知識をもって試験研究の業務に専ら従事する者に係るものだけが、試験研究費の額に含まれます。したがって、研究員であっても事務職を兼ねている場合には、研究員部分が合理的に算出可能であったとしても、その研究員部分についても試験研究費の額に該当しません。
>
> ②　除却損は、臨時的又は偶発的なものは試験研究費の額に含まれませんが、通常の取替え更新に基づくものは、試験研究費の額に含まれます。
>
> ③　他者に対して試験研究を委託した場合には、その委託に要した費用は試験研究費の額に含まれますが、試験研究の受託を受けた場合の他者から支払いを受けた金額は、試験研究費の額の計算上、控除します。つまり、試験研究費の実質当社負担分が試験研究費の額となります。
>
> ④　総額に係る特別控除の税額控除割合は、試験研究費割合の段階では端数処理をしませんが、税額控除割合は小数点以下3位未満切捨てとなります。
>
> ⑤　本問は、試験研究費割合が10％超えていないため、高水準型制度の適用はありません。

Chapter 6

入会金等

Section 1 入会金等

法人が業務の必要性等から各種の団体等に入会することがあります。特に、ゴルフクラブやレジャークラブ等の社交団体に入会したことにより支出する「会費」や「入会金」については、その性格等を考慮した取扱いが定められています。
このSectionでは、入会金等の取扱いを学習します。

1 ゴルフクラブの入会金等

1．入会金の取扱い（基通9－7－11）

ゴルフクラブの入会金（会員権を購入した場合の購入代価及び名義書換料を含みます。）は、一般的にはゴルフ場を優先的に利用できる利用権を取得するために支出されるものです。市場で流通することから資産性があり、原則として資産に計上します。

ゴルフクラブの入会金は、法人の業務との関係の有無により、次の区分に応じ、それぞれ次のように取扱います。

(1) 法人会員として入会する場合

区　　分	取扱い
原　　則	資産計上
特定の役員等が、専ら法人の業務に関係なく利用するもの	給　　与

(2) 個人会員として入会する場合

区　　分	取扱い
原　　則	給　　与
法人会員制度がないため個人会員として入会し、法人の業務の遂行上必要なもの	資産計上

＜資産計上した入会金の処理＞

資産に計上した入会金については、次の点に注意が必要です。
① ゴルフクラブの入会金は、時の経過や使用することにより価値が減少するものではないため、償却をすることは認められません。
② 脱退した場合の返還不能部分の入会金は、その脱退をした日の属する事業年度の損金の額に算入します。
③ 譲渡した場合の譲渡損失は、その譲渡をした日の属する事業年度の損金の額に算入します。

2．年会費その他の費用の取扱い（基通9－7－13）

年会費等の経常的に要する費用については、入会金の区分に応じてその取扱いが定められています。また、プレー料金については、入会金の区分とは関係なく、その実質的な内容によって区分されます。

(1) 年会費、年決めロッカー料等

区　　分	取扱い
入会金が資産計上されている場合	交 際 費
入会金が給与とされている場合	給　　与

(2) 名義書換料

区　　分	取扱い
取得（購入）時に、支出するもの	入会金と同様
入会後に支出するもの	年会費等と同様

(3) プレー料金

区　　分	取扱い
業務の遂行上必要なもの	交 際 費
その他の場合	給　　与

設例1－1　　　　　　　　　　　　　　　　　　　　　　　　　　　ゴルフクラブの入会金等

次の資料により当社の当期における税務上の調整を示しなさい。

(1) 当社は、当期において得意先の接待に利用するため、法人会員としてゴルフクラブに入会し、入会金として3,000,000円を支出し、当期の費用に計上している。
(2) 上記(1)のゴルフクラブの入会の際に、他社の名義から当社の名義へ変更するために要した名義書換料200,000円を支出しているが、当期の費用に計上されている。

解答　ゴルフクラブ入会金計上もれ
　　　　3,000,000＋200,000＝3,200,000円

（単位：円）

	区　　分	金　　額	留　　保	社外流出
加算	ゴルフクラブ入会金計上もれ	3,200,000	3,200,000	
減算				

解説　法人会員として入会した際の入会金の額は、資産に計上する必要があります。なお、入会の際に支出した名義書換料は、入会金と同様に資産に計上する必要があります。

2 レジャークラブ

1．入会金の取扱い（基通9-7-13の2）

　レジャークラブとは、宿泊施設や体育施設、遊技施設その他のレジャー施設を会員に利用させることを目的とするクラブをいいます。法人がこのようなレジャークラブに入会した場合の入会金は、原則としてゴルフクラブの入会金と同様に取り扱います。

　ただし、一定の要件を満たすものについては、繰延資産として償却することが認められています。

(1) 原則（下記以外）

　ゴルフクラブの入会金と同様に取り扱います。

(2) 繰延資産とされる場合

　レジャークラブの入会金のうち、次の要件を満たすものは、繰延資産に該当し、有効期間に渡って償却することができます。

要　　件
① 有効期間の定めがあること。
② 脱退に際して入会金の返還を受けることができないものであること。
③ 役員等に対する給与とされるものでないこと。

2．年会費その他の費用の取扱い（基通9-7-13の2）

　年会費等の経常的な費用は、その使途に応じて交際費又は福利厚生費若しくは給与に区分されます。

使　　途	取扱い
得意先の接待等に利用する場合	交際費
従業員の健康維持等を目的として利用する場合	福利厚生費
特定の者が専ら利用する場合	給与

設例1−2　　　　　　　　　　　　　　　　　　　　　　　　　　レジャークラブの入会金等

次の資料により当社の当期における税務上の調整を示しなさい。

(1) 当社は、当期の令和7年10月1日に、従業員の福利厚生を目的としてレジャークラブに法人会員として入会し、入会金2,400,000円を支出し費用に計上している。
　なお、このレジャークラブの入会金の有効期間は5年であり、脱退に際して入会金の返還はされないものである。

(2) 当社は、(1)のレジャークラブに係る年会費240,000円を支出し、当期の費用に計上している。

解答　繰延資産

(1) 償却期間

　5年

(2) 償却限度額

$$2,400,000 \times \frac{6}{5 \times 12} = 240,000 円$$

(3) 償却超過額

$$2,400,000 - 240,000 = 2,160,000 円$$

(単位：円)

	区　分	金　額	留　保	社外流出
加算	繰延資産償却超過額 （レジャークラブ入会金）	2,160,000	2,160,000	
減算				

解説

① レジャークラブの入会金で、有効期間の定めがあり、かつ、脱退に際して入会金が返還されないものは、繰延資産に該当します。したがって、有効期間である5年間で償却することになります。

② レジャークラブに福利厚生目的で入会しているため、年会費は、福利厚生費として損金の額に算入されます。

3 社交団体

1．入会金の取扱い（基通9－7－14）

　社交団体（ゴルフクラブ及びレジャークラブを除きます。）の入会金は、ゴルフクラブ等の入会金とは異なり、譲渡性がないため資産に計上することはありません。

　社交団体の入会金は、次の区分に応じて、それぞれ次のように取扱います。

(1)　法人会員として入会する場合

　　交際費として取り扱います。

(2)　個人会員として入会する場合

区　　　分	取扱い
原　則	給　与
法人会員制度がないため個人会員として入会し、法人の業務の遂行上必要なもの	交際費

2．会費その他の費用の取扱い（基通9－7－15）

　年会費等の経常的な費用は、次の区分に応じて、それぞれ次のように取扱います。

(1)　経常会費

区　　　分	取扱い
入会金が交際費の場合	交際費
入会金が給与の場合	給　与

(2)　上記以外の費用

区　　　分	取扱い
業務の遂行上必要なもの	交際費
特定の役員等の負担すべきもの	給　与

4 ロータリークラブ及びライオンズクラブ（基通9-7-15の2）

　ロータリークラブやライオンズクラブは、いずれも企業の経営者等を会員として構成され、法人が加入する目的は、主として会員相互の懇親を深めることにあるといえます。したがって、入会金や経常会費は、原則として交際費として取り扱われます。

区　分		取扱い
入会金・経常会費		交　際　費
特　別　会　費	支出の目的に応じて	寄附金又は交際費
	特定の役員等が負担すべきもの	給　　与

設例1-3　　　　　　　　　　　　　　　　　　　社交団体等の入会金等

次の資料により当社（期末資本金の額は300,000,000円である。）の当期における税務上の調整を示しなさい。

(1) 当社が当期において支出し、交際費として費用に計上した金額は15,900,000円（すべて税務上の交際費等に該当するものであり、接待飲食費に該当するものはない。）である。

(2) 当社が当期において支出し、諸会費として費用に計上した金額には次のものが含まれている。
　① 社交団体に法人会員として入会した際に支出した入会金の額　　500,000円
　② 上記①の社交団体に対する年会費の額　　　　　　　　　　　　180,000円
　③ ライオンズクラブに入会した際に支出した入会金の額　　　　　300,000円
　④ 上記③のライオンズクラブに対する年会費の額　　　　　　　　240,000円

解答　　交際費等の損金不算入額
15,900,000＋500,000＋180,000＋300,000＋240,000＝17,120,000円

（単位：円）

	区　分	金　額	留　保	社外流出
加算	交際費等の損金不算入額	17,120,000		17,120,000
減算				

解説
① 社交団体に法人会員として入会した場合の入会金及び年会費の額は、交際費に含まれます。
② ライオンズクラブの入会金及び年会費も交際費に含まれます。

Section 2 保険料等の取扱い

法人を契約者として、従業員の死亡による経済的な損失を埋めるためや従業員の退職金の原資とするために生命保険契約が利用される場合があります。保険料は、その保険契約の契約者である法人が支払うことになりますが、保険金の受取人が誰であるかによって、その取扱いが異なることになります。
このSectionでは、保険料等の取扱いを学習します。

1 養老保険に係る保険料（基通9－3－4）

1．概 要

当社が契約者である養老保険[*01]の保険料は、保険金受取人が誰であるかによって取扱いが異なります。養老保険は、死亡保険金[*02]と生存保険金[*03]又は解約返戻金[*04]の双方があり、貯蓄性が高くその保険期間も長期であるため、生存保険金の受取人が当社である場合には、支払った保険料の全額又は2分の1を保険積立金として資産に計上する必要があります。

当社が支払った保険料の額は、通常は保険料として費用に計上されますが、その場合には、次の税務調整が必要になります。

[*01] 養老保険とは、被保険者の死亡又は生存を保険事故とする生命保険をいいます。

[*02] 死亡保険金とは、被保険者が死亡した場合に支払われる保険金をいいます。

[*03] 生存保険金とは、被保険者が保険期間の満了日その他一定の時期に生存している場合に支払われる保険金をいいます。

[*04] 解約返戻金とは、保険期間の中途で解約等をした場合に、契約者に払い戻される金銭をいいます。

基本算式

保険料の額（× $\frac{1}{2}$ ）➡ 保険積立金計上もれ（加算留保）

2．保険料の取扱い

法人が契約者で、従業員等[*05]が被保険者である養老保険の保険料の取扱いは、次のとおりです。

[*05] 役員又は使用人をいいます。

区　分	受取人	保険料の取扱い
生存保険金	当　　　　社	全額 ➡ 資産計上します。
死亡保険金		
生存保険金	従業員等[*05]又はその遺族	全額 ➡ 給与とされます。
死亡保険金		
生存保険金	当　　　　社	$\frac{1}{2}$ ➡ 資産計上します。
死亡保険金	従業員等[*05]の遺族	$\frac{1}{2}$ ➡ 期間経過に応じて損金算入します（注）。

（注）役員又は特定の使用人のみを被保険者としているときは、給与となります。

設例2-1　養老保険の保険料

次の資料により、当社の当期における税務上の調整を示しなさい。

当社が当期において支出した保険料の額は3,000,000円であるが、この保険料は従業員全員を被保険者とする養老保険に係る当期分の保険料の額であり、当期の費用に計上されている。なお、保険金受取人は生存保険金の場合は当社、死亡保険金の場合はその被保険者の遺族とする契約となっている。

解答

$$3,000,000 \times \frac{1}{2} = 1,500,000 \text{円}$$

（単位：円）

	区　分	金　額	留　保	社外流出
加算	保険積立金計上もれ	1,500,000	1,500,000	
減算				

解説

本問の保険料は養老保険に係るものであり、従業員全員を対象とし、生存保険金の受取人が当社、死亡保険金の受取人が被保険者の遺族となっているため、支払った保険料の2分の1を資産に計上し、残額については損金の額に算入されることになります。当社は、支払った保険料を費用に計上してしまっているため、保険積立金計上もれ（加算留保）の調整が必要になります。

2　定期保険及び第三分野保険に係る保険料（基通9-3-5）

1．概　要

定期保険及び第三分野保険[01]は、養老保険のように生存保険金の支払はなく、その保険料はいわゆる掛捨てで貯蓄性がないことから、9-3-5の2（定期保険等の保険料に相当多額の前払部分の保険料が含まれる場合の取扱い）の適用を受けるものを除き、その支払った保険料の額は原則として期間経過に応じて損金の額に算入されます。

2．保険料の取扱い

当社が契約者で、従業員等が被保険者である定期保険の保険料の取扱いは、次のとおりです。

受　取　人	保険料の取扱い
当　　　　社	期間経過に応じて損金算入します。
従業員等の遺族	期間経過に応じて損金算入します（注）。

（注）役員又は特定の使用人のみを被保険者としているときは、給与となります。

[01] 定期保険とは、一定期間内における被保険者の死亡を保険事故とする生命保険をいいます。また、第三分野保険とは、第一分野が生命保険、第二分野が損害保険なのに対し、第一分野にも第二分野にも属さないもので、がん保険、医療保険、介護保険、長期損害保険などがあります。なお、最高解約返戻率（その保険の保険期間を通じて解約返戻率が最も高い割合となる期間におけるその割合のことをいいます。）が50％以下である場合は、この基通9-3-5が適用されます。

3．相当多額の前払部分の保険料が含まれる場合の取扱い[*02]（基通9－3－5の2）

最高解約返戻率が50%を超える場合は、支払った保険料につき、基本的に、そのまま損金算入とならず、一定の金額につき資産計上を要します。

すなわち、資産計上期間がある場合には、当期分支払保険料の額のうち、一定の資産計上額の欄に掲げる金額は資産に計上し、残額は損金の額に算入します。一方、取崩期間においては、原則として、当期分支払保険料の額を損金の額に算入するとともに、資産に計上した金額の累積額を取崩期間にわたって、均等損金算入していきます。

なお、最高解約返戻率が50%を超え70%以下で、かつ、年換算保険料相当額（一の被保険者につき2以上の定期保険等に加入している場合にはそれぞれの年換算保険料相当額の合計額）が30万円以下の保険に係る保険料を支払った場合は、上記1．の取扱いとなります。

[*02] 定期保険や第三分野保険は、年齢が若い時に支払った保険料は、保険の適用を受ける可能性が低いことから、前払費用部分があるとされており、少額である場合はともかく、相当多額である場合は、その前払部分を認識し、資産計上しなければなりません。なお、この通達は、令和2年10月8日以後の契約に係るものから適用のため、しばらくは、取崩期間は出てこないと考えられます。また、前払部分も問題の資料に与えられると考えられます。

3 その他の注意点

1．短期前払費用（基通2－2－14）

前払費用の額は、原則としてその事業年度の損金の額に算入されません。

ただし、その前払費用の額がその支払った日から1年以内に提供を受ける役務に係るもの（短期前払費用）である場合には、継続適用を要件として、その支払った日の属する事業年度の損金の額に算入することができます。

2．役員給与の損金不算入との関係

保険料の額が給与とされる場合において、その保険料の額が役員に係るものであるときは、その給与は役員給与（継続的に供与される経済的な利益のうち、その供与される利益の額が毎月おおむね一定であるものに該当するため、定期同額給与に該当します。）として取り扱うことになります。なお、直ちに税務調整を行う必要はありませんが、過大役員給与の額の計算に含める必要があります。

設例2－2　　　　　　　　　　　　　　　　　　　　　　　　　　　定期保険の保険料

次の資料により、当社の当期における税務上の調整を示しなさい。

当社は、令和7年8月1日に代表取締役A氏を被保険者とする定期保険に加入し、令和7年8月分から令和8年7月分までの1年分の保険料360,000円を支払い、保険料として当期の費用に計上している。なお、保険金受取人は当社とする契約になっている。

解答　調整なし。

解説

本問の保険料は定期保険に係るものであり、保険金受取人が当社となっているため、支払った保険料は期間経過に応じて損金の額に算入されることになります。なお、1年分の保険料を支払っていますが、短期前払費用に該当するため、その全額が当期の損金の額に算入されることになります。

Try it　　　　　　　　　　　　　　　　　　　　　　　　　　　　　　　入会金等

次の資料により、当社の当期における税務上の調整を示しなさい。

(1) 当社が当期において交際費として費用に計上した金額は7,000,000円（接待飲食費に該当するものはない。）である。

(2) 当社が当期において支出し、諸会費として費用計上した金額には、次のものが含まれている。
① ゴルフクラブの入会金で、法人会員制度がないため当社の代表取締役社長が個人会員として入会し、法人の業務上必要なもの3,000,000円
② 上記①のゴルフクラブの入会の際に、他社の名義から当社の名義へ変更するために要した名義書換料500,000円
③ 上記①のゴルフクラブの年会費100,000円

(3) 当社の期末資本金の額は120,000,000円であり、株主は全て個人である。

答案用紙

1．交際費等の損金不算入額

2．ゴルフクラブ入会金

（単位：円）

	項　　目	金　額	留　保	社外流出
加算				
減算				

解答

1．交際費等の損金不算入額
　7,000,000＋100,000＝7,100,000円

2．ゴルフクラブ入会金
　3,000,000＋500,000＝3,500,000円

（単位：円）

	項　　目	金　額	留　保	社外流出
加算	ゴルフクラブ入会金計上もれ	3,500,000	❺3,500,000	
	交際費等の損金不算入額	7,100,000		❺7,100,000
減算				

解説

個人会員として入会した場合でも、法人会員制度がなく、業務上必要なものであるときは、資産として計上します。

Try it　養老保険と給与等の関係

次の資料により、当社の当期における税務上の調整を示しなさい。

当社が当期において支出した保険料の額は1,000,000円であるが、当該保険料は特定の役員を被保険者とする養老保険に係る当期分の保険料であり、当期の費用に計上されている。

なお、保険金受取人は生存保険金の場合は当社、死亡保険金の場合は被保険者の遺族とする契約となっている。

（注）役員給与としての取扱いが生じる場合には、定期同額給与に該当するか否か検討すること。

答案用紙

(単位：円)

	項　目	金　額	留　保	社外流出
加算				
減算				

解答

$$1,000,000 \times \frac{1}{2}❺ = 500,000円$$

保険料の$\frac{1}{2}$相当額は、特定の役員に対して継続的に供与される経済的利益で、その額が毎月おおむね一定であるため、定期同額給与に該当する。

(単位：円)

	項　目	金　額	留　保	社外流出
加算	保険積立金計上もれ	500,000	❺500,000	
減算				

解説

役員又は特定の使用人のみを被保険者としているときは、給与として取り扱います。本問には直接関係ありませんが、過大役員給与を計算する際に給与の額に含めるのを忘れないよう注意しましょう。

Chapter 7

使途秘匿金

Section 1 使途秘匿金課税

法人が相手先の氏名や名称を隠さなければならないような支出は、違法であったり不当な支出につながりやすく、公正な取引を阻害することにもつながります。法人税の世界では、このような支出を使途秘匿金と呼び、政策的にこのような支出を極力抑制する意味で、追加的な税負担を求めることとされています。
このSectionでは、使途秘匿金の取扱いを学習します。

1 使途秘匿金の支出（措法62②③）

1．使途秘匿金の意義

使途秘匿金の支出とは、法人がした金銭の支出[01]のうち、相当の理由がなく、相手方の氏名又は名称及び住所又は所在地並びにその事由をその法人の帳簿書類に記載していないもの[02]をいいます。

[01] 贈与、供与その他これらに類する目的のためにする金銭以外の資産の引渡しが含まれます。

[02] 明らかに取引の対価（経費等）に該当するものは、単なる「記入もれ」であり、使途秘匿金の支出には含めません。

2．判定時期

使途秘匿金の支出に該当するかどうかの判定は、原則としてその事業年度終了の日の現況によります。

2 制度の内容

1．別表四の取扱い（基通9－7－20）

法人が交際費、機密費、接待費等の名義をもって支出した金銭でその費途が明らかでないもの（費途不明金といいます。）は、損金の額に算入されません。

＜税務調整＞

費途不明金を法人が費用に計上している場合には、次の税務調整が必要になります。

税務調整
費途不明金否認（加算社外流出）

＜費途不明金と使途秘匿金の関係＞

費途不明金は、費途が不明な支出であり、資産か費用かわからないため損金の額に算入することは認められません。なお、使途秘匿金は、費途不明金に含まれるため、別表四で損金不算入とした上で、別表一で追加課税の対象となります。

2．別表一の取扱い（措法62①）

　使途秘匿金の支出をした場合には、各事業年度の所得に対する法人税の額は、通常の法人税の額に、その使途秘匿金の支出額に40％を乗じて計算した金額を加算した金額とされます。

＜特別税額の計算＞

　使途秘匿金の支出があった場合には、通常の法人税額とは別にその支出額の40％相当額が追加課税されます[*01]。

特別税額
使途秘匿金の支出額[*02]（千円未満切捨）×40％

[*01] 通常の法人税とは別に課税されるため、赤字法人でも適用があります。

[*02] 金銭以外の資産を引き渡した場合には、引渡時の時価によります。

＜別表一の表示＞

　別表一の表示は、法人税額計の外書(そとがき)として記載します。

内　容	金　額	
所　得　金　額		
法　人　税　額		
差引法人税額	①	
法　人　税　額　計	②　×××	⇦ 使途秘匿金の特別税額を記載します。
	③　×××	⇦ 外書の金額は含めません。
差引所得に対する法人税額	②＋③	(注)　控除税額がある場合には、控除税額を控除した金額となります。
中間申告分の法人税額		
差引確定法人税額		

　法人税額計に記載する金額は、外書である使途秘匿金の特別税額は含めません。差引所得に対する法人税額を記載する段階で、使途秘匿金の特別税額を加えて集計することになります。

設例1−1　使途秘匿金課税

次の資料により、当社の当期における税務上の調整を示すとともに、法人税額に加算する金額を計算しなさい。

(1) 当社は、当期において受注に成功した工事契約につき、仲介者に3,000,000円の謝礼金を支払ったが、支払先を明らかにすることができないため、その住所・氏名等を帳簿書類に記載していない。この謝礼金は、交際費勘定15,000,000円（接待飲食費に該当する金額は5,000,000円である。）に含まれている。

(2) 当社は、建設業を営む期末資本金の額が50,000,000円の内国法人（大法人による完全支配関係はない。）である。

解答

1. 交際費等の損金不算入額
    (1) 支出交際費等
        ① 接待飲食費
            5,000,000円
        ② ①以外
            $15,000,000 - 3,000,000 - 5,000,000 = 7,000,000$円
        ③ ①+② = 12,000,000円
    (2) 損金算入限度額
        ① 接待飲食費基準額
            $5,000,000 \times 50\% = 2,500,000$円
        ② 定額控除限度額
            $12,000,000円 > 8,000,000 \times \frac{12}{12} = 8,000,000$円
        ③ ①<②　∴　8,000,000円
    (3) 損金不算入額
        $12,000,000 - 8,000,000 = 4,000,000$円

2. 使途秘匿金に係る特別税額
    $3,000,000 \times 40\% = 1,200,000$円（別表一・法人税額計の欄に外書）

（単位：円）

	区　　分	金　　額	留　　保	社外流出
加算	費途不明金否認	3,000,000		3,000,000
	交際費等の損金不算入額	4,000,000		4,000,000
減算				

解説

当社が支払った謝礼金は、相当の理由がなく、支払先の住所・氏名等を帳簿書類に記載していないため、使途秘匿金の支出に該当します。したがって、別表四で加算調整を行うとともに、別表一で追加課税の対象となります。

Try it　　　　　　　　　　　　　　　　　　　　　　　　　　使途秘匿金

次の資料により、当社の当期における税務上の調整を示すとともに、使途秘匿金に係る特別税額を求めなさい。

(1) 当社が当期において交際費として費用に計上した金額は7,000,000円（接待飲食費に該当するものはない。）であるが、このうちには支払先を明らかにすることができないため、その住所・氏名等を帳簿書類に記載していないもの500,000円が含まれている。

(2) 当社の期末資本金の額は150,000,000円である。

答案用紙

1．交際費等の損金不算入額

2．使途秘匿金に係る特別税額

（単位：円）

	項　　目	金　額	留　保	社外流出
加算				
減算				

解答

1．交際費等の損金不算入額

　7,000,000－500,000＝6,500,000円

2．使途秘匿金に係る特別税額

　500,000×40％＝200,000円❷（別表一・法人税額計の欄に外書）

（単位：円）

	項　　目	金　額	留　保	社外流出
加算	交際費等の損金不算入額	6,500,000		❺ 6,500,000
	費途不明金否認	500,000		❸ 500,000
減算				

解説

使途秘匿金は費途不明金に含まれるため「費途不明金否認」として加算調整を行い、その支出額（千円未満切捨て）の40％相当額が特別税額として追加課税されます。

Memorandum Sheet

Chapter 8

同族会社等

Section 1 留保金課税

特定同族会社（一つの株主グループで支配されている同族会社）については、その配当金の支払いを故意に制限することが容易にできてしまいます。配当金の支払いが制限されると、所得が会社に留保されることになり、その留保した金額に対して、法人税を追加課税する制度が設けられています。この制度を「留保金課税」といいます。
このSectionでは留保金課税の計算を学習します。

1 制度の概要（法67①）

内国法人が次の要件を満たすときは、各事業年度の所得に対する法人税の額は、通常の法人税の額に、その超える部分の留保金額を一定の金額に区分してそれぞれの金額に一定の割合を乗じて計算した金額の合計額を加算した金額とされます。

適用要件
① 特定同族会社であること
② 各事業年度の留保金額[01]が留保控除額[02]を超えていること

[01] 所得等の金額のうち留保した金額をいいます。
[02] 必要最低限の留保額を指しています。

特別税額は、次の算式により計算します。

基本算式

特別税額＝（留保金額－留保控除額）×特別税率
　　　　　　　　課税留保金額

＜図解＞

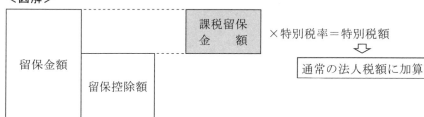

法人が配当金を支払う場合には、所得税が源泉徴収されることになりますが、個人株主においては、配当を受けないことにより配当所得を減らして所得税の課税を回避する[03]ことが考えられます。

そこで、法人が必要以上に内部留保した金額は、配当制限をした結果生じたものと考え、所得税が課税できない代わりに法人税を追加して課税することとしたものです。

[03] 所得税は超過累進税率であるため、所得の多い年と少ない年とで所得税の負担率は異なります。所得の多い年には配当せず、所得の少ない年に配当することで本来課税されるべき所得税の課税を回避することが考えられます。

＜別表一の表示＞

(別表一)

項　　　目	金　　額	計　算　過　程
所　得　金　額	円	＜留保金課税＞
法　人　税　額		(1) 留保金額
		① 留保所得金額
差 引 法 人 税 額		② 法人税額
留保金 課税留保金額		③ 地方法人税額
留保金 同上に対する税額		④ 住民税額
		⑤ 留保金額
法 人 税 額 計		(2) 留保控除額
		(3) 課税留保金額
		(4) 特別税額

2 特定同族会社の意義（法67①②）

　特定同族会社とは、被支配会社で、被支配会社であることについての判定の基礎となった株主等のうちに被支配会社でない法人がある場合には、その法人をその判定の基礎となる株主等から除外して判定するものとした場合においても被支配会社となるものをいいます。

　ただし、資本金の額が1億円以下である法人にあっては、大法人（資本金の額が5億円以上の法人等をいいます。）による完全支配関係がある普通法人に限られます。

1．資本金の額が1億円超の法人

　期末時点で、次の要件を満たす法人が特定同族会社に該当します。

要　件
①　被支配会社であること
②　株主等から被支配会社でない法人を除外して判定した場合にも被支配会社となること

（注）　被支配会社とは、会社の株主等の1人並びにこれと特殊の関係のある個人及び法人がその会社の発行済株式等の50％超を有する場合等におけるその会社をいいます[*01]。

*01) 一つの株主グループで経営が支配されている会社を指しています。

＜図解＞

　具体的には同族会社の判定とともに、次のように判定を行います。

```
基本算式　（期末資本金の額は、3億円とする。）
1．同族会社の判定
　(1)　Aグループ
　　　24％＋15％＋8％＋8％＝55％
　(2)　Bグループ
　　　6％＋5％＋4％＝15％
　(3)　Cグループ
　　　12％
　(4)　判　定
　　　(1)＋(2)＋(3)＝82％＞50％　　∴　同族会社
　　　55％＞50％
　　　300,000,000円＞100,000,000円　　∴　特定同族会社
　　　　　　　　　　　　　　　　　　　　　留保金課税適用あり
```

2．資本金の額が1億円以下の法人[*02]

期末時点で、次の要件を満たす法人が特定同族会社に該当します。

① 大法人による完全支配関係がある普通法人であること
② 株主等である大法人が被支配会社であること

[*02] 中小法人は、外部からの資金調達が難しいという面もあり、財務基盤の強化のため利益の内部留保を行うことに一定の合理性が認められることから原則として適用対象から除かれています。しかし、大法人による完全支配関係がある普通法人（大法人の子会社）については、財務基盤が弱いとは言えないことから、適用対象とすることとされています。

設例1－1　　特定同族会社の判定

次の資料により、当社が同族会社及び特定同族会社に該当するかどうかの判定を、設問の場合ごとに示しなさい。

【設問1】　当社の当期末における資本金の額が200,000,000円である場合
【設問2】　当社の当期末における資本金の額が60,000,000円である場合

＜資料＞

(1) 当社の当期末における株主グループの状況は次のとおりである。

株主グループ	割合	備考
Aグループ	55%	
B社	20%	被支配会社ではない。
Cグループ	8%	
Dグループ	7%	
その他	10%	所有割合は1％未満である。

(2) 株主グループは、それぞれ互いに特殊の関係はない。

解答【設問1】

(1) 同族会社の判定

　　55％＋20％＋8％＝83％＞50％　　∴　同族会社

(2) 留保金課税の適用

　　55％＞50％

　　200,000,000円＞100,000,000円　　∴　特定同族会社　留保金課税適用あり

【設問2】

(1) 同族会社の判定

　　【設問1】と同じ

(2) 留保金課税の適用

　　55％＞50％

　　60,000,000円≦100,000,000円　　∴　特定同族会社に該当しない　留保金課税適用なし

3 留保金額の計算（法67③）

1．留保金額

基本算式

留保金額 ＝ [留保所得金額 ＋ 前期末配当 － 当期末配当] － [法人税額 ＋ 地方法人税額 ＋ 住民税額]

2．留保所得金額

(1) 留保所得金額とは

留保所得金額とは、所得等の金額のうち留保した金額をいいます。所得等の金額は、所得金額に課税外収入等を加えた金額ですが、この金額が、配当等の社外流出の財源となります。そのうち、社外流出せずに留保されている金額が留保所得金額です。

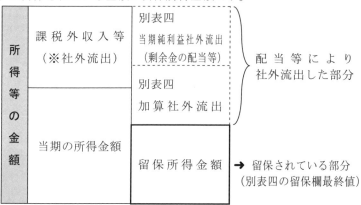

(2) 所得等の金額

所得等の金額とは、次の金額の合計額をいいます。

所得等の金額
所得金額
※ 社外流出（課税外収入等）
受取配当等の益金不算入額
外国子会社配当等の益金不算入額
所得税額等還付金等の益金不算入額
収用等の所得の特別控除額
繰越欠損金の損金算入額　等

(3) 留保所得金額の計算

所得等の金額から社外流出項目を控除した金額となります。

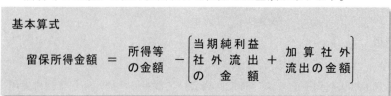

① 別表四に留保欄が与えられていない場合

別表四に留保欄が与えられていない場合には、所得金額を基礎としてそこに別表四における減算※社外流出を加算し、別表四における当期純利益社外流出及び加算社外流出を減算して所得等の金額を求めます。

<図解>

② 別表四に留保欄が与えられている場合

別表四に留保欄が与えられている場合には、その別表四の留保欄の最終値が留保所得金額になります（留保欄を集計して求めます。）。

当期純利益（留　　保）
⊕ 加算項目（留　　保）
⊖ 減算項目（留　　保）
留 保 所 得 金 額

設例1−2　　留保所得金額の計算

次の資料により、留保所得金額を計算しなさい。

区　分	総　額	留　保	社外流出
当期純利益	150	105	45
加　算	80	65	15
減　算	70	60	※　10
所得金額	160	110	※△10 60

解答　105＋65−60＝110（留保欄の最終値）

解説

答案用紙に別表四の留保欄が与えられている場合には、留保欄の最終値が留保所得金額となります。なお、所得金額から留保所得金額を求めると、次のようになります。

160＋10−45−15＝110（所得金額＋※社外流出−当期純利益社外流出−加算社外流出）

3. 剰余金の配当等の取扱い

(1) 基準日と効力発生日

特定同族会社の留保金額の計算については、その特定同族会社による剰余金の配当等の額は、その基準日の属する事業年度に支払われたものとされますが、株主資本等変動計算書には、当期に支払効力が発生したものが計上されます。

＜図解＞

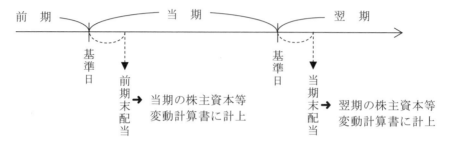

(2) 対象となる剰余金の配当等

> その支払に係る決議日がその支払に係る基準日の属する事業年度終了日の翌日からその基準日の属する事業年度に係る決算の確定日までの期間内にあるもの等に限る。

＜図解＞

留保金額の計算上、控除する剰余金の配当等の額は、当期に基準日があり、かつ、決議日が決算確定日（定時株主総会決議日）までにあるもの（当期末配当）となります。

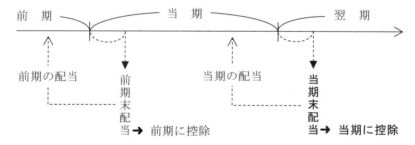

(3) 留保所得金額の修正

留保所得金額は別表四留保欄の最終値を指していますが、当期純利益社外流出欄に記載される配当は、株主資本等変動計算書に計上された「当期に支払効力発生日があるもの」となっています。一方で、留保金額の計算上控除する配当については、「当期に基準日があるもの」とされていることから、前期末配当及び当期末配当について次の修正が必要となります。

基本算式

留保所得金額＋前期末配当－当期末配当

設例1-3 留保所得金額の修正

次の資料により、留保所得金額の修正を示しなさい。

(1) 当社が行った剰余金の配当に関する資料は、次のとおりである。

区　分	剰余金の配当の額	支払基準日	効力発生日
前期末配当	31,500,000円	令和7年3月31日	令和7年5月25日
当期末配当	42,000,000円	令和8年3月31日	令和8年5月25日

(2) 当社の当期における別表四（一部）には、次のとおりの記載がある。

(単位：円)

区　分	金　額	留　保	社外流出	
当期純利益	239,925,000	208,425,000	配　当	31,500,000
			その他	
所得金額又は欠損金額	289,694,441	233,056,509	外 ※	△　596,190 57,234,122

解答

留保所得金額の修正

233,056,509＋31,500,000－42,000,000＝222,556,509円

解説

留保所得金額は、別表四留保欄の最終値233,056,509円ですが、この金額からは前期末配当31,500,000円が控除されている（当期純利益社外流出欄に記載されています。）ことから、これを一旦加えて元に戻し、当期に社外流出した当期末配当42,000,000円を控除して修正することになります。

4．法人税額、地方法人税額及び住民税額

(1) 法人税額

　　留保金額の計算上控除する法人税額は、次の算式により計算した金額となります。法人税、地方法人税及び住民税として納付すべき税額は、近い将来に社外流出が確実であることから、剰余金の配当等の社外流出の財源とはならないため、留保金額の計算上控除することとされています。

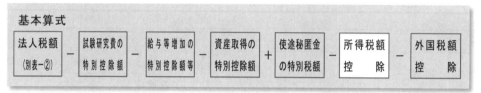

　　留保金課税以外の規定をすべて適用して計算した法人税額です。

(2) 地方法人税額

　　実際に申告書で計算した金額と同額になりますが、百円未満切捨て前の金額となります。

```
基本算式
法人税額計（千円未満切捨）×10.3％
```

　　留保金課税適用前の法人税額計（使途秘匿金の特別税額加算後）は、控除税額控除前の金額となります。

(3) 住民税額

　　住民税額は実際に納付する金額とは関係なく、上記の計算による法人税額の10.4％相当額とされます。

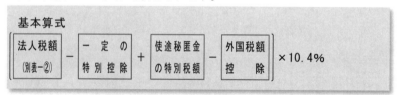

　　控除する住民税額の計算に使用する法人税額は、控除所得税額を控除しない法人税額によることになります。

　（注）一定の特別控除は、農業協同組合等の場合に出てくるものですので、通常は控除しません。

設例1-4　留保金額の計算

次の資料により、当社（資本金5億円）の当期における特定同族会社の特別税率の規定の留保金額を計算しなさい。

(1) 当期純利益　85,000,000円
(2) 前期末配当　10,000,000円
(3) 当期末配当　15,000,000円
(4) 損金経理法人税　25,000,000円
(5) 損金経理地方法人税　1,250,000円
(6) 損金経理住民税　3,750,000円
(7) 損金経理附帯税等　100,000円
(8) 役員給与の損金不算入額　6,005,250円
(9) 減価償却超過額　400,000円
(10) 受取配当等の益金不算入額　2,000,000円
(11) 貸倒引当金繰入超過額認容　300,000円
(12) 法人税額控除所得税額　255,250円
(13) 所得金額　119,460,500円
(14) 試験研究費の特別控除　1,200,000円
(15) 控除所得税額　255,250円

解答　留保金額

① 留保所得金額
119,460,500＋2,000,000－10,000,000－100,000－6,005,250－255,250＝105,100,000円

② 法人税額
119,460,500 → 119,460,000円（千円未満切捨）
119,460,000×23.2％＝27,714,720円
27,714,720－1,200,000－255,250＝26,259,470円

③ 地方法人税額
27,714,720－1,200,000＝26,514,720 → 26,514,000円（千円未満切捨）
26,514,000×10.3％＝2,730,942円

④ 住民税額
27,714,720×10.4％＝2,882,330円

⑤ 留保金額
(105,100,000＋10,000,000－15,000,000)－(②＋③＋④)＝68,227,258円

解説

留保所得金額の計算上、控除する配当は、前期末を控除しますが、留保金額の計算において、前期末配当を加算して、当期末配当を控除します。法人税額の計算は、留保金課税を除いて、別表一の差引所得に対する法人税額の計算を行うのと同じ要領となります。住民税額の計算は、本来の住民税額の計算でなく、法人税額に10.4％を乗ずる形となります。その計算の基礎となる法人税額は、試験研究費の特別控除と控除所得税額を控除しません。

4 課税留保金額の計算

1．課税留保金額

留保金課税は、不当な配当制限を行った結果、必要以上に内部留保された金額に対し、法人税を追加して課税する制度です。この制度は、課税回避行為を防止する観点から設けられているものであり、法人の資本充実が阻害されるものであってはなりません。

そこで、企業経営に欠かせない最低限必要な留保額を定め、留保金額から控除して、課税留保金額を求めることとされています。

> **基本算式**
> 留保金額－留保控除額＝課税留保金額（千円未満切捨）

2．留保控除額の計算

留保控除額は、次の金額のうち最も多い金額とされています。

> **基本算式**
> (1) 所得基準額
> (2) 定額基準額 　　のうち最も多い金額
> (3) 積立金基準額

いずれの基準も最低限必要な留保額として定められていることから、これらの基準により求めた金額のうち、最も多い金額が留保控除額となります。

(1) 所得基準額

特定同族会社についても事業を継続していくうえで一定の所得の社内留保は必要であり、特定同族会社以外の一般の法人の平均的な所得の留保率により留保控除額を計算しようとするものです。

具体的には、次のように計算します。

> **基本算式**
> 当期の所得等の金額×40％

(2) 定額基準額

政策的配慮から、一律に年2,000万円と定めたものです。

> **基本算式**
> $2,000万円 \times \dfrac{当期の月数（12）}{12}$

(3) 積立金基準額

会社法では、配当を行う際に一定額までの利益準備金の積立てが強制されていることから、法人税法においてもこの部分については留保金課税を行わないというものです。

具体的には、次のように計算します。

基本算式

期末資本金の額×25％－期末利益積立金額[*01]

*01) 期末利益積立金額が欠損金（マイナス）の場合には、積立金基準額は「期末資本金の額×25％＋その欠損金の額」として求めます。

(注) 期末利益積立金額

期末利益積立金額には、当期の所得等の金額に係る部分は含まれません。つまり、期末利益積立金額は、特定の場合を除き、期首利益積立金額を基礎に計算します。なお、別表五㈠Ⅰ（利益積立金額の計算に関する明細書）の期首現在利益積立金額の差引合計額が期首利益積立金額ですが、この金額からは前期末配当が控除されていない（当期の別表四で社外流出とされます。）ため、前期末配当を控除する必要があります。

＜具体例＞

期末利益積立金額は、資料の与えられ方によって、次の点に注意が必要です。

区　分	修　正
期末利益積立金額（当期の所得等の金額に係る部分の金額を除く。）○○円である。	修正不要（そのまま使います。）
別表五㈠Ⅰの期首現在利益積立金額の差引合計額は○○円である。	前期末配当の控除が必要

設例1−5　課税留保金額の計算

次の資料により、当社（資本金5億円）の当期における特定同族会社の特別税率の規定の課税留保金額を計算しなさい。

(1) 当期純利益　85,000,000円
(2) 前期末配当　10,000,000円
(3) 当期末配当　15,000,000円
(4) 損金経理附帯税等　100,000円
(5) 役員給与の損金不算入額　6,000,000円
(6) 受取配当等の益金不算入額　2,000,000円
(7) 法人税額控除所得税額　260,500円
(8) 所得金額　119,460,500円
(9) 留保金額　61,861,104円
(10) 期首利益積立金額　230,000,000円

解答

(1) 留保金額

61,861,104 円

(2) 留保控除額

① 所得基準額

$(119,460,500 + 2,000,000) \times 40\% = 48,584,200$ 円

② 定額基準額

$20,000,000 \times \dfrac{12}{12} = 20,000,000$ 円

③ 積立金基準額

$500,000,000 \times 25\% - (230,000,000 - 10,000,000) = \triangle 95,000,000 \rightarrow 0$

④ ①〜③のうち最大　∴　48,584,200 円

(3) 課税留保金額

(1)−(2)＝13,276,904 → 13,276,000 円（千円未満切捨）

解説

所得基準額の計算は、所得金額に課税外収入等を加算した金額が計算の基礎となります。積立金基準額の計算上、控除する利益積立金額は、資料の与えられ方によって、計算が異なります。別表五(一)Ⅰの期首利益積立金額が与えられている場合には、前期末配当を期首利益積立金額から控除します。

5 特別税額の計算（法67①）

留保金課税における特別税額は、課税留保金額を次の金額に区分してそれぞれの税率を乗じて計算した金額の合計額となります。

課税留保金額の区分	特別税率
年3,000万円[*01]以下の金額	10%
年3,000万円[*01]を超え、年1億円[*01]以下の金額	15%
年1億円[*01]を超える金額	20%

[*01] 3,000万円及び1億円は、事業年度が12月（1年）の場合の金額であり、例えば事業年度が6月（半年）である場合には、それぞれ1,500万円及び5,000万円となります。

設例1-6　特別税額の計算

次の資料により、それぞれの場合において、当期における特定同族会社の特別税率の規定による特別税額を計算しなさい。

(1) 課税留保金額が70,000,000円である場合
(2) 留保金額が200,000,000円、留保控除額が80,000,000円である場合

解答

(1) ① $30,000,000 \times \dfrac{12}{12} \times 10\% = 3,000,000$円

② $(70,000,000 - 30,000,000) \times 15\% = 6,000,000$円

③ ①＋②＝9,000,000円

(2) ① $200,000,000 - 80,000,000 = 120,000,000$円

② (イ) $30,000,000 \times \dfrac{12}{12} \times 10\% = 3,000,000$円

(ロ) $(100,000,000 \times \dfrac{12}{12} - 30,000,000) \times 15\% = 10,500,000$円

(ハ) $(120,000,000 - 100,000,000) \times 20\% = 4,000,000$円

(ニ) (イ)＋(ロ)＋(ハ)＝17,500,000円

解説

課税留保金額を、年3,000万円以下と年3,000万円超1億円以下、年1億円超の部分に区分して、それぞれ特別税率を適用して求めた特別税額を合計することになります。なお、課税留保金額は、留保金額から留保控除額を控除して求めます。

6 まとめ

基本算式
(1) 留保金額
　① 留保所得金額
　　所得金額＋別表四減算※社外流出－別表四当期純利益社外流出－別表四加算社外流出
　　（＝別表四留保欄最終値）
　② 法人税額　⇦　所得税額控除額を控除する
　③ 地方法人税額　⇦　所得税額、外国税額控除額を控除しない
　④ 住民税額　⇦　所得税額控除額を控除しない
　⑤ 留保金額
　　（①＋前期末配当－当期末配当）－（②＋③＋④）
(2) 留保控除額
　① 所得基準額
　　所得等の金額（所得金額＋別表四減算※社外流出）×40％
　② 定額基準額
　　$20,000,000 \times \dfrac{12}{12}$
　③ 積立金基準額
　　期末資本金の額×25％－期末利益積立金額（当期の所得等の金額に係る部分を除く。）
　④ ①～③のうち最大
(3) 課税留保金額
　　(1)－(2)＝×××（千円未満切捨）
(4) 特別税額
　　(3)×10％（15％、20％）

設例 1－7　　　　　　　　　　　　　　　　　　　　　　　　　　　　留保金課税

次の資料により、当社の当期における課税留保金額に対する特別税額を計算しなさい。

(1) 当社の当期における所得金額は104,755,000円（調整不要）であり、当期の別表四における調整項目は次のとおりである。

① 加算項目
- (イ) 損金経理法人税、地方法人税及び住民税　　26,000,000円
- (ロ) 損金経理納税充当金　　32,000,000円
- (ハ) 減価償却超過額　　1,600,000円
- (ニ) 貸倒引当金繰入超過額　　1,200,000円
- (ホ) 交際費等の損金不算入額　　2,100,000円
- (ヘ) 寄附金の損金不算入額　　2,000,000円
- (ト) 法人税額控除所得税額　　515,605円

（内訳、所得税額505,000円、復興特別所得税額10,605円）

② 減算項目
- (イ) 納税充当金支出事業税等　　5,200,000円
- (ロ) 減価償却超過額認容額　　400,000円
- (ハ) 受取配当等の益金不算入額　　3,250,000円
- (ニ) 収用等の所得の特別控除額　　1,800,000円

(2) 当社は、令和7年5月25日に開催された定時株主総会おいて、令和7年3月31日を基準日とする剰余金の配当として5,000,000円（効力発生日は令和7年5月31日である。）を支払うことを決議している。なお、令和8年5月23日に開催された定時株主総会においては、令和8年3月31日を基準日とする剰余金の配当6,000,000円（効力発生日は令和8年5月31日である。）を支払うことを決議している。

(3) 当社の当期における法人税額（別表一②の金額）は24,303,160円であるが、上記以外に考慮すべき事項として試験研究費の特別控除額1,248,000円が生じている。

(4) 別表五㈠Ⅰ（利益積立金額の計算に関する明細書）の期首現在利益積立金額の差引合計額は15,000,000円である。

(5) 当社は、当期末における資本金の額が112,500,000円（資本金等の額は127,500,000円であり、設立以来増減はない。）の特定同族会社である。

解答

(1) 留保金額

① 留保所得金額
$104,755,000+(3,250,000+1,800,000)-5,000,000-(2,100,000+2,000,000+515,605)$
$=100,189,395$円

② 法人税額
$24,303,160-1,248,000-515,605=22,539,555$円

③ 地方法人税額
$24,303,160-1,248,000=23,055,160$ → $23,055,000$円（千円未満切捨）
$23,055,000×10.3\%=2,374,665$円

④ 住民税額
$24,303,160×10.4\%=2,527,528$円

⑤ 留保金額　（①＋5,000,000－6,000,000）－（②＋③＋④）＝71,747,647円

(2) 留保控除額

① 所得基準額
$\{104,755,000+(3,250,000+1,800,000)\}×40\%=43,922,000$円

② 定額基準額
$20,000,000×\dfrac{12}{12}=20,000,000$円

③ 積立金基準額
$112,500,000×25\%-(15,000,000-5,000,000)=18,125,000$円

④ ①〜③のうち最大　∴　43,922,000円

(3) 課税留保金額
(1)－(2)＝27,825,647 → 27,825,000円（千円未満切捨）

(4) 特別税額
$27,825,000×10\%=2,782,500$円

解説

① 本問では、別表四留保欄の金額が与えられていないため、所得金額から留保所得金額を計算します。所得金額に減算項目の受取配当等の益金不算入額及び収用等の所得の特別控除額を加え、そこから、当期に効力発生日のある剰余金の配当（5,000,000円）、加算項目の交際費等の損金不算入額、寄附金の損金不算入額及び法人税額控除所得税額を控除して留保所得金額を求めます。

② 留保金額の計算上、控除する法人税額は、法人税額から試験研究費の特別控除額及び控除所得税額を控除して計算しますが、控除する住民税額の計算上使用する法人税額は、試験研究費の特別控除額及び控除所得税額を控除しない法人税額です。控除する住民税額は、その法人税額に10.4％相当額を乗じた金額となります。控除する地方法人税額は、控除税額控除前の法人税額（千円未満切捨）に10.3％を乗じて計算します。

③ 留保金額は、留保所得金額について配当に関する修正（前期末配当5,000,000円を加え、当期末配当6,000,000円を控除します。）を加えた金額から、法人税額及び住民税額の合計額を控除して求めます。

④ 積立金基準額を求める際に、控除する期末利益積立金額は、期首利益積立金額を基に計算します。本問では、期首利益積立金額から前期末配当を控除した金額となります。

Memorandum Sheet

Try it 留保金課税

次の資料により、当社の当期における課税留保金額に対する特別税額を計算しなさい。

(1) 当社の当期における所得金額は232,593,450円（調整不要）であり、当期の別表四における調整項目は次のとおりである。

① 加算項目

(イ)	損金経理納税充当金	12,400,000円
(ロ)	損金経理法人税	60,220,000円
(ハ)	損金経理住民税	6,262,000円
(ニ)	損金経理地方法人税	6,202,000円
(ホ)	損金経理附帯税等	121,400円
(ヘ)	役員給与の損金不算入額	260,000円
(ト)	貸倒引当金繰入超過額	2,640,000円
(チ)	交際費等の損金不算入額	4,500,000円
(リ)	建物減価償却超過額	10,560,000円
(ヌ)	寄附金の損金不算入額	5,400,000円
(ル)	法人税額控除所得税額	1,072,050円

（内訳、所得税額1,050,000円、復興特別所得税額22,050円）

② 減算項目

(イ)	納税充当金支出事業税等	17,120,000円
(ロ)	貸倒引当金繰入超過額認容額	240,000円
(ハ)	受取配当等の益金不算入額	5,800,000円
(ニ)	収用等の所得の特別控除額	20,000,000円

(2) 当社は、令和7年5月25日に開催された定時株主総会おいて、令和7年3月31日を基準日とする剰余金の配当として18,000,000円（効力発生日は令和7年5月31日である。）を支払うことを決議している。なお、令和8年5月23日に開催された定時株主総会においては、令和8年3月31日を基準日とする剰余金の配当8,000,000円（効力発生日は令和8年5月31日である。）を支払うことを決議している。

(3) 当社の当期における法人税額（別表一②の金額）は53,961,576円であるが、上記以外に考慮すべき事項として試験研究費の特別控除額2,000,000円が生じている。

(4) 別表五㈠Ⅰ（利益積立金額の計算に関する明細書）の期首現在利益積立金額の差引合計額は390,000,000円である。

(5) 当社は、当期末における資本金の額が400,000,000円（資本金等の額は460,000,000円であり、設立以来増減はない。）の特定同族会社である。

答案用紙

(1) 留保金額
　① 留保所得金額

　② 法人税額

　③ 地方法人税額

　④ 住民税額

　⑤

(2) 留保控除額
　① 所得基準額

　② 定額基準額

　③ 積立金基準額

　④ ①～③のうち最大　∴

(3) 課税留保金額

(4) 特別税額

解 答

(1) 留保金額

① 留保所得金額

$232,593,450+(5,800,000+20,000,000)-18,000,000-(121,400+260,000+4,500,000+5,400,000+1,072,050)=229,040,000$円 ❶

② 法人税額

$53,961,576-2,000,000-1,072,050=50,889,526$円 ❶

③ 地方法人税額

$53,961,576-2,000,000=51,961,576 \rightarrow 51,961,000$円（千円未満切捨）

$51,961,000 \times 10.3\% = 5,351,983$円 ❶

④ 住民税額

$53,961,576 \times 10.4\% = 5,612,003$円 ❶

⑤ （①＋18,000,000－8,000,000）－（②＋③＋④）＝177,186,488円 ❶

(2) 留保控除額

① 所得基準額

$\{232,593,450+(5,800,000+20,000,000)\} \times 40\% = 103,357,380$円 ❶

② 定額基準額

$20,000,000 \times \dfrac{12}{12} = 20,000,000$円 ❶

③ 積立金基準額

$400,000,000 \times 25\% - (390,000,000 - 18,000,000) = \triangle 272,000,000 \rightarrow 0$ ❶

④ ①〜③のうち最大　　∴　103,357,380円

(3) 課税留保金額

(1)－(2)＝73,829,108 → 73,829,000円 ❶ （千円未満切捨）

(4) 特別税額

① $30,000,000 \times \dfrac{12}{12} \times 10\% = 3,000,000$円

② $(73,829,000 - 30,000,000) \times 15\% = 6,574,350$円

③ ①＋②＝9,574,350円 ❶

> **解 説**
>
> ① 所得金額から留保所得金額を求める場合には、所得金額から当期に支払効力が発生する当社が支払う剰余金の配当を控除し、減算※社外流出項目を加算し、加算社外流出項目を控除します。仮計下の項目である寄附金の損金不算入額、法人税額控除所得税額、控除対象外国法人税額の控除し忘れに注意しましょう。
>
> ② 法人税額の計算は、本問の場合、試験研究費の特別控除及び控除所得税額を控除します。
>
> ③ 地方法人税額は、控除税額前の法人税額（千円未満切捨）に10.3％を乗じて計算します。
>
> ④ 住民税額の計算は、試験研究費の特別控除及び控除所得税額のどちらも控除しないで、10.4％を乗じます。
>
> ⑤ 留保控除額の所得基準額の計算は、所得金額に減算※社外流出項目を加算し、40％を乗じて算出します。
>
> ⑥ 留保控除額の積立金基準額の控除する利益積立金額は、期末利益積立金額で当期の所得等の金額に係る部分を除くとなっています。通常は、期首利益積立金額から前期末確定配当を控除した金額と一致します。

········ *Memorandum Sheet* ········

Chapter 9

圧縮記帳等

Section 1 国庫補助金等の特別勘定

国庫補助金等の交付を受けても、その補助金等の返還を要しないことが期末までに確定していない場合には、当期において圧縮記帳の適用は受けることはできません。このままでは、補助金収入に課税を受けることになってしまいますが、課税を一旦保留する特別勘定の設定が認められています。
このSectionでは、国庫補助金等の特別勘定を学習します。

1 制度の概要（法43①）

内国法人（清算中のものを除きます。）が、次の要件を満たす場合において、繰入限度額以下の金額を確定した決算において特別勘定を設ける方法（決算確定日までに剰余金の処分により積立金として積み立てる方法を含みます。）により経理したときは、その経理した金額は、その事業年度の損金の額に算入することができます。

適用要件
① 固定資産の取得等に充てるための国庫補助金等の交付を受けること。
② 国庫補助金等の返還不要がその事業年度終了時までに確定していないこと。

＜図解＞

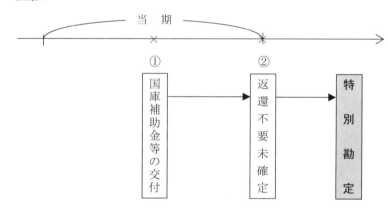

①国庫補助金等の交付を受け、②その補助金等の返還不要が当期末までに確定していない場合には、圧縮記帳をすることは認められず、特別勘定を設定することになります。

2 繰入限度額の計算（法43①）

国庫補助金等に係る特別勘定の繰入限度額は、次の金額です。

基本算式
　繰入限度額＝交付を受けた国庫補助金等の額

国庫補助金収入の全額を対象に、一旦課税を保留することになります。

＜国庫補助金等の場合の特別勘定経理＞

特別勘定の経理処理には、損金経理と積立金経理の他、次のように仮受経理も認められています。

仕　　訳
（現　　　　金）×××　（仮　受　金）×××

仮受経理は、課税を保留する国庫補助金収入を計上しない方法ですが、上記の仕訳を分解して考えると、次のように損金経理の場合と同じ効果となります。

仕　　訳
（現　　　　金）×××　（国庫補助金収入）×××
（特別勘定繰入損）×××　（仮　受　金）×××

したがって、別表四上の調整は、仮受金の額を特別勘定の繰入額と考えて、損金経理の場合と同様に、繰入限度額を超える部分の金額を加算調整することになります。

設例1－1　　　　　　　　　　　　　　　　　　　　国庫補助金等の特別勘定

次の資料により、当社の当期における税務上の調整を示しなさい。

(1) 当社は、令和8年3月1日に機械装置の取得を目的とした国庫補助金3,000,000円の交付を受けているが、交付の目的に適合した機械装置の取得ができなかったため、当期末までに国庫補助金の返還を要しないことが確定していない。

(2) 当社は、交付を受けた国庫補助金について国庫補助金収入として収益に計上するとともに、株主資本等変動計算書において特別勘定積立金5,000,000円を計上している。

解答
(1) 積立限度額
　　3,000,000円
(2) 積立超過額
　　5,000,000－3,000,000＝2,000,000円

（単位：円）

	区　　分	金　　額	留　　保	社外流出
加算	特別勘定積立金積立超過額	2,000,000	2,000,000	
減算	特別勘定積立金認定損	5,000,000	5,000,000	

解説

① 当期末までに国庫補助金の返還不要が確定していないため、当期において圧縮記帳の適用をすることはできませんが、特別勘定を設定することができます。

② 本問の場合、特別勘定の経理が積立金経理によっているため、積立額を別表四で減算するとともに、繰入超過額を別表四で加算調整します。

3 特別勘定設定後の圧縮記帳（法44①）

1．圧縮額の損金算入

特別勘定を有する内国法人が、次の要件を満たす場合において、その固定資産につき、圧縮限度額の範囲内で一定の経理をしたときは、その経理した金額は、その事業年度の損金の額に算入することができます。

適用要件
① 国庫補助金等をもって交付目的に適合した固定資産を取得等したこと。
② 取得等した日の属する事業年度以後の事業年度においてその国庫補助金等の返還不要が確定したこと。

＜図解＞

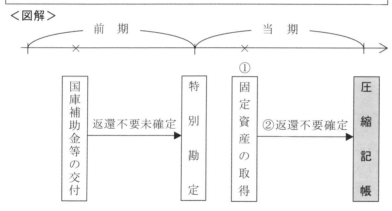

前期において、国庫補助金等の交付を受け、特別勘定を設定した法人が、当期において①固定資産の取得をし、②その補助金等の返還不要が当期末までに確定した場合には、当期において圧縮記帳をすることができます。

2．圧縮限度額（先行取得の場合を除く。）

特別勘定設定後の圧縮限度額は、次のように計算します。

基本算式
(1) 特別勘定の金額
(2)① 交付を受けた国庫補助金等の額（返還不要確定額）
② 固定資産の取得又は改良に要した金額
③ ①＜②の場合　∴　①
①≧②の場合　∴　②－1円
(3) (1)と(2)のいずれか少ない方

3．特別勘定の取崩し（法43②③、令81）

特別勘定を有する内国法人は、次の事由に該当する場合には、特別勘定の金額のうち次の金額を取り崩し、益金の額に算入しなければなりません。

＜取崩しの事由と要取崩額＞

取崩しの事由	益金算入額
国庫補助金等の返還をすべきこと又は返還を要しないことが確定した場合	その確定した国庫補助金等に相当する特別勘定の金額

（注）特別勘定を任意に取り崩した場合には、その取り崩した金額を益金の額に算入します。

設例1－2　　　　　　　　　　　　　　　　　特別勘定設定後の圧縮記帳

次の資料により、当社の当期における税務上の調整を示しなさい。

⑴ 当社は、前期の令和7年3月10日に、土地の取得に充てるための国庫補助金30,000,000円の交付を受けているが、前期においては国庫補助金の返還不要が確定していなかったため、損金経理により特別勘定に30,000,000円（税務上の適正額）を繰り入れている。

⑵ 当社は、当期の令和7年5月15日に、⑴の国庫補助金と自己資金をもって、国庫補助金の交付の目的に適合した土地を70,000,000円で取得している。

⑶ 当社は、当期に取得した土地について、前期に交付を受けた国庫補助金の返還不要が確定したため、剰余金の処分により圧縮積立金35,000,000円を積み立てている。なお、特別勘定に関しては、何ら経理を行っていない。

解答 1．圧縮記帳

⑴ 圧縮限度額

① 特別勘定の金額　30,000,000円

② 30,000,000円＜70,000,000円　∴　30,000,000円

③ ①＝②　∴　30,000,000円

⑵ 圧縮超過額

35,000,000－30,000,000＝5,000,000円

2．特別勘定

⑴ 要取崩額

30,000,000円

⑵ 取崩もれ

30,000,000－0＝30,000,000円

（単位：円）

	区　分	金　額	留　保	社外流出
加算	圧縮積立金積立超過額（土地）	5,000,000	5,000,000	
	特別勘定取崩もれ	30,000,000	30,000,000	
減算	圧縮積立金認定損（土地）	35,000,000	35,000,000	

解説

① 当期において国庫補助金の返還不要が確定しているため、圧縮記帳を行うとともに、前期に繰り入れた特別勘定を取り崩す必要があります。

② 特別勘定の要取崩額は、国庫補助金の返還不要確定額ですが、当社は取崩しを行っていないため、「特別勘定取崩もれ（加算留保）」の調整が必要です。

保険差益の特別勘定

期末近くで被災し、保険金の支払いは受けたものの、代替資産の取得が翌期以降になってしまう場合があります。このような場合には、保険差益に対する課税を一旦保留し、翌期以降に圧縮記帳の適用を受けることができるよう、特別勘定の設定が認められています。
このSectionでは、保険差益の特別勘定を学習します。

1 制度の概要（法48①）

保険金等の支払を受ける内国法人（清算中のものは除きます。）が、次の要件を満たす場合において、繰入限度額以下の金額を確定した決算において特別勘定を設ける方法（決算確定日までに剰余金の処分により積立金として積み立てる方法を含みます。）により経理したときは、その経理した金額は、その事業年度の損金の額に算入することができます。

適用要件
① 所有固定資産の滅失又は損壊により保険金等の支払いを受けること。
② 取得指定期間[01]内にその保険金等をもって代替資産を取得等する見込みであること。

*01) 保険金等の支払いを受ける事業年度終了の日の翌日から、2年を経過した日の前日までの期間をいいます。

＜図解＞

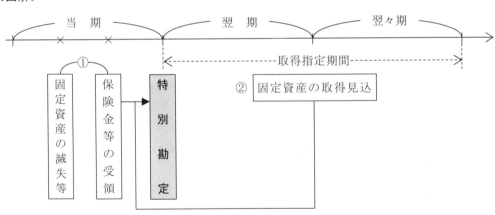

①固定資産の滅失等により保険金等の支払を受けた場合において、②取得指定期間内に代替資産を取得する見込みがあれば、発生した保険差益と特別勘定繰入額とを相殺することにより、課税を一旦保留することが認められています。

Chapter 9 | 圧縮記帳等 | 9-7

2 繰入限度額の計算（令89）

保険差益に係る特別勘定の繰入限度額は、次のように計算します。

基本算式
(1) 滅失経費の額
(2) 差引保険金等の額
　　保険金等の額－滅失経費の額
(3) 保険差益金の額
　　差引保険金等の額－被災資産の被災直前の帳簿価額
(4) 繰入限度額

$$保険差益金の額 \times \frac{代替資産の取得等に充てようとする保険金等の額（※）}{差引保険金等の額}$$

※　代替資産の取得見込額と差引保険金等の額のいずれか少ない金額[*01]

[*01] 問題に取得見込額が与えられていない場合には、差引保険金等の額を使用します。この場合には、分母と分子が同じ金額となるため、保険差益金の額が繰入限度額となります。

「代替資産の取得等に充てようとする保険金等の額」とあるのを「代替資産の取得等に充てた保険金等の額」と読み替えれば、圧縮限度額の計算と同じものです。

設例2－1　　　　　　　　　　　　　　　　　　　　　　　　　　保険差益の特別勘定

次の資料により、当社の当期における税務上の調整を示しなさい。

(1) 当社は、当期において、当社が所有する工場建物が火災により全焼したため、焼失した工場建物の焼失直前の帳簿価額15,000,000円及び滅失経費3,000,000円の合計額を、火災損失として当期の費用に計上している。

(2) 焼失した工場建物には、火災保険が掛けられており、当社は火災保険金40,000,000円の支払いを受け、当期の収益に計上している。

(3) 焼失した工場建物に代替する工場建物の取得は翌期になる見込み（取得見込額50,000,000円）であり、当社は特別勘定として25,000,000円を費用に計上している。

解答
(1) 滅失経費の額
　　3,000,000円
(2) 差引保険金等の額
　　40,000,000－3,000,000＝37,000,000円
(3) 保険差益金の額
　　37,000,000－15,000,000＝22,000,000円
(4) 繰入限度額

$$22,000,000 \times \frac{{}^{※}37,000,000}{37,000,000} = 22,000,000円$$

　　※　50,000,000円＞37,000,000円　　∴　37,000,000円
(5) 繰入超過額
　　25,000,000－22,000,000＝3,000,000円

(単位:円)

区　分		金　額	留　保	社外流出
加算	特別勘定繰入超過額	3,000,000	3,000,000	
減算				

解説

① 当期に保険金の支払いを受けていますが、代替資産の取得が翌期になる見込みであることから、当期においては、特別勘定を設定することになります。

② 本問では、翌期に取得する代替資産の取得見込額が与えられているため、その取得見込額に基づいて繰入限度額の計算することになります。

3 特別勘定設定後の圧縮記帳（法49①）

1．圧縮額の損金算入

特別勘定を有する内国法人が、取得指定期間内に代替資産を取得等した場合において、その固定資産につき、圧縮限度額の範囲内で一定の経理をしたときは、その経理した金額は、その事業年度の損金の額に算入することができます。

＜図解＞

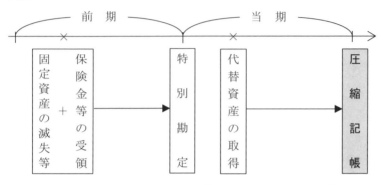

前期（又は前々期）において、固定資産の滅失等により保険金等の支払を受け、特別勘定を設定した法人が、取得指定期間内に代替資産の取得をした場合には、圧縮記帳をすることができます。

2．圧縮限度額

保険差益に係る特別勘定設定後の圧縮限度額は、次のように計算します。

基本算式
(1) 滅失経費の額
(2) 差引保険金等の額
(3) 保険差益金の額
(4) 圧縮限度額
　① 特別勘定の金額
　② 保険差益金の額 × $\dfrac{\text{代替資産の取得等に充てた保険金等の額（※）}}{\text{差引保険金等の額}}$

　　※ 代替資産の取得価額と差引保険金等の額のいずれか少ない金額
　③ ①と②のいずれか少ない方

圧縮限度額の算定にあたって、特別勘定の金額との比較[01]がある点を除けば、通常の圧縮限度額の計算と同じです。

[01] すでに代替資産の取得に充てようとする金額を基に特別勘定を設定しているため、その当初の意思表示額（特別勘定の金額）を限度として、圧縮記帳をすることになります。

3．特別勘定の取崩し（法48②③）

特別勘定を有する内国法人は、次の事由に該当する場合には、特別勘定の金額のうち次の金額を取り崩し、益金の額に算入しなければなりません。

＜取崩しの事由と要取崩額＞

取崩しの事由	益金算入額
取得指定期間内に代替資産を取得等した場合	圧縮限度額に相当する特別勘定の金額
取得指定期間を経過した日の前日において特別勘定を有する場合	その特別勘定の金額

（注）特別勘定を任意に取り崩した場合には、その取り崩した金額を益金の額に算入します。

＜図解＞

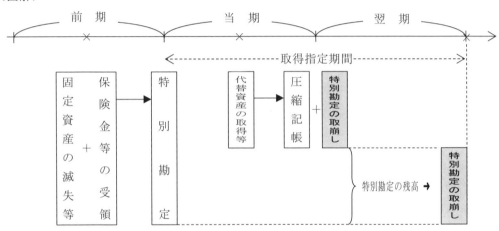

特別勘定は、代替資産を取得等した場合に取り崩すことになります。また、代替資産を取得等し、取り崩しをしてもなお特別勘定に残高があれば、その残高[02]は、取得指定期間が終了する段階で取り崩さなければなりません。

[02] 取得指定期間中であれば、さらに代替資産を取得して圧縮記帳を行うことも可能です。

設例2－2　　　　　　　　　　　　　　　特別勘定設定後の圧縮記帳

次の資料により、当社の当期における税務上の調整を示しなさい。

(1) 当社は、前期において、当社が所有する工場建物が火災により全焼し、火災保険金40,000,000円の支払いを受けている。当社は、前期において、取得した保険金と焼失した工場建物の焼失直前の帳簿価額15,000,000円及び滅失経費3,000,000円の合計額との差額を、保険差益として前期の収益に計上するとともに、特別勘定として20,000,000円（税務上の適正額）を前期の費用に計上している。

(2) 当社は、当期の令和7年6月10日に、前期に取得した保険金に自己資金を加え、新工場建物を50,000,000円で取得し、直ちに事業の用に供している。当社は、新工場建物について圧縮損として25,000,000円を計上し帳簿価額から減額するとともに、償却費として800,000円を計上している。

(3) 新工場建物の耐用年数は24年であり、耐用年数が24年の場合の定額法償却率は0.042である。

解答 1．圧縮記帳

(1) 滅失経費の額

3,000,000円

(2) 差引保険金等の額

40,000,000 − 3,000,000 = 37,000,000円

(3) 保険差益金の額

37,000,000 − 15,000,000 = 22,000,000円

(4) 圧縮限度額

① 特別勘定の金額

20,000,000円

② $22,000,000 \times \dfrac{{}^{※}37,000,000}{37,000,000} = 22,000,000$円

※ 50,000,000円 > 37,000,000円　∴　37,000,000円

③ ① < ②　∴　20,000,000円

(5) 圧縮超過額

25,000,000 − 20,000,000 = 5,000,000円（償却費）

2．減価償却

(1) 償却限度額

$(50,000,000 − 20,000,000) \times 0.042 \times \dfrac{10}{12} = 1,050,000$円

(2) 償却超過額

(800,000 + 5,000,000) − 1,050,000 = 4,750,000円

3．特別勘定

(1) 要取崩額　20,000,000円

(2) 取崩もれ

20,000,000 − 0 = 20,000,000円

（単位：円）

	区　　分	金　　額	留　　保	社外流出
加算	減価償却超過額（新工場建物）	4,750,000	4,750,000	
	特別勘定取崩もれ	20,000,000	20,000,000	
減算				

解説

① 前期に保険金の支払いを受け、特別勘定を設定しています。当期においては、代替資産である新工場建物を取得していることから、圧縮記帳をするとともに、前期に設定した特別勘定を取り崩すことになります。

② 特別勘定設定後の圧縮記帳における圧縮限度額は、特別勘定の金額と通常の圧縮限度額のいずれか少ない金額となります。

③ 特別勘定に係る要取崩額は、圧縮限度額相当額となります。本問では、「取崩しを行っている」という資料がないため、経理処理上の取崩しは行われていないと判断します。

Section 3 買換えの特別勘定

買換えの圧縮記帳は、政策目的を達成するための優遇規定として規定されています。当期に譲渡対価の全てを使い切れば、圧縮限度額を最大限活用することができますが、譲渡対価の全部又は一部を残してしまうと、この制度の活用が限定的になってしまいます。そこで、より使いやすい制度とするため、翌期に取得した買換資産についても圧縮記帳をすることができるように、特別勘定の設定を認めています。

このSectionでは、買換えの特別勘定を学習します。

1 制度の概要（措法65の8①）

法人（清算中のものは除きます。）が次の要件を満たす場合において、繰入限度額をその事業年度の確定した決算において特別勘定を設ける方法（決算確定日までに剰余金の処分により積立金として積み立てる方法を含む。）により経理したときは、その経理した金額は、その事業年度の損金の額に算入することができます。

適用要件
① 特定の譲渡資産を譲渡したこと。
② 取得指定期間[*01]内に特定の買換資産を取得する見込みであること。
③ その取得日から1年以内に事業の用に供する見込みであること。

[*01] 譲渡資産の譲渡をした事業年度終了の日の翌日から、1年を経過する日までの期間をいいます。

<図解>

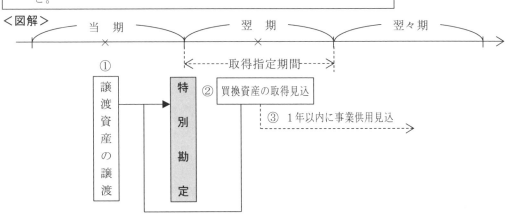

①特定の譲渡資産の譲渡をした場合において、②取得指定期間内に買換資産を取得する見込みがあり、③取得日から1年以内に事業の用に供する見込みであれば、特別勘定を設定し、譲渡益の一部につき課税を一旦保留することが認められています。

2 繰入限度額の計算

買換えに係る特別勘定の繰入限度額は、次のように計算します。

> **基本算式**
> 譲渡対価の額のうち買換資産の取得に充てようとする額 × 差益割合 × 80%

「譲渡対価の額のうち買換資産の取得に充てようとする額」は、圧縮基礎取得価額の計算における、「買換資産の取得価額」とあるところを「買換資産の取得見込額」と置き換えて、圧縮基礎取得価額と同じ要領で算定します*01)。

*01) 問題に取得見込額が与えられていない場合には、譲渡対価の額を使用します。

設例3-1　買換えの特別勘定

次の資料により、当社の当期における税務上の調整を示しなさい。

(1) 当社は、集中地域に所在するA土地(平成10年5月1日に取得したものである。)を令和7年12月15日に不動産会社を通じて第三者に対して譲渡している。

(2) 当社が譲渡したA土地に係る譲渡対価の額等の資料は次のとおりである。なお、翌期において集中地域以外の地域に所在する土地を取得し、事業の用に供する見込みである。

譲渡資産	譲渡対価の額	譲渡直前の帳簿価額	面積
A土地	80,000,000円	56,640,000円	100㎡

(3) 当社は、この取引に関して譲渡対価の額と譲渡直前の帳簿価額との差額を当期の収益に計上するとともに、剰余金の処分により特別勘定積立金20,000,000円を積み立てている(買換えの圧縮記帳の適用要件を満たしている。)。なお、譲渡に要した経費2,400,000円については、当期の費用に計上している。

解答

(1) 差益割合

$$\frac{80,000,000 - (56,640,000 + 2,400,000)}{80,000,000} = 0.262$$

(2) 積立限度額

80,000,000 × 0.262 × 80% = 16,768,000円

(3) 積立超過額

20,000,000 - 16,768,000 = 3,232,000円

(単位:円)

	区　分	金　額	留　保	社外流出
加算	特別勘定積立金積立超過額	3,232,000	3,232,000	
減算	特別勘定積立金認定損	20,000,000	20,000,000	

解説

当期において、A土地を譲渡していますが、翌期に買換資産を取得し、事業の用に供する見込みであるため、特別勘定を設定することになります。なお、取得見込額が与えられていないため、繰入限度額は、譲渡対価の額の全額を使用して計算することになります。

3 特別勘定設定後の圧縮記帳（措法65の8⑦）

1．圧縮額の損金算入

特別勘定を有する法人が、次の要件を満たす場合において、圧縮限度額の範囲内で一定の経理をしたときは、その経理した金額は、その事業年度の損金の額に算入することができます。

> **適用要件**
> ① 取得指定期間内に特定の買換資産を取得したこと。
> ② その取得日から1年以内に事業の用に供したこと又は供する見込みであること。

＜図解＞

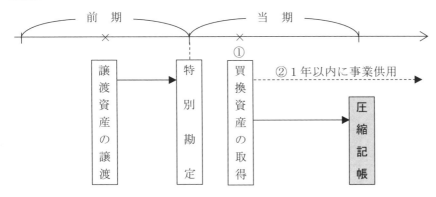

前期において、特定の譲渡資産の譲渡をし、特別勘定を設定した法人が、①取得指定期間内に買換資産の取得をし、かつ、②取得日から1年以内に事業供用した又はする見込みの場合には、その買換資産について圧縮記帳を行うことができます。

2．圧縮限度額

買換えに係る特別勘定設定後の圧縮限度額は、次のように計算します。

> **基本算式**
> (1) 差益割合
> (2) 圧縮限度額
> 　① 特別勘定の金額
> 　② 圧縮基礎取得価額×差益割合×80％
> 　　　　　　（一定の場合は60％、70％、75％、90％）
> 　③ ①と②のいずれか少ない方

圧縮限度額の算定にあたって、特別勘定の金額との比較がある点を除けば、通常の圧縮限度額の計算と同じです。

3．特別勘定の取崩し（措法65の8⑨⑫）

特別勘定を有する法人は、次の事由に該当する場合には、特別勘定の金額のうち次の金額を取り崩し、益金の額に算入しなければなりません。

＜取崩しの事由と要取崩額＞

取崩しの事由	益金算入額
買換資産の取得等をした場合	圧縮限度額に相当する特別勘定の金額
取得指定期間を経過する日において特別勘定を有する場合	その特別勘定の金額

（注）特別勘定を任意に取り崩した場合には、その取り崩した金額を益金の額に算入します。

＜図解＞

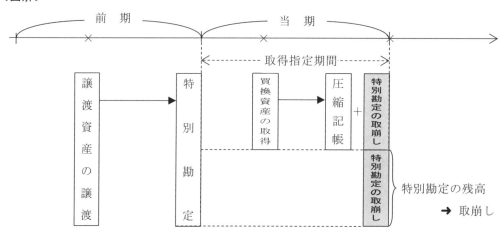

特別勘定は、買換資産を取得した場合に取り崩すことになります。また、買換資産を取得し、取り崩しをしてもなお特別勘定に残高があれば、その残高は、取得指定期間が終了する段階で取り崩さなければなりません[01]。

[01] 買換えの特別勘定の場合には、取得指定期間が1年であるため、結果的に、前期に設定した特別勘定は、当期に全額取り崩すことになります。

設例3−2　特別勘定設定後の圧縮記帳

次の資料により、当社の当期における税務上の調整を示しなさい。

(1) 当社は、前期において、集中地域に所在する次のA土地を譲渡している。なお、当期において集中地域以外の地域に所在する土地を取得し、事業の用に供する見込みであったため、前期において、剰余金の処分により特別勘定積立金20,000,000円（うち積立超過額3,232,000円）を積み立てている。

譲渡資産	譲渡対価の額	譲渡直前の帳簿価額	仲介手数料	面積
A土地	80,000,000円	56,640,000円	2,400,000円	100㎡

(2) 当社は、令和7年6月12日に前期に譲渡したA土地に係る譲渡対価の額に自己資金を加え、集中地域以外の地域に所在するB土地（面積は600㎡である。）を120,000,000円で取得し、特定施設を建設し、事業の用に供している。

(3) 当社は、B土地につき、120,000,000円を取得価額として付すとともに、剰余金の処分により、圧縮積立金18,000,000円を積み立てている。なお、前期に積み立てた特別勘定積立金20,000,000円については、剰余金の処分により全額を取り崩している。

解答

1. 圧縮記帳

   (1) 差益割合

   $$\frac{80,000,000-(56,640,000+2,400,000)}{80,000,000}=0.262$$

   (2) 圧縮限度額

   ① 特別勘定の金額

   $20,000,000-3,232,000=16,768,000$円

   ② $80,000,000$円 $< 120,000,000 \times \dfrac{100㎡ \times 5}{600㎡} = 100,000,000$円　∴　$80,000,000$円

   $80,000,000 \times 0.262 \times 80\% = 16,768,000$円

   ③ ①＝②　∴　16,768,000円

   (3) 圧縮超過額

   $18,000,000-16,768,000=1,232,000$円

2. 特別勘定

   (1) 要取崩額

   16,768,000円

   (2) 取崩もれ

   $16,768,000-20,000,000=△3,232,000$

   $3,232,000$円＝$3,232,000$円（認容）

(単位：円)

区分		金額	留保	社外流出
加算	圧縮積立金積立超過額（B土地）	1,232,000	1,232,000	
	特別勘定積立金取崩額	20,000,000	20,000,000	
減算	圧縮積立金認定損（B土地）	18,000,000	18,000,000	
	特別勘定積立金積立超過額認容	3,232,000	3,232,000	

解説

① 前期に特別勘定が設定されており、当期に買換資産を取得し、事業の用に供していることから、特別勘定設定後の圧縮記帳を行うことになります。

② 圧縮限度額の計算は、特別勘定の金額との比較がある点を除けば、通常の場合と同じ計算になります。なお、土地等の場合には、面積制限の適用もあります。

③ 前期に設定した特別勘定について、当期に買換資産を取得していることから、取崩しが必要です。要取崩額は、圧縮限度額相当額となります。

④ 前期に設定した特別勘定について、会社が取崩しを行った20,000,000円は、別表四で加算調整することになります。しかし、要取崩額を超えて取崩した金額があるため、その金額と積立超過額のいずれか少ない金額を別表四で減算調整することになります。

<図解>

前期積立額 20,000,000円	当期取崩額 20,000,000円	
積立超過額 3,232,000円	要取崩額を超えて取り崩した金額	前期に別表四で加算され課税を受け、当期に再び別表四で加算してしまうと二重課税が生じてしまう。 ⇩ 別表四で減算調整
損金算入額 16,768,000円	益金算入額 16,768,000円（圧縮限度額相当額）	

Section 4 収用等の圧縮記帳

収用とは、当社が所有する土地等が公共事業の予定地等に当たる場合に、その公共事業の施行に伴って、その土地等が強制的に買い取られる取引をいいます。当社の立場では土地等の譲渡に当たるため、譲渡益が生じていれば法人税が課税されることになります。しかし、多額の税負担が伴うと、公共事業用地の取得がスムーズに進まないことも想定され、また、法人の意思によらず強制的に実現させられた譲渡益であること等を考慮して、圧縮記帳等の特例が設けられています。
このSectionでは、収用等の圧縮記帳を学習します。

1 圧縮記帳（措法64）

1．制度の概要

法人（清算中のものを除きます。）が、次の要件を満たす場合において、その代替資産につき、圧縮限度額の範囲内で一定の経理をしたときは、その経理した金額は、その事業年度の損金の額に算入することができます。

適用要件
① その有する資産（棚卸資産を除きます。）が収用等され、補償金等を取得したこと
② その収用等のあった日を含む事業年度において代替資産を取得したこと

＜図解＞

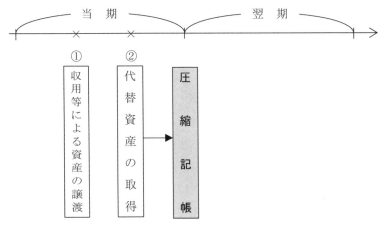

①土地収用法等の規定に基づいて収用等され補償金等を取得する場合において、②その補償金等をもって代替資産の取得をしたときは、その代替資産について圧縮記帳を行うことができます。

2. 収用等の範囲

　収用とは、公共事業用地の買収等に当たって、土地収用法等の規定に基づいて土地等を強制的に買い取られる取引で、その対価として補償金を取得することになります。ただし、当然ですがいきなり強制的に買い取られるというわけではありません。収用に至るまでの事前交渉の段階があり、この段階で、買取りの申出に応じて土地等が譲渡される場合もあります。

区　　　　　分	対価の種類
(1)　資産が土地収用法等の規定に基づいて収用され、補償金を取得する場合	補償金の額
(2)　資産について買取りの申出を拒むときは土地収用法等の規定に基づいて収用されることとなる場合において、その資産が買い取られ、対価を取得するとき	対価の額
(3)　その他一定の場合	一定の金額

＜収用と買取り＞

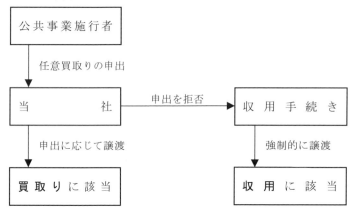

　事前交渉の段階での譲渡は任意買取りであり、その対価を取得することになりますが、仮に買取りの申出を拒否してしまうと、その後、土地収用法等の規定による収用が予定されていることになります。このような場合には、実質的に収用された場合との差がないため、収用等の範囲に含めて圧縮記帳等の対象とされています。

3. 補償金等の範囲

収用等により取得する補償金のうち圧縮記帳等の対象となる補償金は、収用等により譲渡した資産の対価としての性格を有する補償金（対価補償金等）に限られます。

対象となる補償金等	原則として対象とならない補償金等
対価補償金等	① 収益の減少又は損失の補填に充てるための収益補償金 ② 譲渡経費に充てるための経費補償金 ③ 移転料に充てるための移転補償金

4. 代替資産の範囲

代替資産は、収用等という所有資産を強制的に譲渡させられるという取引の性格から、ほとんどすべての資産が代替資産として認められています。

原則	譲渡資産と同種のもので一定の区分に属するもの
特例	(1) 譲渡資産が区分の異なる2以上の資産で一の効用を有する一組の資産となっているもの 　　　　→ 同一効用を有する他の資産 (2) 事業の用に供するため、上記以外の資産を取得する場合 　　　　→ 減価償却資産、土地等

5. 圧縮限度額

(1) 圧縮限度額

> **基本算式**
> 圧縮基礎取得価額 × 差益割合[*01]

*01) 買換えの圧縮記帳とは異なり、80%は乗じません。

＜図解＞

×差益割合 → 圧 縮 限 度 額

(2) 差引対価補償金の額

差引対価補償金の額は、次の算式により計算します。

> **基本算式**
> 対価補償金の額 －（実際に要した譲渡経費 － 譲渡経費補償金）

差引対価補償金の額は、対価補償金の額から譲渡経費の額を控除して求めますが、これは代替資産の取得に充てることができる正味手取額を計算しているということです。

なお、控除する譲渡経費の額は、譲渡経費に充てるための経費補償金の交付を受けている場合には、次の算式により計算した金額となります。

譲渡経費の額（当社支出額）－経費補償金の額＝当社負担額

(注) 当社負担額がマイナスとなる場合には、譲渡経費の額はないものとして取り扱います。

(3) 譲渡経費の範囲

収用等の圧縮記帳における譲渡経費とは、収用等にあたり支出した譲渡資産の譲渡に係る次の経費をいいます。

譲渡経費の範囲
譲渡に要したあっ旋手数料、謝礼
譲渡をした資産の借地人又は借家人等に対する立退料
譲渡に伴う取壊し又は除去費用
譲渡に伴う建物移転費用等

(4) 差益割合

差益割合は、次の算式により計算します。

基本算式

$$\frac{分母の額－譲渡資産の譲渡直前の帳簿価額}{差引対価補償金の額}{}^{*02)}$$

*02) 差益割合に端数処理はありません。割り切れない場合は分数のまま使用します（試験問題の場合、通常は割り切れます。）。

＜図解＞

```
              対価補償金の額
        ┌──────────────┐
        │  譲渡経費の額   │
        ├──────────────┤
   分母  │   譲 渡 益    │ 分子
        ├──────────────┤
        │  譲渡直前の     │
        │  帳簿価額      │
        └──────────────┘
```

差益割合は、譲渡資産の譲渡に係る利益率であり、これを圧縮基礎取得価額に乗じて代替資産に係る譲渡益を求めることになります。

(5) 譲渡資産が複数ある場合の差益割合の計算

差益割合は、原則として譲渡資産ごとに個別に計算することになります。ただし、同一種類の2以上の資産が同時に収用等された場合等には、一括して計算しなければなりません。

区分	差益割合の計算	判断基準
原則	譲渡資産ごとに個別に計算する。	下記以外
特例	譲渡資産を一括して計算する*03	① 同一種類の2以上の資産が同時に収用等された場合 ② 代替資産の範囲について4．の特例を適用している場合

*03) 例えば、土地付建物は、土地と建物では種類が異なっていますが、一の効用を有する一組の資産と言えます。これを代替資産に含めた場合には、差益割合は一括して計算しなければなりません（強制）。

(6) 圧縮基礎取得価額

圧縮基礎取得価額は、次の算式により計算します。

基本算式
差引対価補償金の額 ｜
代替資産の取得価額 ｜ いずれか少ない金額

<図解>

| 差引対価補償金の額
10,000 | 代替資産の取得価額
8,000 | 圧縮基礎取得価額
8,000 |

10,000 ＞ 8,000 ∴ 8,000

差引対価補償金の額のうち、代替資産の取得に充てた部分の金額を求めています。

(7) 差引対価補償金の充当順位

代替資産が複数ある場合には、どの資産から順に取得したかによって、得られる効果に有利不利が生じます。したがって、圧縮基礎取得価額を計算する際には、差引対価補償金の額は、次のように代替資産に充当したものと考えて、圧縮記帳を適用することになります*04。

充当順位	
第1順位	非減価償却資産
第2順位	減価償却資産のうち耐用年数の長いもの
第3順位	減価償却資産のうち耐用年数の短いもの

*04) 代替資産が土地等である場合でも、買換えの圧縮記帳のような面積制限はありません。

設例 4－1　収用等の圧縮記帳

次の資料により、当社の当期における税務上の調整を示しなさい。

(1) 当社は、令和7年4月1日にA市から当社が所有する次の土地及びその上に存する事務所建物について買取りの申出を受けており、令和7年10月1日にA市に対して譲渡している。

なお、この買取りはその申出を拒むときは、土地収用法等の規定に基づいて収用されることが確実と認められるものである。

区　分	取得価額	譲渡直前の帳簿価額
土　　地	21,680,000円	21,680,000円
事務所建物	70,000,000円	43,360,000円

(2) 当社が(1)の買取りによりA市から支払いを受けた譲渡対価の額等の資料は、次のとおりである。

区　分	譲渡対価の額	経費補償金の額
土　　地	150,000,000円	2,000,000円
事務所建物	70,000,000円	800,000円

（注）経費補償金の額は、譲渡経費に充てるための補償金として交付を受けたものである。

(3) 当社は、令和7年11月10日に上記(2)の譲渡対価の額と自己資金65,000,000円によりB市に土地を200,000,000円で取得し、その土地の上に本社ビル（耐用年数41年）を85,000,000円で建築して、令和8年1月10日より事業の用に供している。

(4) 当社は、この買取りによる譲渡に要した経費として仲介手数料6,000,000円を支出している。

(5) 当社は、譲渡対価の額及び経費補償金の額の合計額から譲渡直前の帳簿価額及び仲介手数料の額を控除した金額151,760,000円を当期の収益に計上するとともに、損金経理により圧縮損として土地について150,000,000円、建物について20,000,000円を計上し、帳簿価額から直接減額している。また、建物についての償却費として450,000円を損金経理している。

(6) 当社は、減価償却の方法について選定の届出を行っていない。耐用年数41年の場合の定額法償却率は0.025である。

(7) 差益割合については、一括して計算するものとする。

解答

1. 圧縮記帳

   (1) 差引対価補償金

   $(150,000,000+70,000,000)-\{6,000,000-(2,000,000+800,000)\}=216,800,000$ 円

   (2) 差益割合

   $$\frac{216,800,000-(21,680,000+43,360,000)}{216,800,000}=0.7$$

   (3) 圧縮限度額

   ① 土 地

   $200,000,000$ 円 $<216,800,000$ 円　∴　$200,000,000$ 円

   $200,000,000 \times 0.7 = 140,000,000$ 円

   ② 事務所建物

   $85,000,000$ 円 $>216,800,000-200,000,000=16,800,000$ 円　∴　$16,800,000$ 円

   $16,800,000 \times 0.7 = 11,760,000$ 円

   (4) 圧縮超過額

   ① 土 地

   $150,000,000-140,000,000=10,000,000$ 円

   ② 事務所建物

   $20,000,000-11,760,000=8,240,000$ 円（償却費）

2. 減価償却

   (1) 償却限度額

   $(85,000,000-11,760,000) \times 0.025 \times \dfrac{3}{12} = 457,750$ 円

   (2) 償却超過額

   $(450,000+8,240,000)-457,750=8,232,250$ 円

（単位：円）

	項　　　目	金　　額	留　　保	社外流出
加算	土地圧縮超過額	10,000,000	10,000,000	
	減価償却超過額（事務所建物）	8,232,250	8,232,250	
減算				

解説

① 本問の取引は、収用の事前交渉の段階での任意買取りですが、この買取りはその申出を拒むときは、土地収用法等の規定に基づいて収用されることが確実と認められるものであることから、収用等の圧縮記帳の対象となります。

② 譲渡経費の額は、譲渡経費に充てるための補償金の支払いを受けている場合には、その経費補償金の額を控除した金額となります。

2 特別勘定（措法64の2）

1．制度の概要

法人（清算中のものを除きます。）が、次の要件を満たす場合において、繰入限度額以下の金額をその事業年度の確定した決算において特別勘定を設ける方法（決算確定日までに剰余金の処分により積立金として積み立てる方法を含む。）により経理したときは、その経理した金額は、その事業年度の損金の額に算入することができます。

適用要件
① その有する資産（棚卸資産を除く。）が収用等され補償金等を取得したこと
② 指定期間内に代替資産を取得する見込みであること

＜図解＞

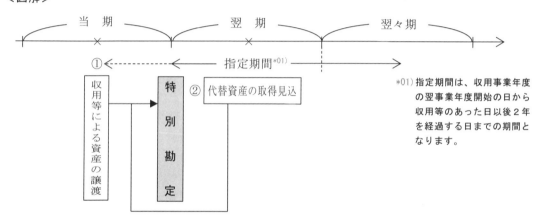

*01）指定期間は、収用事業年度の翌事業年度開始の日から収用等のあった日以後2年を経過する日までの期間となります。

法人の有する資産が、①収用等され補償金等を取得した場合において、②指定期間内に代替資産を取得する見込みであれば、特別勘定を設定し、譲渡益につき課税を一旦保留することが認められています。

2．特別勘定繰入限度額

収用等に係る特別勘定の繰入限度額は、次のように計算します。

基本算式

差引対価補償金の額のうち代替資産の取得に充てようとする額 × 差益割合

「差引対価補償金の額のうち代替資産の取得に充てようとする額」は、圧縮基礎取得価額の計算における、「代替資産の取得価額」とあるところを「代替資産の取得見込額」と置き換えて、圧縮基礎取得価額と同じ要領で算定します*02)。

*02）問題に取得見込額が与えられていない場合には、差引対価補償金の額を使用します。

設例 4－2　　　　　　　　　　　　　　　　　　　　　　　　　　　収用等の特別勘定

次の資料により、当社の当期における税務上の調整を示しなさい。

(1) 当社は、令和7年11月1日にA市から当社が所有する次の土地について買取りの申出を受けており、令和8年3月1日にA市に対して譲渡している。

なお、この買取りはその申出を拒むときは、土地収用法等の規定に基づいて収用されることが確実と認められるものである。

区　分	取得価額	譲渡直前の帳簿価額	仲介手数料
土　地	52,000,000円	52,000,000円	1,500,000円

(2) 当社が(1)の買取りによりA市から支払いを受けた譲渡対価の額等の資料は、次のとおりである。当社は、譲渡対価の額及び経費補償金の額の合計額から譲渡直前の帳簿価額及び仲介手数料の額を控除した金額28,100,000円を当期の収益に計上している。

区　分	譲渡対価の額	経費補償金の額
土　地	80,000,000円	1,600,000円

(注) 経費補償金の額は、譲渡経費に充てるための補償金として交付を受けたものである。

(3) 当社は、この買取りにされた土地の代替資産である土地付建物を翌期中に取得する見込みであるため、圧縮特別勘定積立金30,000,000円積み立てている。

解答

(1) 差引対価補償金

80,000,000 － ※0 ＝ 80,000,000円

※　1,500,000 － 1,600,000 ＝ △100,000　→　0

(2) 差益割合

$$\frac{80,000,000 - 52,000,000}{80,000,000} = 0.35$$

(3) 繰入限度額

80,000,000 × 0.35 ＝ 28,000,000円

(4) 繰入超過額

30,000,000 － 28,000,000 ＝ 2,000,000円

（単位：円）

	項　目	金　額	留　保	社外流出
加算	特別勘定繰入超過額	2,000,000	2,000,000	
減算	特別勘定積立金認定損（土地及び建物）	30,000,000	30,000,000	

解説

① 譲渡経費より譲渡経費に充てるための補償金の方が大きい場合には、譲渡経費を0として計算します。

② 特別勘定は仮勘定ですので、資産の取得価額、減価償却の計算には影響しません。

③ 特別勘定は損金経理又は積立金経理などの経理が認められていますが、積立金経理の場合は、減算調整をします。

3 特別勘定設定後の圧縮記帳

1．圧縮額の損金算入

特別勘定を有する法人が、指定期間内に代替資産を取得した場合において、その代替資産につき、圧縮限度額の範囲内で一定の経理をしたときは、その経理した金額は、その事業年度の損金の額に算入することができます。

＜図解＞

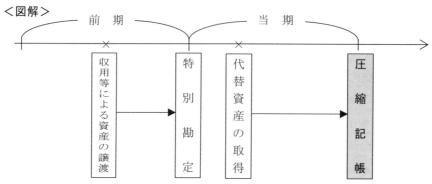

前期において、収用等による資産の譲渡をし、特別勘定を設定した法人が、指定期間内に代替資産の取得をした場合には、その代替資産について圧縮記帳を行うことができます。

2．圧縮限度額

収用等に係る特別勘定設定後の圧縮限度額は、次のように計算します。

> 基本算式
> (1) 差引対価補償金
> (2) 差益割合
> (3) 圧縮限度額
> ① 特別勘定の残高
> ② 圧縮基礎取得価額×差益割合
> ③ ①と②のいずれか少ない方

圧縮限度額の算定にあたって、特別勘定の金額との比較がある点を除けば、通常の圧縮限度額の計算と同じです。

3．特別勘定の取崩し

特別勘定を有する法人は、次の事由に該当する場合には、特別勘定の金額のうち次の金額を取り崩し、益金の額に算入しなければなりません。

＜取崩しの事由と要取崩額＞

取崩しの事由	益金算入額
代替資産の取得をした場合	圧縮限度額に相当する特別勘定の金額
指定期間を経過する日において特別勘定を有する場合	その特別勘定の金額

（注）特別勘定を任意に取り崩した場合には、その取り崩した金額を益金の額に算入します。

4 まとめ

基本算式
1．圧縮記帳（積立金方式の場合 ➡ 圧縮積立金認定損（減算留保））
  (1) 差引対価補償金
      対価補償金－※譲渡経費
      ※ 譲渡経費＝実際に要した譲渡経費－譲渡経費補償金
  (2) 差益割合
      $$\frac{分母の額－※譲渡資産の譲渡直前の帳簿価額}{差引対価補償金の額}$$
      ※ 税務上の金額 ➡ 会社計上の譲渡直前の帳簿価額＋繰越償却超過額
  (3) 圧縮限度額
      ※圧縮基礎取得価額×差益割合
      ※ 代替資産の取得価額と差引対価補償金の額のいずれか少ない金額
  (4) 圧縮超過額
      ① 直接控除方式の場合
         会社計上圧縮額－圧縮限度額 ➡ 償却費へ※
         ※ 土地等の場合 ➡ ○○圧縮超過額（加算留保）
      ② 積立金方式の場合
         会社計上圧縮額－圧縮限度額 ➡ 圧縮積立金積立超過額（加算留保）
2．特別勘定（積立金経理の場合 ➡ 特別勘定積立金認定損（減算留保））
  (1) 差引対価補償金
  (2) 差益割合
  (3) 繰入限度額
      差引対価補償金の額のうち代替資産の取得に充てようとする額 × 差益割合
  (4) 繰入超過額
      会社計上額－(3) ➡ 特別勘定繰入超過額（加算留保）

Section 5 収用等の所得の特別控除

法人の所有資産が公共事業に伴って収用等され、補償金等を取得したときは、代替資産について圧縮記帳の適用が受けられますが、より円滑に公共事業を進めるため、この圧縮記帳との選択により収用等の所得の特別控除の適用が認められています。圧縮記帳は課税を繰り延べる制度ですが、所得の特別控除は課税の免除という制度です。このSectionでは、収用等の所得の特別控除を学習します。

1 収用等の所得の特別控除（措法65の2①）

1．制度の概要

法人（清算中のものを除く。）の有する資産（棚卸資産を除く。）が収用等された場合において、次の要件を満たすときは、特別控除額をその事業年度の損金の額に算入することができます。

適用要件
① 収用等により取得した補償金等の額が、その譲渡資産の譲渡直前の帳簿価額と譲渡経費の額との合計額を超えていること
② その事業年度のうち同一暦年中に収用等された資産のいずれについても、圧縮記帳又は特別勘定の適用を受けないこと

＜図解＞

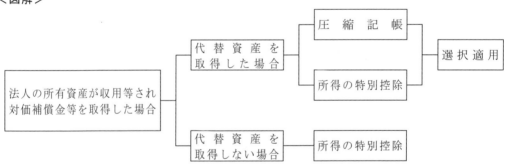

収用等による譲渡につき譲渡益が生じている場合において、代替資産を取得したときは、圧縮記帳との選択で収用等の所得の特別控除を適用することになります。なお、代替資産を取得しないときは、圧縮記帳をすることはできないため、収用等の所得の特別控除を適用することになります。

2．統一適用の期間

収用等の所得の特別控除と収用等の圧縮記帳等は、その事業年度のうち同一の年に属する期間中は統一して適用する必要があるため、圧縮記帳（特別勘定を含みます。）又は特別控除のいずれか一方の制度を選択しその期間中は統一して適用しなければなりません[*01]。

*01) 逆の見方をすると、事業年度又は暦年が変われば、新たに圧縮記帳等を適用するか所得の特別控除を適用するか選択することができるということです。

＜図解＞

その事業年度のうち同一の年に属する期間 → 4月1日から12月31日まで／1月1日から3月31日まで の各期間

3．特別控除額

収用等の所得の特別控除額は、次のように計算します。

基本算式

(1) 譲渡益

対価補償金等の額 − ｛譲渡資産の譲渡直前の帳簿価額 + 実際に要した譲渡経費 − 譲渡経費補償金｝

(2) 特別控除限度額

5,000万円 − 譲渡日の属する暦年中に既に控除を受けた金額

(3) (1)と(2)のいずれか少ない方

　→ 収用等の所得の特別控除額（減算※社外流出）

＜図解＞

収用等の所得の特別控除額は、収用等による譲渡益のうち、一暦年（1月1日から12月31日までの期間）で5,000万円を限度に適用することになります。

4．適用除外（措法65の2③）

次の場合には、次のそれぞれの資産については、収用等の所得の特別控除の規定は適用できません。

事　　由	資　　産
(1) 収用等による譲渡が公共事業施行者から最初に買取りの申出のあった日から6月を経過した日までにされなかった場合	その資産
(2) 一の収用等に係る事業についての譲渡が二以上の年にわたってされたとき	最初の年に譲渡された資産以外の資産
(3) 収用等による譲渡が最初に買取り等の申出を受けた者以外の法人からされた場合	その資産

〈その他の所得の特別控除〉

次の場合には、それぞれの所得の特別控除の適用があり、その譲渡益と次の特別控除限度額とのうちいずれか少ない金額を損金の額に算入することができます。

区　　分	特別控除限度額
① 特定土地区画整理事業等のために土地等を譲渡した場合（措法65の3）	2,000万円
② 特定住宅地造成事業等のために土地等を譲渡した場合（措法65の4）	1,500万円

（注）これらの特別控除に係る特別控除限度額は、収用等の所得の特別控除と合わせて一暦年で5,000万円が限度となります。

設例 5 − 1　　収用等の所得の特別控除

次の資料により、当社の当期における収用等の所得の特別控除額を計算しなさい。

(1) 当社は、令和7年9月1日に当社が所有するA土地（譲渡直前の帳簿価額42,000,000円）について、B県の県立高校の体育館建設の敷地として買取りの申出を受けている。当社は、この買取りの申し出により、令和7年10月1日にA土地を85,000,000円で譲渡している。なお、この買取りは、その申し出を拒んだ場合には土地収用法の規定により収用されることが確実であると認められるものである。

(2) 当社は、譲渡対価の額から譲渡直前の帳簿価額及びこの譲渡に要した経費2,875,000円を控除した金額を当期の収益に計上している。なお、当社はA土地に代替する資産を取得する予定はない。

(3) 当社は、令和7年3月10日に当社が所有する土地をB県の県民会館建設用地としてB県に対し譲渡しているが、その譲渡益については、前期の確定申告の際に、租税特別措置法第65条の2の規定の適用を受け30,000,000円が前期の損金の額に算入されている。

(4) 当社は、上記の他に令和7年中に圧縮記帳（特別勘定の設定を含む。）又は所得の特別控除の適用対象となる資産の譲渡は行っていないものとする。

解答

(1) 譲渡益
　　85,000,000 − (42,000,000 + 2,875,000) = 40,125,000円

(2) 特別控除限度額
　　50,000,000 − 30,000,000 = 20,000,000円

(3) (1)＞(2)　∴　20,000,000円

（単位：円）

項　目		金　額	留　保	社外流出
加算				
減算	収用等の所得の特別控除額	20,000,000		※ 20,000,000

解説

① 買取りの申出のあった日から6月以内に譲渡しているため、収用等の所得の特別控除を適用することができます。

② 特別控除限度額の5,000万円は、事業年度ベースではなく、暦年ベースです。当期の譲渡は令和7年中に行われているため、前期であっても令和7年中の譲渡について適用を受けた金額は控除して特別控除限度額を求めることになります。

Section 6 特定資産の交換

法50の交換は、同種資産の等価交換を前提としているため、異種資産の交換や不等価による交換について適用することはできません。しかし、その交換譲渡資産及び交換取得資産が特定資産の買換えの圧縮記帳における譲渡資産及び買換資産に該当する場合には、取引内容は交換取引ですが、特定資産の買換えの圧縮記帳の趣旨にかなう取引と言えることから、特定資産の買換えの圧縮記帳の計算に準じた圧縮記帳を行うことが認められています。

このSectionでは、特定資産の交換の圧縮記帳を学習します。

1 制度の概要（措法65の9）

1．取扱い

法人（清算中のものを除きます。）が、その有する交換譲渡資産と、交換取得資産との交換をした場合等における特定資産の買換えの圧縮記帳の適用については、次によることになります。

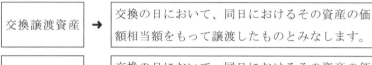

<図解>

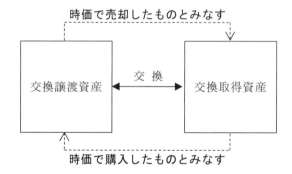

法人が特定資産の交換をした場合には、その交換による譲渡資産と取得資産をそれぞれ交換の日における時価で譲渡（売却）及び取得（購入）したものとみなして特定資産の買換えの圧縮記帳の規定を適用することになります。

2．交換譲渡資産と交換取得資産の範囲

特定資産の交換における交換譲渡資産及び交換取得資産は、買換えの圧縮記帳における譲渡資産及び買換資産の範囲と全く同じです。なお、交換譲渡資産及び交換取得資産の範囲は、次のとおりです。

区　分		内　　容
第二号	譲渡資産	既成市街地等[*01]内にある次の資産 (1)　土地等 (2)　建物（附属設備を含みます。）(3)　構築物
	買換資産	既成市街地等内にある次の資産[*02] (1)　土地等 (2)　建物（附属設備を含みます。） (3)　構築物　(4)　機械装置
第三号	譲渡資産	国内にある次の資産で、所有期間が10年を超えるもの (1)　土地等 (2)　建物（附属設備を含みます。） (3)　構築物
	買換資産	国内にある次の資産 (1)　土地等 (2)　建物（附属設備を含みます。） (3)　構築物

（注）1　第二号の買換資産は、都市再開発法による市街地再開発事業（その施行される土地の区域の面積が五千平方メートル以上であるものに限ります。）に関する都市計画の実施に伴うものです。買換資産からは、次のもの（その敷地の用に供される土地等を含みます。）が除かれます。

　　　　・中高層耐火建築物（地上階数４階以上）以外の建物

　　　　・住宅の用に供される部分が含まれる建物（住宅の用に供される部分に限ります。）

　　　2　第三号の買換資産となる土地等は、事務所、事業所等の施設（特定施設といいます。）の敷地の用に供されるもので、300㎡以上のものとされています。

　　　3　第三号に規定する所有期間は、取得日の翌日から譲渡した日の属する年（暦年）の１月１日までの期間をいいます。したがって、当期において譲渡資産に該当するものは、次のものに限られます。

区　分	譲　渡　資　産
令和７年中の譲渡	平成26年12月31日以前に取得したもの
令和８年中の譲渡	平成27年12月31日以前に取得したもの

3．適用除外となる交換（措法65の9①、措令59の7㊼）

特定資産の交換は、他の圧縮記帳の適用がある交換については、その適用対象から除外しています。

適用除外となる交換
交換（法50）の圧縮記帳の適用を受ける交換
その他一定の交換等

特定資産の交換は、一定の要件を満たす場合に特定資産の買換えの圧縮記帳の適用を受けることになりますが、特定資産の買換えの圧縮記帳における圧縮限度額は買換資産に係る譲渡益の80%[*01]であり、買換資産に係る譲渡益の100%を圧縮記帳することはできません。

つまり、法50の交換の圧縮記帳の適用を受けることができる場合には、法50の交換の圧縮記帳の適用を優先することが、納税者にとって有利な取扱いとなります。

[*01] 租税特別措置法第65条の7第1項第四号の買換えを適用する場合において、一定の場合は、60%、70%、75%又は90%となります（基礎編テキスト参照）。

4．圧縮限度額の計算

特定資産の交換の圧縮記帳における圧縮限度額の計算は、次のように行います。なお、圧縮限度額の計算は、交換譲渡資産の時価を譲渡対価の額及び交換取得資産の時価を買換資産の取得価額として特定資産の買換えの圧縮記帳と同様の計算となります[*02]。

[*02] 経理方法や土地等の面積制限の規定についても特定資産の買換えの圧縮記帳と同じです。

基本算式

(1) 判定[*03]

　　[交換取得資産の時価／交換譲渡資産の時価]の差額＞いずれか多い時価×20%

　　∴ 法50適用なし → 特定資産の交換

(2) 差益割合

$$\frac{交換譲渡資産の時価－（交換譲渡資産の譲渡直前の帳簿価額＋譲渡経費の額）}{交換譲渡資産の時価}$$

(3) 圧縮限度額

　　圧縮基礎取得価額※×差益割合×80%

　　※ [交換譲渡資産の時価／交換取得資産の時価] いずれか少ない金額

(4) 圧縮超過額

① 直接控除方式

　　会社計上圧縮額－圧縮限度額 → 償却費へ※

　　※ 土地等の場合 → ○○圧縮超過額（加算留保）

② 積立金方式

　　会社計上圧縮額－圧縮限度額

　　　　　→ 圧縮積立金積立超過額（加算留保）

[*03] 時価と時価との差額が20%以下であっても、積立金経理をしている場合には、法50は認められませんので、特定資産の交換を検討することになります。

交換取引が、同種資産の交換である場合には、まず法50の交換の圧縮記帳の適用がないかどうかを判定することになります。ここで「適用あり」となった場合には、法50の交換の圧縮記帳を適用し、「適用なし」となった場合には、特定資産の交換の圧縮記帳を考慮することになります。

設例6－1　　　　　　　　　　　　　　　　　　　　　　　　　　特定資産の交換

次の資料により、当社の当期における圧縮限度額を計算しなさい。

(1) 当社は、当期においてA社との間で、土地を交換譲渡資産とし、土地及び建物を交換取得資産とする交換取引を行っている。その交換譲渡資産及び交換取得資産に関する資料は次のとおりである。

区　分	交換取得資産の時価	交換譲渡資産	
		譲渡直前の帳簿価額	時　価
土　地	150,000,000円	20,000,000円	200,000,000円
建　物	45,000,000円	—	—
交換差金	5,000,000円	—	—
合　計	200,000,000円	20,000,000円	200,000,000円

（注1）交換取得資産である土地及び建物は、集中地域以外の地域に所在するものであり、土地の面積は2,500㎡である。

（注2）交換譲渡資産である土地は、当社が平成10年10月に取得したものであり、集中地域に所在する面積が450㎡のものである。

(2) 当社は、この交換に当たって交換譲渡土地の上に存していた倉庫建物を取り壊しており、その取壊しに要した費用及びその倉庫建物の取壊直前の帳簿価額の合計額は16,000,000円である。

解答

(1) 判　定

200,000,000 － 150,000,000 ＝ 50,000,000円 ＞ 200,000,000 × 20％ ＝ 40,000,000円

∴　法50適用なし　→　特定資産の交換

(2) 差益割合

$$\frac{200,000,000-(20,000,000+16,000,000)}{200,000,000}=0.82$$

(3) 圧縮限度額

① 土　地

$200,000,000円 > 150,000,000 \times \dfrac{450㎡ \times 5}{2,500㎡} = 135,000,000円$　　∴　135,000,000円

135,000,000 × 0.82 × 80％ ＝ 88,560,000円

② 建　物

200,000,000 － 135,000,000 ＝ 65,000,000円 ＞ 45,000,000円　　∴　45,000,000円

45,000,000 × 0.82 × 80％ ＝ 29,520,000円

解説

特定資産の交換は、交換譲渡資産の時価を譲渡対価の額と、交換取得資産の時価を買換資産の取得価額とそれぞれみなして、特定資産の買換えの圧縮記帳の規定を適用することになります。

Section 7 先行取得の場合の圧縮記帳

譲渡益の発生時期と資産の取得時期が同一の事業年度であれば通常の圧縮記帳を行うことができます。また、資産の取得時期が譲渡益の発生時期の翌事業年度以降となる場合には特別勘定を設定し、その後資産の取得時期に合わせて圧縮記帳を行うことができます。それでは、資産の取得時期が、譲渡益の発生時期に先行する場合はどのように取り扱うのでしょうか。
このSectionでは、先行取得の場合の圧縮記帳を学習します。

1 買換えの場合（措法65の7③）

1．制度の概要

法人が特定の譲渡資産の譲渡日を含む事業年度開始の日前1年以内に特定の買換資産の取得をし、かつ、その取得日から1年以内に事業の用に供したとき又は供する見込みであるときは、一定の届出をしたその資産に限り、買換資産とみなして圧縮記帳の適用を受けることができます。

＜図解＞

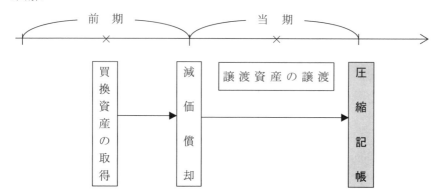

特定資産の買換えの圧縮記帳の対象資産は、原則として特定資産の譲渡日の属する事業年度で取得していることが必要です。しかし、現実の取引では移転先である土地等の取得が先行する場合もあります。
この規定は、その先行取得資産についても圧縮記帳の適用を認めるものです。

2．先行取得の場合の圧縮限度額

先行取得の場合における圧縮限度額は、次のように計算します。

基本算式

$$圧縮基礎取得価額 \times 差益割合 \times 80\% \times \frac{買換資産の前期末帳簿価額}{買換資産の前期末取得価額}$$

＜図解＞

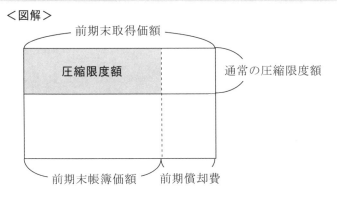

先行取得資産が土地等の非減価償却資産である場合には、通常の場合の圧縮限度額と異なりませんが、先行取得資産が減価償却資産である場合には、前期において減価償却費が計上されているため、通常の圧縮限度額によってしまうと減価償却費と圧縮損として二重に損金の額に算入される部分が生じてしまいます。そこで、通常の圧縮限度額を前期末帳簿価額/前期末取得価額で按分し、前期の償却費部分を除いた圧縮限度額を計算することになります。

3．圧縮記帳後の取得価額

先行取得の場合の圧縮記帳後の取得価額は、次のように計算します。

基本算式

$$本来の取得価額 - 損金算入圧縮額 \times \frac{買換資産の前期末取得価額}{買換資産の前期末帳簿価額}$$

＜図解＞

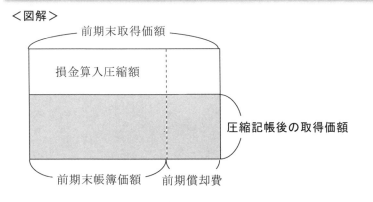

圧縮記帳後の取得価額は、通常の場合には、本来の取得価額から損金の額に算入された圧縮額を控除して求めますが、先行取得の場合の圧縮限度額は按分により帳簿価額ベースの金額となってしまっています。したがって、本来の取得価額から控除する損金の額に算入された圧縮額を前期末までの償却をしていない金額（つまり取得価額ベースの金額）に引き直して控除することになります。

設例7－1　　　　　　　　　　　　　　　　　　　　　　　先行取得の場合（買換え）

次の資料により、当社の当期における税務上の調整を示しなさい。

(1) 当社は、令和7年8月10日に工場建物及びその敷地であるA土地を譲渡している。この工場建物及びA土地は平成17年9月に取得したものであり、集中地域に所在するものである。

当社は、この工場建物及びA土地の譲渡について、譲渡対価の額350,000,000円と譲渡直前の帳簿価額46,000,000円との差額304,000,000円を当期の収益に計上するとともに、譲渡経費として17,000,000円を支出し当期の費用に計上している。

(2) 当社は、令和6年7月1日に、当社が平成16年2月に取得した集中地域以外の地域に所在するB土地に新たに工場建物を建設するとともに構築物を購入し、令和6年8月1日より事業の用に供している。当該工場建物及び構築物の取得価額並びに当期の減価償却に関する資料は、次のとおりである。

区　分	取得価額	期首帳簿価額	減価償却費	事業供用年月日	耐用年数
工場建物	220,000,000円	213,840,000円	4,200,000円	令和6年8月1日	24年
構築物	140,000,000円	132,160,000円	6,000,000円	令和6年8月1日	12年

（注1）前期における工場建物及び構築物の減価償却費の計上は、税務上適正に行われている。

（注2）上記の他、工場建物及び構築物につき、圧縮記帳の適用を受けるため、損金経理により圧縮損を工場建物について150,000,000円、構築物について85,000,000円をそれぞれ計上し、帳簿価額を減額している。

（注3）当社が選定した償却方法は定額法であり、その償却率は次のとおりである。

耐用年数	償却率
12年	0.084
24年	0.042

(3) 当社は、当期末における資本金の額が500,000,000円の内国法人である。

解答　1．圧縮記帳

(1) 差益割合

$$\frac{350,000,000 - (46,000,000 + 17,000,000)}{350,000,000} = 0.82$$

(2) 圧縮限度額

① 工場建物

220,000,000円 < 350,000,000円　∴　220,000,000円

$$220,000,000 \times 0.82 \times 80\% \times \frac{213,840,000}{220,000,000} = 140,279,040円$$

② 構築物

140,000,000円 > 350,000,000 − 220,000,000 = 130,000,000円　∴　130,000,000円

$130,000,000 \times 0.82 \times 80\% \times \dfrac{132,160,000}{140,000,000} = 80,504,320$円

(3) 圧縮超過額

① 工場建物

150,000,000 − 140,279,040 = 9,720,960円（償却費）

② 構築物

85,000,000 − 80,504,320 = 4,495,680円（償却費）

2．減価償却

(1) 工場建物

① 償却限度額

$220,000,000 − 140,279,040 \times \dfrac{220,000,000}{213,840,000} = 75,680,000$円

75,680,000 × 0.042 = 3,178,560円

② 償却超過額

(4,200,000 + 9,720,960) − 3,178,560 = 10,742,400円

(2) 構築物

① 償却限度額

$140,000,000 − 80,504,320 \times \dfrac{140,000,000}{132,160,000} = 54,720,000$円

54,720,000 × 0.084 = 4,596,480円

② 償却超過額

(6,000,000 + 4,495,680) − 4,596,480 = 5,899,200円

（単位：円）

	項　　　　目	金　　額	留　　保	社外流出
加算	減 価 償 却 超 過 額 （工 場 建 物） （構 築 物）	 10,742,400 5,899,200	 10,742,400 5,899,200	
減算				

解説

① 先行取得の場合の圧縮限度額は、通常の圧縮限度額を前期末帳簿価額/前期末取得価額で按分した金額になります。

② 先行取得の場合の圧縮記帳後の取得価額は、本来の取得価額から損金の額に算入された圧縮額を前期末取得価額/前期末帳簿価額を乗ずることで本来の取得価額ベースに引き直してから控除します。

2 保険金等の場合

1．滅失損の計上時期（基通10－5－2）

(1) 概　要

所有固定資産の滅失等があった場合において、その滅失等により支払を受ける保険金等の額につき圧縮記帳の適用を受けようとするときは、その滅失等による損失の額（滅失経費を含みます。）は、保険金等の額が確定するまでは仮勘定として損金の額に算入しません*01)。

*01) 保険金等の額を見積り計上する場合を除きます。

<図解>

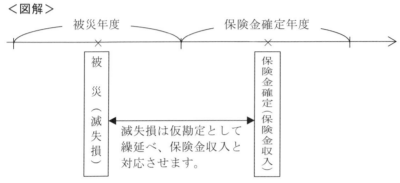

固定資産の滅失等により支払いを受ける保険金等について圧縮記帳の適用を受けようとする場合において、保険金等の額が確定していないときは、滅失損の計上時期と保険金収入の計上時期を対応させるため、滅失損の額を保険金等の額が確定するまでは仮勘定として繰り延べることになります。

(2) 経理処理と別表四上の調整

被災年度と保険金確定年度における、経理処理に応じた税務調整は、次のとおりです。

① 被災年度

経　理　処　理	税　務　調　整
（火災未決算）×× （建　物）×× 　　　　　　　　（現　金）××	調整なし（適正）
（火災損失）×× （建　物）×× 　　　　　　　（現　金）××	火災損失否認（加算留保）

② 保険金確定年度

経　理　処　理	税　務　調　整
（火災損失）×× （火災未決算）××	調整なし（適正）
仕訳なし （被災年度に計上済みの場合）	火災損失認容（減算留保）

2．先行取得の場合の圧縮記帳（基通10－5－8）

(1) 圧縮限度額

法人が保険金等の額が確定する前に代替資産の取得等をした場合において、その保険金確定年度において圧縮記帳の規定を適用するときは、その圧縮限度額は、次の算式により計算した金額となります。

基本算式

$$通常の圧縮限度額 \times \frac{代替資産の圧縮時の帳簿価額}{代替資産の取得価額}$$

(2) 圧縮記帳後の取得価額

先行取得の場合の圧縮記帳後の取得価額は次のように計算します。

基本算式

$$本来の取得価額 - 損金算入圧縮額 \times \frac{代替資産の取得価額}{代替資産の圧縮時の帳簿価額}$$

設例7－2　　先行取得の場合（保険金等）

次の資料により、当社の当期における税務上の調整を示しなさい。

(1) 前期の令和6年6月1日に当社の工場建物（滅失直前の帳簿価額35,200,000円）及び工場内の機械装置（滅失直前の帳簿価額16,900,000円）が火災により全焼している。当社は、これらの資産について火災保険をかけていたが、前期末までに保険金額は確定していない。なお、当社はこの火災に関する経理処理として、工場建物及び機械装置についてそれぞれの滅失直前の帳簿価額の合計額52,100,000円を火災未決算勘定に計上し、焼跡の整理費用1,200,000円及び消防費300,000円については火災損失勘定に計上している（前期において適正に税務調整されている。）。

(2) 当社は、令和6年8月1日に上記の火災により全焼した資産に代替する資産として次のものを取得し、工場用建物はただちに事業の用に供し、機械装置については翌月から事業の用に供している。

種　類	取得価額	期首帳簿価額	減価償却費	耐用年数
工場建物	55,000,000円	53,460,000円	3,900,000円	24年
機械装置	21,000,000円	18,550,000円	2,400,000円	10年

(3) 令和7年7月1日に保険金の額が工場建物について45,000,000円、機械装置について30,000,000円と確定したため、それぞれの金額を当期の収益に計上している。なお、前期において火災未決算勘定に計上した金額は、当期において火災損失として費用に振り替えられている。また、損金経理により圧縮損として工場建物について9,000,000円、機械装置について8,000,000円を計上し、それぞれの帳簿価額から直接減額している。

(4) 当社が選定した償却方法は定率法であり、償却率等の資料は次のとおりである。

耐用年数	定額法償却率	平成24年4月1日以後取得の場合の定率法		
		償却率	改定償却率	保証率
10	0.100	0.200	0.250	0.06552
24	0.042	0.083	0.084	0.02969

(5) 当社は当期末における資本金の額が200,000,000円の青色申告書を提出する内国法人である。

解答 1．圧縮記帳
　(1)　滅失経費の額
　　①　工場建物
　　　　$(1,200,000+300,000) \times \dfrac{45,000,000}{45,000,000+30,000,000} = 900,000$ 円
　　②　機械装置
　　　　$(1,200,000+300,000) \times \dfrac{30,000,000}{45,000,000+30,000,000} = 600,000$ 円

　(2)　差引保険金等の額
　　①　工場建物
　　　　$45,000,000 - 900,000 = 44,100,000$ 円
　　②　機械装置
　　　　$30,000,000 - 600,000 = 29,400,000$ 円

　(3)　保険差益金の額
　　①　工場建物
　　　　$44,100,000 - 35,200,000 = 8,900,000$ 円
　　②　機械装置
　　　　$29,400,000 - 16,900,000 = 12,500,000$ 円

　(4)　圧縮限度額
　　①　工場建物
　　　　$8,900,000 \times \dfrac{^{※}44,100,000}{44,100,000} \times \dfrac{53,460,000}{55,000,000} = 8,650,800$ 円
　　　　※　$44,100,000$ 円 $< 55,000,000$ 円　　∴　$44,100,000$ 円
　　②　機械装置
　　　　$12,500,000 \times \dfrac{^{※}21,000,000}{29,400,000} \times \dfrac{18,550,000}{21,000,000} = 7,886,904$ 円
　　　　※　$29,400,000$ 円 $> 21,000,000$ 円　　∴　$21,000,000$ 円

　(5)　圧縮超過額
　　①　工場建物
　　　　$9,000,000 - 8,650,800 = 349,200$ 円（償却費）
　　②　機械装置
　　　　$8,000,000 - 7,886,904 = 113,096$ 円（償却費）

2．減価償却
　(1)　工場建物
　　①　償却限度額
　　　　$(55,000,000 - 8,650,800 \times \dfrac{55,000,000}{53,460,000}) \times 0.042 = 1,936,200$ 円
　　②　償却超過額
　　　　$(3,900,000 + 349,200) - 1,936,200 = 2,313,000$ 円

(2) 機械装置

① 償却限度額

$$(18,550,000-7,886,904)\times 0.200=2,132,619円 \geqq (21,000,000-7,886,904\times \frac{21,000,000}{18,550,000})$$

$$\times 0.06552=790,920円 \quad \therefore \quad 2,132,619円$$

② 償却超過額

$$(2,400,000+113,096)-2,132,619=380,477円$$

(単位:円)

	項　　　　目	金　　額	留　　保	社外流出
加算	減価償却超過額 （工場建物） （機械）	 2,313,000 380,477	 2,313,000 380,477	
減算	火災損失認容	1,500,000	1,500,000	

解説

① 前期に火災損失勘定に計上された1,500,000円（1,200,000＋300,000）は、前期においては保険金額が確定していないため、損金の額に算入することはできず、前期の別表四において火災損失否認（加算留保）の調整がされていることが読みとれます。当期に保険金額が確定したため、当期の別表四で火災損失認容（減算留保）の調整を行って認識することになります。

② 先行取得に該当するため、圧縮限度額の改訂及び損金算入圧縮額の改訂が必要になります。なお、期首帳簿価額は、損金算入圧縮額を単純に控除することにより求めることになります。

3 国庫補助金等の場合（法44①）

1．制度の概要

特別勘定を有する内国法人が、次の要件を満たす場合において、その固定資産につき、圧縮限度額の範囲内で一定の経理をしたときは、その経理した金額は、その事業年度の損金の額に算入することができます。

> 適用要件
> ① 国庫補助金等をもって交付目的に適合した固定資産を取得等したこと。
> ② 取得等した日の属する事業年度以後の事業年度においてその国庫補助金等の返還不要が確定したこと。

＜図解＞

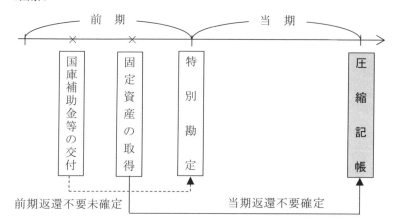

前期において、国庫補助金等の交付を受け、固定資産の取得もしたが、国庫補助金等の返還不要が確定せず特別勘定を設定した法人について、当期においてその国庫補助金等の返還不要が確定した場合には、当期において先行取得の場合の圧縮記帳をすることができます。

2．先行取得の場合の圧縮限度額（令82①）

先行取得の場合における圧縮限度額は、次のように計算します。なお、国庫補助金等の圧縮記帳の場合には、特別勘定設定後の圧縮記帳に該当するため、特別勘定の金額との比較が必要となります。

> 基本算式
> ① 特別勘定の金額
> ② 返還不要確定日の固定資産の帳簿価額 × 返還不要となった補助金等の額 / 固定資産の取得価額
> ③ ①と②のいずれか少ない方

<図解>

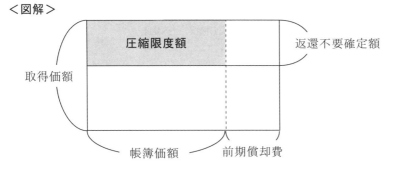

上記の基本算式を、一部変形してみると次のようになります。

$$返還不要となった補助金等の額（本来の圧縮限度額） \times \frac{返還不要確定日の帳簿価額}{固定資産の取得価額}$$

本来の圧縮限度額に、帳簿価額/取得価額を乗じているのと同じことであり、他の圧縮記帳における先行取得の場合の圧縮限度額と同様の計算をしているということです。

3. 圧縮記帳後の取得価額（令82の2）

先行取得の場合の圧縮記帳後の取得価額は、次のように計算します。

基本算式

$$本来の取得価額 - \left[損金算入圧縮額 + 損金算入償却費累計 \times \frac{返還不要となった補助金等の額}{固定資産の取得価額}\right]$$

<図解>

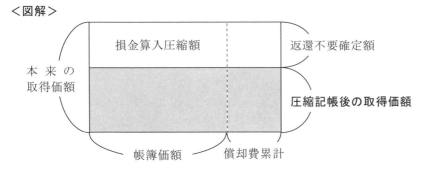

本来の取得価額から、損金算入圧縮額と損金算入償却費累計のうち返還不要確定額に係る部分の金額の合計額を控除することにより取得価額を求める算式となっています。なお、圧縮不足額が生じている場合を除き、次の算式により計算しても同じ結果となります。

$$本来の取得価額 - 損金算入圧縮額 \times \frac{固定資産の取得価額}{返還不要確定日の帳簿価額}$$

つまり、他の圧縮記帳制度と計算式は異なっていますが、求めようとしている結論は、ほとんど同じということです。

4．特別勘定の取崩し

　国庫補助金等の先行取得の場合の圧縮記帳は、特別勘定設定後の圧縮記帳となることから、返還すべきこと又は返還を要しないことが確定した国庫補助金等の額に相当する特別勘定の金額は、その返還すべきこと又は返還を要しないことが確定した事業年度において取り崩し、益金の額に算入しなければなりません。

設例7－3　　　　　　　　　　　　　　　　　　　　　　　　先行取得の場合（国庫補助金）

次の資料により、当社の当期における圧縮限度額及び圧縮限度相当額が損金の額に算入された場合における償却限度額を計算しなさい。

(1)　前期においてA市から機械装置の取得を目的とする補助金6,000,000円の交付を受けている。当社は令和6年10月5日に交付を受けた補助金に自己資金14,000,000円を加えた20,000,000円で交付目的に適合する機械装置（耐用年数5年のものであり、定額法を選定している。なお、償却率は0.200である。）を取得し、直ちに事業の用に供している。しかし、交付を受けた補助金は、生産能力が一定割合に達した場合に返還不要となる条件付補助金であるため、前期においては返還不要が確定しなかった。

　当社は、この補助金6,000,000円を前期の収益に計上するとともに、同額を特別勘定として前期の費用に計上している。なお、機械装置について前期において2,000,000円（税務上の適正額）の減価償却費を計上している。

(2)　当期において、生産能力が一定割合に達したことにより、令和7年4月1日に(1)の補助金6,000,000円の返還不要が確定している。

(3)　当社は、製造業を営む資本金の額が200,000,000円の内国法人である。

解答

(1)　圧縮限度額

①　特別勘定の金額

　　6,000,000円

②　$(20,000,000 - 2,000,000) \times \dfrac{6,000,000}{20,000,000} = 5,400,000$円

③　①＞②　　∴　5,400,000円

(2)　償却限度額

※14,000,000×0.200＝2,800,000円

※　$20,000,000 - (5,400,000 + 2,000,000 \times \dfrac{6,000,000}{20,000,000}) = 14,000,000$円

4 まとめ

1．買換えの場合

基本算式

(1) 譲渡経費の額

(2) 差益割合

$$\frac{譲渡対価の額－(譲渡資産の譲渡直前の帳簿価額＋譲渡経費の額)}{譲渡対価の額}$$

(3) 圧縮限度額

$$※圧縮基礎取得価額 × 差益割合 × 80\% × \frac{買換資産の前期末帳簿価額}{買換資産の前期末取得価額}$$

※ 譲渡対価の額　　　　　　　｝いずれか少ない金額
　　買換資産の取得価額

(4) 圧縮超過額

① 直接控除方式

会社計上圧縮額－圧縮限度額　→　償却費へ※

※　土地等の場合　→　〇〇圧縮超過額（加算留保）

② 積立金方式

会社計上圧縮額－圧縮限度額

→　圧縮積立金積立超過額（加算留保）

2．保険金等の場合

基本算式

(1) 滅失経費の額

(2) 差引保険金等の額

保険金等の額－滅失経費の額

(3) 保険差益金の額

差引保険金等の額－被災資産の被災直前の帳簿価額

(4) 圧縮限度額

$$保険差益金の額 × \frac{代替資産の取得等に充てた保険金等の額（※）}{差引保険金等の額} × \frac{代替資産の圧縮時の帳簿価額}{代替資産の取得価額}$$

※　代替資産の取得価額と差引保険金等の額のいずれか少ない金額

(5) 圧縮超過額

① 直接控除方式の場合

会社計上圧縮額－圧縮限度額　→　償却費へ※

※　土地等の場合　→　〇〇圧縮超過額（加算留保）

② 積立金方式の場合

会社計上圧縮額－圧縮限度額

→　圧縮積立金積立超過額（加算留保）

3．国庫補助金等の場合

基本算式
(1) 圧縮限度額
　① 特別勘定の金額
　② 返還不要確定日の固定資産の帳簿価額 × $\dfrac{\text{返還不要となった補助金等の額}}{\text{固定資産の取得価額}}$
　③ ①と②のいずれか少ない方
(2) 圧縮超過額
　① 直接控除方式の場合
　　　会社計上圧縮額－圧縮限度額　→　償却費へ※
　　　※　土地等の場合　→　〇〇圧縮超過額（加算留保）
　② 積立金方式の場合
　　　会社計上圧縮額－圧縮限度額
　　　　　　　　→　圧縮積立金積立超過額（加算留保）

Section 8 圧縮記帳と資本的支出との関係

資産の取得に要した金額は、その資産の取得価額を構成します。基本的に圧縮限度額はその資産の取得価額を対象に計算することになります。しかし、圧縮記帳の中には、その取得価額を対象に圧縮限度額を計算しないものもあります。
このSectionでは、圧縮記帳と資本的支出との関係を学習します。

1 取得経費との関係

1．取得経費の取扱い

資産の取得に要した費用（取得経費）を、資産として計上せず、費用として計上している場合には、その資産の取得価額について資産計上もれの状態が生じていることになります。

内　容	税　務　調　整	
取得経費を費用に計上している場合	土地（非減価償却資産）	土地計上もれ（加算留保）
	減価償却資産	調整なし（償却費）

土地等（非減価償却資産）については、取得価額の計上もれとして別表四での加算調整が必要となります。一方、減価償却資産については、費用処理した付随費用として取得価額を構成させるとともに、償却費として損金経理をした金額に含めなければなりません。

2．圧縮記帳との関係

取得経費が資産の取得価額を構成する点では、各制度ともに共通の取扱いとなりますが、その取得経費部分について圧縮記帳の対象とするか否かには次のような差異があります。

制　　度	取得経費の適用関係
交　換（法50）	圧縮記帳の対象にはできません[01]。（圧縮限度額の計算に関係させません。）
買　換　え	圧縮記帳の対象となります。
保　険　差　益	
収　用　等	
国　庫　補　助　金	

[01] 取得経費は、交換により相手側から取得したものではないため交換の圧縮記帳を適用することはできません。

設例8-1　資本的支出との関係（交換の圧縮記帳）

次の資料により、当社の当期における税務上の調整を示しなさい。

(1) 当社は、令和7年5月15日にA社との間で、次の土地及び建物（いずれもA社における取得後6年を経過したものである。）と、当社が所有する土地及び建物（いずれも当社における取得後8年が経過したものである。）を交換している。

区　分	交換取得資産	交換譲渡資産	
	交換時の時価	交換時の時価	譲渡直前の帳簿価額
土　　地	55,000,000円	60,000,000円	40,500,000円
建　　物	42,000,000円	40,000,000円	30,450,000円
現　　金	3,000,000円	—	—
合　　計	100,000,000円	100,000,000円	70,950,000円

（注）交換取得資産である建物（法定耐用年数は50年である。）は、令和7年10月1日より事業の用に供しているが、その事業の用に供するにあたって改良費7,000,000円を支出し、当期の費用に計上している。なお、交換譲渡資産である建物の譲渡直前の用途と同一の用途に供している。

(2) 当社は(1)の交換について、交換取得資産の取得価額として交換時の時価を付すとともに、固定資産売却益として29,050,000円を当期の収益に計上している。また、圧縮記帳の適用を受けるため、圧縮損として土地について27,500,000円、建物について9,000,000円を当期の費用に計上し、それぞれの帳簿価額から直接減額している。

なお、この交換に係る譲渡に要した仲介手数料2,500,000円及び交換取得資産である建物に係る減価償却費900,000円が当期の費用に計上されている。

(3) 当社は、交換取得資産である建物につき法定耐用年数により償却限度額を計算することとしている。なお、耐用年数50年の場合の定額法償却率は0.020である。

解答

1．圧縮記帳

(1) 判　定

① 土　地

60,000,000－55,000,000＝5,000,000円 ≦ 60,000,000×20％＝12,000,000円　∴ 適用あり

② 建　物

42,000,000－40,000,000＝2,000,000円 ≦ 42,000,000×20％＝8,400,000円　∴ 適用あり

(2) 譲渡経費

① 土　地

$2,500,000 \times \dfrac{60,000,000}{100,000,000} = 1,500,000$円

② 建　物

$2,500,000 \times \dfrac{40,000,000}{100,000,000} = 1,000,000$円

(3) 圧縮限度額

① 土　地

$55,000,000 - (40,500,000 + 1,500,000) \times \dfrac{55,000,000}{55,000,000 + 5,000,000} = 16,500,000$円

② 建　物

$42,000,000 - (30,450,000 + 1,000,000 + 2,000,000) = 8,550,000$円

(4) 圧縮超過額

① 土　地

$27,500,000 - 16,500,000 = 11,000,000$円

② 建　物

$9,000,000 - 8,550,000 = 450,000$円（償却費）

２．減価償却

(1) 償却限度額

$(42,000,000 - 8,550,000 + 7,000,000) \times 0.020 \times \dfrac{6}{12} = 404,500$円

(2) 償却超過額

$(900,000 + 450,000 + 7,000,000) - 404,500 = 7,945,500$円

（単位：円）

	項　　　　目	金　　額	留　　保	社外流出
加算	土　地　圧　縮　超　過　額	11,000,000	11,000,000	
	減　価　償　却　超　過　額 （建　　　　物）	7,945,500	7,945,500	
減算				

解説

① 法50の交換の圧縮記帳については、資本的支出部分は圧縮記帳の対象になりません。交換取得建物について支出した改良費は、圧縮限度額の計算に関係させません。

② 交換取得建物について支出した改良費は、減価償却の計算においては費用処理した付随費用として、取得価額に含めるのと合わせて償却費として損金経理をした金額に含めます。

2 買換えと資本的支出の関係

1．原則的な取扱い

　法人がその有する資産の改良、改造等を行った場合においても、その改良、改造等は、買換資産の取得に該当しないため、圧縮記帳の対象とすることはできません。

　資産の改良、改造等の資本的支出 → 圧縮記帳の対象外

　つまり、既に所有している資産に係る資本的支出部分のみを対象として買換えの圧縮記帳を適用することはできないということです。

2．例外的な取扱い

　次の改良、改造等については、買換資産の取得に該当するものとして、その支出部分を圧縮記帳の対象とすることができます。

区　分	内　容
買換資産に係る資本的支出	新たに取得した買換資産について、事業の用に供するために改良、改造等を行った場合（取得の日から1年以内に行った場合に限ります。）
増　築　等	建物の増築、構築物の拡張又は延長等をした場合のように、その改良、改造等により、実質的に新たな資産を取得したと認められる場合

　新たに取得した買換資産について改良、改造等を加えた場合には、その資本的支出部分についても買換資産本体と同様に圧縮記帳の対象とすることができます。また、建物の増築など実質的に新たな資産を取得したものとされる場合には、買換資産本体の取得（資本的支出ではありません。）に該当するため、圧縮記帳の対象とすることができます。

Memorandum Sheet

Try it　特別勘定設定後の圧縮記帳（国庫補助金等）

次の資料により、当社の当期における税務上の調整を示しなさい。

(1) 当社は、令和7年3月1日に土地の取得を目的とした国庫補助金5,000,000円の交付を受けているが、交付の目的に適合した土地の取得ができなかったため、前期末時点においては国庫補助金の返還を要しないことが確定していなかった。

(2) 当社は、前期において、交付を受けた国庫補助金について国庫補助金収入として収益に計上するとともに、株主資本等変動計算書において特別勘定積立金6,000,000円を計上している。

(3) 当社は、当期の令和7年5月15日に、(1)の国庫補助金と自己資金をもって、国庫補助金の交付の目的に適合した土地を8,000,000円で取得している。

(4) 当社は、当期に取得した土地について、前期に交付を受けた国庫補助金の返還不要が確定したため、剰余金の処分により圧縮積立金7,000,000円を積み立てている。なお、特別勘定に関しては、何ら経理を行っていない。

【答案用紙】

1．圧縮記帳
　(1) 圧縮限度額

　(2) 圧縮超過額

2．特別勘定
　(1) 要取崩額

　(2) 取崩もれ

（単位：円）

	区　分	金　額	留　保	社外流出
加算				
減算				

解 答

1. 圧縮記帳
   (1) 圧縮限度額
   　　5,000,000円＜8,000,000円　　∴　5,000,000円❶
   (2) 圧縮超過額
   　　7,000,000－5,000,000＝2,000,000円
2. 特別勘定
   (1) 要取崩額
   　　5,000,000円
   (2) 取崩もれ
   　　5,000,000－0＝5,000,000円

(単位：円)

	区　分	金　額	留　保	社外流出
加算	圧縮積立金積立超過額（土地）	2,000,000	❸ 2,000,000	
	特別勘定取崩もれ	5,000,000	❸ 5,000,000	
減算	圧縮積立金認定損（土地）	7,000,000	❸ 7,000,000	

解 説

① 圧縮限度額の算式では、返還不要が確定した国庫補助金等と交付目的資産の取得価額のうちいずれか少ない金額が圧縮限度額となっていますが、この他、特別勘定に計上された金額との比較もする必要があります。

② 国庫補助金等の特別勘定は、国庫補助金等の返還をすべきこと又は返還を要しないことが確定した場合に取り崩すことになります。この場合、その確定した国庫補助金等に相当する特別勘定の金額を取り崩さなければなりません。会社で計上した特別勘定を取り崩さなければならないということではありません。

Try it　　特別勘定設定後の圧縮記帳（保険差益）

次の資料により、当社の当期における税務上の調整を示しなさい。

(1) 当社は、前期において、当社が所有する工場建物が火災により全焼したため、焼失した工場建物の焼失直前の帳簿価額30,000,000円及び滅失経費6,000,000円の合計額を、火災損失として前期の費用に計上している。

(2) 焼失した工場建物には、火災保険が掛けられており、当社は火災保険金56,000,000円の支払いを受け、前期の収益に計上している。

(3) 焼失した工場建物に代替する工場建物の取得は当期になる見込み（取得見込額40,000,000円）であったため、前期において当社は特別勘定として10,000,000円を剰余金処分により積み立てた。

(4) 当社は、当期の令和7年10月20日に、取得した保険金により、新工場建物を40,000,000円で取得し、直ちに事業の用に供している。当社は、新工場建物について剰余金処分により17,000,000円を積み立てた。また、償却費として400,000円を計上している。

(5) 新工場建物の耐用年数は50年であり、耐用年数が50年の場合の定額法償却率は0.020である。

答案用紙

1．前期設定の特別勘定
　(1) 滅失経費の額

　(2) 差引保険金等の額

　(3) 保険差益金の額

　(4) 繰入限度額

　(5) 繰入超過額

2．圧縮記帳
　(1) 滅失経費の額

　(2) 差引保険金等の額

　(3) 保険差益金の額

　(4) 圧縮限度額
　　① 特別勘定の金額

　　②

　　③

⑸　圧縮超過額

3．減価償却
　⑴　償却限度額

　⑵　償却超過額

4．特別勘定
　⑴　要取崩額
　⑵　取崩もれ

(単位：円)

	区　分	金　額	留　保	社外流出
加算				
減算				

解　説

1．前期設定の特別勘定
　⑴　滅失経費の額
　　　6,000,000円
　⑵　差引保険金等の額
　　　56,000,000－6,000,000＝50,000,000円
　⑶　保険差益金の額
　　　50,000,000－30,000,000＝20,000,000円
　⑷　繰入限度額
　　　$20,000,000 \times \dfrac{{}^{※}40,000,000}{50,000,000} = 16,000,000$円❶
　　　※　50,000,000円＞40,000,000円　∴　40,000,000円
　⑸　繰入超過額
　　　10,000,000－16,000,000＝△6,000,000　→　0

2．圧縮記帳
　⑴　滅失経費の額
　　　6,000,000円
　⑵　差引保険金等の額
　　　56,000,000－6,000,000＝50,000,000円

(3) 保険差益金の額

　　50,000,000－30,000,000＝20,000,000円

(4) 圧縮限度額

① 特別勘定の金額

　　10,000,000円

② $20,000,000 \times \dfrac{※40,000,000}{50,000,000} = 16,000,000$円 ❶

　　※ 40,000,000円＜50,000,000円　∴　40,000,000円

③ ①＜②　∴　10,000,000円

(5) 圧縮超過額

　　17,000,000－10,000,000＝7,000,000円

3．減価償却

(1) 償却限度額

　　$(40,000,000 － 10,000,000) \times 0.020 \times \dfrac{6}{12} = 300,000$円

(2) 償却超過額

　　400,000－300,000＝100,000円

4．特別勘定

(1) 要取崩額　　10,000,000円

(2) 取崩もれ

　　10,000,000－0＝10,000,000円

（単位：円）

	区　分	金　額	留　保	社外流出
加算	圧縮積立金積立超過額（工場建物）	7,000,000	❷ 7,000,000	
	特別勘定取崩もれ	10,000,000	❷ 10,000,000	
	減価償却超過額（工場建物）	100,000	❷ 100,000	
減算	圧縮積立金認定損（工場建物）	17,000,000	❷ 17,000,000	

解　説

① 本問は前期に特別勘定を設定していますが、その特別勘定の繰入超過額等について資料に示されていないことから、まず、前期の特別勘定の繰入による損金算入額及び繰入超過額の計算を行います。

② 前期において繰り入れた特別勘定は不足額が生じていますので、繰入限度額が税務上の特別勘定の金額となるのではなく、会社計上の特別勘定の金額が税務上の特別勘定の金額となります。

③ 特別勘定の要取崩額は圧縮限度額相当額ですが、設定した金額がその圧縮限度額相当額より少ないため全額を取り崩さなければなりません。

Try it 　　　　　　　　　　　　　　特別勘定設定後の圧縮記帳（買換え）

次の資料により、当社の当期における税務上の調整を示しなさい。

(1) 当社は、集中地域に所在するA土地（平成14年5月1日に取得したものである。）を前期の令和6年10月15日に不動産会社を通じて第三者に対して譲渡している。

(2) 当社が譲渡したA土地に係る譲渡対価の額等の資料は次のとおりである。なお、この譲渡に際し、A土地の上に存していた建物の取壊直前の帳簿価額3,900,000円、取壊しのために業者に依頼した費用の額500,000円及び仲介手数料2,000,000円については、前期の費用に計上している。

譲渡資産	譲渡対価の額	譲渡直前の帳簿価額	面積
A土地	100,000,000円	48,000,000円	200㎡

(3) 当社は、前期において、集中地域以外の地域に所在する土地及び特定施設を取得し、事業の用に供する見込みであったため、この取引に関して譲渡対価の額と譲渡直前の帳簿価額との差額を前期の収益に計上するとともに、剰余金の処分により特別勘定積立金40,000,000円を積み立てていた。

(4) 当社は、令和7年6月12日に前期に譲渡したA土地に係る譲渡対価の額に自己資金を加え、集中地域以外の地域に所在するB土地（面積は1,500㎡である。）を120,000,000円で取得し、特定施設を建設し、事業の用に供している。

(5) 当社は、B土地につき、120,000,000円を取得価額として付すとともに、剰余金の処分により、圧縮積立金40,000,000円を積み立てている。なお、前期に積み立てた特別勘定積立金40,000,000円については、剰余金の処分により全額を取り崩している。

答案用紙

1．前期設定の特別勘定

　(1) 差益割合

　(2) 繰入限度額

　(3) 繰入超過額

2．当期の圧縮記帳

　(1) 差益割合

　(2) 圧縮限度額

　　① 特別勘定の金額

　　②

　　③

(3)　圧縮超過額

3．特別勘定
　(1)　要取崩額

　(2)　取崩もれ

(単位：円)

	区　　　分	金　　額	留　　保	社外流出
加算				
減算				

> 解　答

1．前期設定の特別勘定
　(1)　差益割合
　　　$\dfrac{100,000,000-(48,000,000+3,900,000+500,000+2,000,000)}{100,000,000}=0.456$ ❶
　(2)　繰入限度額
　　　$100,000,000 \times 0.456 \times 80\% = 36,480,000$円
　(3)　繰入超過額
　　　$40,000,000 - 36,480,000 = 3,520,000$円
2．当期の圧縮記帳
　(1)　差益割合
　　　$\dfrac{100,000,000-(48,000,000+3,900,000+500,000+2,000,000)}{100,000,000}=0.456$
　(2)　圧縮限度額
　　①　特別勘定の金額
　　　　$36,480,000$円 ❶
　　②　$100,000,000$円 $> 120,000,000 \times \dfrac{200\text{m}^2 \times 5}{1,500\text{m}^2} = 80,000,000$円　∴　$80,000,000$円
　　　　$80,000,000 \times 0.456 \times 80\% = 29,184,000$円
　　③　①＞②　∴　$29,184,000$円
　(3)　圧縮超過額
　　　$40,000,000 - 29,184,000 = 10,816,000$円

3．特別勘定
(1) 要取崩額
　　36,480,000円
(2) 取崩もれ
　　36,480,000－40,000,000＝△3,520,000円
　　3,520,000円＝3,520,000円　　∴　3,520,000円（認容）

（単位：円）

	区　　分	金　　額	留　　保	社外流出
加算	圧縮積立金積立超過額（B土地）	10,816,000	❷　10,816,000	
	特別勘定取崩額	40,000,000	❷　40,000,000	
減算	圧縮積立金認定損（B土地）	40,000,000	❷　40,000,000	
	特別勘定繰入超過額認容	3,520,000	❷　3,520,000	

解　説

① 本問は前期に特別勘定を設定していますが、その特別勘定の繰入超過額等について資料に示されていないことから、まず、前期の特別勘定の繰入超過額の計算を行います。

② 当期において前期に設定した特別勘定の全額を取り崩しているため、要取崩額である圧縮限度額相当額を超える部分の金額は超過取崩になります。その超過取崩と前期の特別勘定の繰入超過額のいずれか少ない金額が当期に減算されます。

Try it
収用等

次の資料により、当社の当期における税務上の調整を示しなさい。

(1) 当社は、令和7年7月1日に当社が所有するA土地（譲渡直前の帳簿価額32,000,000円）について、公共事業施行者から公共事業のための買取りの申出を受けている。当社は、この買取りの申し出により、令和7年11月15日にA土地を対価補償金55,000,000円及び譲渡経費に充てるための補償金800,000円で譲渡している。なお、この買取りは、その申し出を拒んだ場合には土地収用法の規定により収用されることが確実であると認められるものである。

(2) 当社は、対価補償金及び譲渡経費に充てるための補償金の合計額から譲渡直前の帳簿価額及びこの譲渡に要した経費1,200,000円を控除した金額を当期の収益に計上している。なお、当社はA土地に代替する資産を取得する予定はない。

(3) 当社は、令和7年1月23日に当社が所有する土地をB県の県庁建物建設用地としてB県に対し譲渡しているが、その譲渡益については、前期の確定申告の際に、租税特別措置法第65条の2の規定の適用を受け28,000,000円が前期の損金の額に算入されている。

(4) 当社は、上記の他に令和7年中に圧縮記帳（特別勘定の設定を含む。）又は所得の特別控除の適用対象となる資産の譲渡は行っていないものとする。

(5) 当社は、令和8年1月12日にC市から当社が所有する次の土地及びその上に存する事務所建物について公共事業のための買取りの申出を受けており、令和8年2月15日にC市に対して譲渡している。

なお、この買取りはその申出を拒むときは、土地収用法等の規定に基づいて収用されることが確実と認められるものである。

区 分	取 得 価 額	譲渡直前の帳簿価額
土 地	72,800,000円	72,800,000円
事務所建物	38,000,000円	27,400,000円

（注）事務所建物には、前期からの繰越償却超過額が600,000円ある。

(6) 当社が(5)の買取りによりC市から支払いを受けた譲渡対価の額等の資料は、次のとおりである。

区 分	譲渡対価の額	経費補償金の額
土 地	104,000,000円	8,000,000円
事務所建物	40,000,000円	

（注）経費補償金の額は、譲渡経費に充てるための補償金として交付を受けたものである。

(7) 当社は、令和8年3月23日に上記(6)の譲渡対価の額と自己資金によりD市に土地付き建物を土地126,000,000円、建物（耐用年数38年、定額法償却率0.027）54,000,000円で取得し、直ちに事業の用に供している。

(8) 当社は、この買取りによる譲渡に要した経費として仲介手数料6,400,000円を支出している。

当社は、譲渡対価の額及び経費補償金の額の合計額から譲渡直前の帳簿価額及び仲介手数料の額を控除した金額を当期の収益に計上するとともに、株主資本等変動計算書に土地について圧縮積立金44,000,000円、建物について圧縮積立金5,000,000円を計上している。また、建物についての償却費として800,000円を損金経理している。

(9) 差益割合については、一括して計算するものとする。

答案用紙

1. 収用等の特別控除
   (1) 譲渡益

   (2) 特別控除限度額

   (3)

2. 収用等の圧縮記帳
   (1) 差引対価補償金

   (2) 差益割合

   (3) 圧縮限度額
      ① 土　地

      ② 事務所建物

   (4) 圧縮超過額
      ① 土　地

      ② 事務所建物

3. 減価償却
   (1) 償却限度額

   (2) 償却超過額

(単位：円)

	項　　　　目	金　　額	留　保	社外流出
加算				
減算				

> **解　答**

1．収用等の特別控除

　(1)　譲渡益

　　　$55,000,000-(32,000,000+{}^{※}400,000)=22,600,000$円❶

　　　※　$1,200,000-800,000=400,000$

　(2)　特別控除限度額

　　　$50,000,000-28,000,000=22,000,000$円

　(3)　(1)＞(2)　　∴　$22,000,000$円

2．収用等の圧縮記帳

　(1)　差引対価補償金

　　　$(104,000,000+40,000,000)-{}^{※}0=144,000,000$円

　　　※　$6,400,000-8,000,000=\triangle 1,600,000\ \to\ 0$

　(2)　差益割合

　　　$\dfrac{144,000,000-(72,800,000+27,400,000+600,000)}{144,000,000}=0.3$❶

　(3)　圧縮限度額

　　①　土　地

　　　$126,000,000$円＜$144,000,000$円　　∴　$126,000,000$円

　　　$126,000,000\times 0.3=37,800,000$円❶

　　②　事務所建物

　　　$54,000,000$円＞$144,000,000-126,000,000=18,000,000$円　　∴　$18,000,000$円

　　　$18,000,000\times 0.3=5,400,000$円❶

　(4)　圧縮超過額

　　①　土　地

　　　$44,000,000-37,800,000=6,200,000$円

　　②　事務所建物

　　　$5,000,000-5,400,000=\triangle 400,000\ \to\ 0$

3．減価償却
(1) 償却限度額

$(54,000,000 - 5,000,000) \times 0.027 \times \dfrac{1}{12} = 110,250$円

(2) 償却超過額

$800,000 - 110,250 = 689,750$円

(単位：円)

	項　　目	金　　額	留　　保	社外流出
加算	減価償却超過額 （事務所用建物）	689,750	❶ 689,750	
	圧縮積立金積立超過額 （土　　地）	6,200,000	❶ 6,200,000	
減算	収用等の所得の特別控除額	❶22,000,000		※ 22,000,000
	減価償却超過額認容 （事務所用建物）	600,000	❶ 600,000	
	圧縮積立金認定損 （土　　地）	44,000,000	❶44,000,000	
	（事務所用建物）	5,000,000	❶ 5,000,000	

解説

① 収用等の所得の特別控除と収用等の圧縮記帳等は、その事業年度のうち同一の年に属する期間中は、どちらかに統一して適用する必要がありますが、本問の場合は、令和7年中については特別控除、令和8年中については圧縮記帳の適用を受けることができます。つまり、事業年度又は年のいずれかが異なれば、特別控除と圧縮記帳のどちらの適用も受けることができます。

② 収用等の特別控除は、1暦年5千万円が限度となります。

③ 収用等の特別控除及び圧縮記帳の譲渡経費は、譲渡経費から譲渡経費に充てるための補償金を控除する計算となっており、同じです。また、その計算の結果がマイナスとなる場合には0とします。

④ 圧縮基礎取得価額に充てる順序は、土地、耐用年数の長い減価償却資産、耐用年数の短い減価償却資産の順となります。

⑤ 譲渡資産に繰越償却超過額がある場合には、その繰越償却超過額を譲渡直前の帳簿価額に加算して差益割合の計算を行い、また、減価償却超過額認容の税務調整を行います。

⑥ 積立金経理の場合は、会社計上積立額の減算調整が必要です。また、減価償却資産であっても、圧縮超過額は会社償却費に加算することなく、圧縮積立金積立超過額として加算調整が必要です。

⑦ 減価償却の計算で圧縮記帳により損金の額に算入された金額がある場合には、本来の取得価額から控除して償却限度額の計算を行います。圧縮記帳により損金の額に算入された金額とは会社計上圧縮額と圧縮限度額のいずれか少ない金額です。つまり、圧縮不足額が生じた場合には、会社計上圧縮額が圧縮記帳により損金の額に算入された金額となります。

Try it 先行取得

次の資料により、当社の当期における税務上の調整を示しなさい。

(1) 前期においてA市から機械装置の取得を目的とする補助金4,000,000円の交付を受けている。当社は令和6年12月7日に交付を受けた補助金に自己資金8,000,000円を加えた12,000,000円で交付目的に適合する機械装置（法定耐用年数5年）を取得し、直ちに事業の用に供している。しかし、交付を受けた補助金は、生産能力が一定割合に達した場合に返還不要となる条件付補助金であるため、前期においては返還不要が確定しなかった。当社は、この補助金4,000,000円を仮受金勘定に計上して、特別勘定とした。なお、機械装置について、前期において1,600,000円（税務上の適正額）の減価償却費を計上している。

(2) 当期において、生産能力が一定割合に達したことにより、令和7年6月20日に(1)の補助金4,000,000円の返還不要が確定している。

(3) 当社は、上記のほか、令和7年2月4日に、当社が平成18年8月に取得した集中地域以外の地域に所在するB土地に新たに工場建物（法定耐用年数20年）を240,000,000円で建設するとともに構築物（法定耐用年数5年）を60,000,000円で購入し、工場建物は当月より、構築物は翌月より事業の用に供している。なお、前期において、工場用建物について2,000,000円、構築物について1,000,000円の減価償却費を計上している（税務上の適正額）。

(4) 当社は、令和7年10月24日に工場建物及びその敷地であるC土地を譲渡している。この工場建物及びC土地は平成17年4月に取得したものであり、集中地域に所在するものである。

当社は、この工場建物及びC土地の譲渡について、譲渡対価の額360,000,000円と譲渡直前の帳簿価額171,000,000円との差額189,000,000円を当期の収益に計上するとともに、譲渡経費として9,000,000円を支出し当期の費用に計上している。

(5) 当社は、上記の機械装置、工場用建物及び構築物について、圧縮記帳の適用を受けるため、損金経理により圧縮損を機械装置について4,000,000円、工場建物について100,000,000円、構築物について30,000,000円をそれぞれ計上し、帳簿価額を減額している。

また、これらの資産につき、当期に減価償却費に計上した金額は、次のとおりである。なお、当社は建物については償却方法を選定したことがない。また、建物以外の有形減価償却資産について、選定した償却方法は定率法である。

区　分	減価償却費
工 場 建 物	12,000,000円
機 械 装 置	2,400,000円
構 　築 　物	6,000,000円

(注) 償却率は次のとおりである。

耐用年数	定額法償却率	200%定率法償却率	左記改定償却率	左記保証率
5年	0.200	0.400	0.500	0.10800
10年	0.100	0.200	0.250	0.06552
20年	0.050	0.100	0.112	0.03486

(6) 当社は、当期末における資本金の額が200,000,000円の内国法人である。

答案用紙

1. 国庫補助金等の圧縮記帳
   (1) 圧縮限度額

   (2) 圧縮超過額

2. 買換えの圧縮記帳
   (1) 差益割合

   (2) 圧縮限度額
      ① 工場建物

      ② 構築物

   (3) 圧縮超過額
      ① 工場建物

      ② 構築物

3. 減価償却
   (1) 工場建物
      ① 償却限度額

② 償却超過額

(2) 機械装置1
　① 償却限度額

　② 償却超過額

(3) 構築物
　① 償却限度額

　② 償却超過額

(単位：円)

	項　　　　目	金　　額	留　　保	社外流出
加算				
減算				

解 答

1. 国庫補助金等の圧縮記帳

(1) 圧縮限度額

① 特別勘定の金額

4,000,000円❶

② $(12,000,000 - 1,600,000) \times \dfrac{4,000,000}{12,000,000} = 3,466,666$円

③ ①＞②　∴ 3,466,666円

(2) 圧縮超過額

$4,000,000 - 3,466,666 = 533,334$円（償却費）

2. 買換えの圧縮記帳

(1) 差益割合

$\dfrac{360,000,000 - (171,000,000 + 9,000,000)}{360,000,000} = 0.5$❶

(2) 圧縮限度額

① 工場建物

$240,000,000$円 ＜ $360,000,000$円　∴ $240,000,000$円

$240,000,000 \times 0.5 \times 80\% \times \dfrac{240,000,000 - 2,000,000}{240,000,000} = 95,200,000$円

② 構築物

$60,000,000$円 ＜ $360,000,000 - 240,000,000 = 120,000,000$円　∴ $60,000,000$円

$60,000,000 \times 0.5 \times 80\% \times \dfrac{60,000,000 - 1,000,000}{60,000,000} = 23,600,000$円

(3) 圧縮超過額

① 工場建物

$100,000,000 - 95,200,000 = 4,800,000$円❶（償却費）

② 構築物

$30,000,000 - 23,600,000 = 6,400,000$円❶（償却費）

3. 減価償却

(1) 工場建物

① 償却限度額

$240,000,000 - 95,200,000 \times \dfrac{240,000,000}{240,000,000 - 2,000,000} = 144,000,000$円❶

$144,000,000 \times 0.050 = 7,200,000$円

② 償却超過額

$(12,000,000 + 4,800,000) - 7,200,000 = 9,600,000$円

(2) 機械装置

① 償却限度額

$(12,000,000 - 1,600,000 - 3,466,666) \times 0.400 = 2,773,333$円 ≧ ※$8,000,001 \times 0.10800$

$= 864,000$円❶

※ $12,000,000-(3,466,666+1,600,000\times\dfrac{4,000,000}{12,000,000})=8,000,001$円

∴ 2,773,333円

② 償却超過額

(2,400,000+533,334)-2,773,333=160,001円

(3) 構築物

① 償却限度額

$36,000,000^{※}\times0.200=7,200,000$円

※ $60,000,000-23,600,000\times\dfrac{60,000,000}{60,000,000-1,000,000}=36,000,000$円

② 償却超過額

(6,000,000+6,400,000)-7,200,000=5,200,000円

(単位:円)

	項　　　　目	金　　額	留　　保	社外流出
加算	特別勘定取崩もれ	4,000,000	❶ 4,000,000	
	減価償却超過額			
	（工場用建物）	9,600,000	❶ 9,600,000	
	（機械装置）	160,001	❶ 160,001	
	（構築物）	5,200,000	❶ 5,200,000	
減算				

解説

① 特別勘定経理は、損金経理及び積立金経理の他、収益に計上しないで代わりに仮受金勘定に経理する方法も認められています。

② 先行取得の圧縮限度額は、通常の圧縮限度額について取得価額のうち帳簿価額に対応する部分の金額となります。

③ 先行取得の圧縮記帳をした場合の減価償却の計算の基礎となる取得価額は、圧縮記帳により損金の額に算入された金額を取得価額ベースに計算しなおした金額を本来の取得価額から控除した金額となります。その取得価額は、定額法の償却限度額、定率法の償却保証額の計算の基礎となります。

④ 定率法の調整前償却額の計算は、先行取得の圧縮記帳の場合においても、圧縮記帳により損金の額に算入された金額をそのまま控除して計算します。

⑤ 本問の圧縮記帳は、損金経理帳簿価額減額法のため、その圧縮超過額は、会社計上の償却費に加算して、償却超過額の計算を行っていきます。

Chapter 10

借地権等

Section 1 リース取引

企業会計では、ファイナンス・リース取引は、その経済的な実態が資産を売買したのと同じ状態にあること、借り手において資産及び負債を認識すべきであること等の理由から、原則として売買取引に準じた会計処理を要求しています。法人税法においても、取引の実態に合った処理をすべきという点は考え方が一致しており、所有権移転外リース取引を含めて売買取引として取扱うこととされています。
このSectionでは、リース取引の取扱いを学習します。

1 リース取引の範囲（法64の2③）

税務上のリース取引とは、資産の賃貸借（所有権が移転しない土地の賃貸借等を除きます。）で、次の要件を満たすものをいいます。

> 要件
> (1) その賃貸借に係る契約が、賃貸借期間の中途においてその解除をすることができないもの又はこれに準ずるものであること
> (2) 賃借人がその賃貸借に係る資産からもたらされる経済的な利益を実質的に享受することができ、かつ、その資産の使用に伴って生ずる費用を実質的に負担すべきこととされているものであること

＜図解＞

ファイナンス・リース取引が、これらの要件を満たすリース取引となります。なお、これらの要件を満たしていない場合には、税務上はリース取引に該当しないため、一般の賃貸借として取り扱われます。

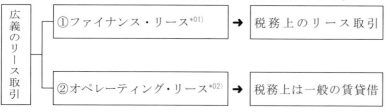

*01) リース会社がリース資産を購入し、資金の融資に代えてそのリース資産を賃貸するリースです。リース資産の保守管理はユーザーが行い、中途解約が実質的に禁止されています。

*02) リース資産の使用そのものを目的としたリースをいい、サービス提供の機能が強いリースです。いわゆるレンタルなどを含みます。

＜リース取引から除外される資産の賃貸借＞

土地の賃貸借のうち、所有権が移転しないものは、使用可能期間が無限であり物理的に劣化しないため、リース取引に該当しないこととされています。また、土地の賃貸借のうち、借地権課税において土地の一部譲渡とされるものについては、リース取引に該当しません。

Memorandum Sheet

2 売買取引とされるリース取引（法64の2①）

1．リース取引の区分

売買取引とされるリース取引は、借り手側の償却方法が分かれる等の理由から、所有権移転リース取引と所有権移転外リース取引とに区分されることになります。

その区分の概要は、次のとおりです。

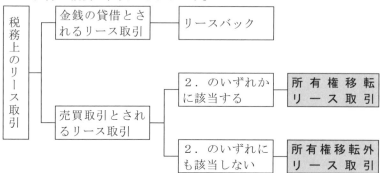

2．所有権移転外リース取引（令58の2⑤五）

所有権移転外リース取引とは、リース取引のうち、次のいずれかに該当するもの（これらに準ずるものを含みます。）以外のものをいいます。

	所有権移転リース取引に該当するもの
①	リース期間終了時又は中途において、そのリース取引の目的とされている資産（以下「目的資産」といいます。）が無償又は名目的な対価の額でその賃借人に譲渡されるもの
②	その賃借人に対し、リース期間終了時又は中途において目的資産を著しく有利な価額で買い取る権利が与えられているもの
③	目的資産の状況に照らし、その使用可能期間中その賃借人によってのみ使用されると見込まれるもの又はその目的資産の識別が困難であると認められるもの
④	リース期間が目的資産の耐用年数に比して相当短いもの（その賃借人の法人税の負担を著しく軽減することになると認められるものに限ります。）

＜使用可能期間中賃借人によってのみ使用されると見込まれるもの＞

目的資産がその使用可能期間を通じて賃借人においてのみ使用され、その後に廃棄されるもので、通常は返還されない（返還されたとしても他に賃貸できない）ため、所有権移転リース取引とされます[01]。

＜識別が困難であると認められるもの＞

リース資産が特定できないような返還不可能な資産を対象としているため所有権移転リース取引とされます[02]。

[01] 建物等を対象とするリースや、賃借人の用途等に応じた特別仕様の機械装置等を対象とするリースが該当します。

[02] 建設現場における仮設資材等が該当します。

＜リース期間が耐用年数に比して相当短いかどうかの判定＞

次の区分に応じ、それぞれ次の場合には、リース期間が耐用年数に比して相当短いとされます（基通7－6の2－7）。

区　分	判　　定
耐用年数10年未満	リース期間＜耐用年数×70％（1年未満切捨）
耐用年数10年以上	リース期間＜耐用年数×60％（1年未満切捨）

＜税負担を著しく軽減することになると認められないもの＞

リース期間がそのリース資産の耐用年数に比して相当短いものであっても、既往のリース取引の状況等からみて、リース期間終了後にそのリース資産が賃貸人に返還されることが明らかなリース取引については、「賃借人の法人税の負担を著しく軽減することになると認められるもの」には該当しません（基通7－6の2－8）。

したがって、売買取引とされるリース取引のうちリース期間終了後に返還されることが明らかなものについては、所有権移転外リース取引として取り扱うことになります。

3．売買取引とされるリース取引の区分

売買取引とされるリース取引は、次のとおり区分されます。

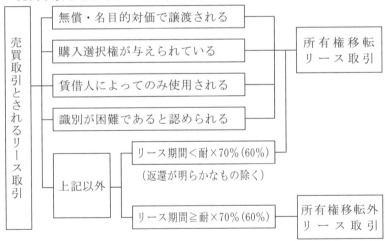

4．賃借人の取扱い

(1) 売買取引とされる場合

内国法人がリース取引を行った場合には、そのリース取引の目的となる資産（以下「リース資産」といいます。）の賃貸人から賃借人への引渡時にそのリース資産の売買があったものとして、その賃貸人又は賃借人である内国法人の各事業年度の所得の金額を計算することとされています。

(2) 取得価額

リース資産の取得価額は、原則としてリース料の総額となります。ただし、法人がその一部を利息相当額として区分した場合には、その区分した利息相当額を控除した金額となります[*03]。

区　分	リース資産の取得価額
原　　則	リース料の総額＋付随費用
利息相当額を区分している場合	（リース料の総額－利息相当額）＋付随費用

[*03] 再リース料の額は、再リースをすることが明らかな場合を除き、リース資産の取得価額に含めません。

(3) 償却方法

リース資産の償却方法は、次の区分に応じそれぞれの方法によります。

区　分	償　却　方　法
所有権移転外リース取引	リース期間定額法
所有権移転リース取引	選定した償却方法（定率法、定額法等）

所有権移転外リース取引についても、企業会計と同様に、売買があったものとして取り扱われます。

(4) リース期間定額法

リース期間定額法による償却限度額は、次の算式により計算します。

基本算式

$$（リース資産の取得価額－残価保証額）\times \frac{その事業年度におけるリース期間の月数}{リース期間の月数}$$

（注）月数に1月未満の端数があるときは、切り上げて1月とします。

① 残価保証額

リース期間終了時にリース資産の処分価額が保証額に満たない場合にその満たない部分の金額を賃借人がその賃貸人に支払うこととされている場合におけるその保証額をいいます。

② リース期間

契約において定められているリース資産の賃貸借の期間をいいます[*04]。

[*04] 再リースに係る賃貸借期間は、再リースをすることが明らかな場合を除き、リース期間に含めません。

(5) 特別償却等との関係

所有権移転リース取引及び所有権移転外リース取引は、いずれも売買取引として取り扱われるため、賃借人においては取得したものとして減価償却の対象となります。しかし、特別償却や圧縮記帳の各制度の適用対象からは、所有権移転外リース取引が除かれています。したがって、所有権移転外リース取引については、特別控除の適用のみを考慮することになります。

リース取引の区分	適用の有無
所有権移転外リース取引	特別償却及び圧縮記帳の適用なし 特別控除の適用あり*05)
所有権移転リース取引	特別償却、特別控除及び圧縮記帳の適用あり*05)

*05) 通常の減価償却資産と同様に、特別控除の対象資産などに該当しなければ、その適用を受けることはできません。

設例1-1　　　　　　　　　　　　　　　　　　　　　　　　　　　所有権移転外リース取引

次の資料により、当社の当期における税務上の調整を示しなさい。特別控除の適用については考慮する必要はない。

(1) 当社は、当期においてリース会社との間で次の内容のリース契約（法人税法に規定するリース取引に該当する。）を締結している。

① 契約締結日　　　　　令和7年7月1日
② リース資産　　　　　機械装置（法定耐用年数は10年のものであり、特別仕様のものではない。）
③ リース期間　　　　　6年
④ リース料の総額　　　36,000,000円（月額リース料500,000円）
⑤ リース資産は、リース期間の終了後はリース会社に返還されるものである。

(2) 当社は、(1)の機械装置に係る引取運賃200,000円を支払い、当期の費用に計上している。また、当期において支払ったリース料の額4,500,000円についても当期の費用に計上している。

(3) 当社は機械装置の償却方法として、定率法を選定しており、法定耐用年数10年の場合の償却率は0.200、保証率は0.06552、改定償却率は0.250である。

解答 (1) 判　定

リース期間の終了後はリース会社に返還　∴　所有権移転外リース取引

(2) 償却限度額

$(36,000,000+200,000) \times \dfrac{9}{6 \times 12} = 4,525,000$ 円

(3) 償却超過額

$(4,500,000+200,000) - 4,525,000 = 175,000$ 円

(単位：円)

区分		金額	留保	社外流出
加算	減価償却超過額（機械装置）	175,000	175,000	
減算				

設例1-2　　　　　　　　　　　　　　　　　　　　　　　所有権移転リース取引

次の資料により、設問の場合ごとに当社の当期における減価償却超過額を計算しなさい。なお、特別償却等については考慮する必要はない。

【設問1】

当社がリース資産の取得価額をリース料の総額38,400,000円とし、減価償却費5,760,000円を計上している場合

【設問2】

当社がリース料の総額をリース資産の取得価額と支払利息相当額とに区分し、取得価額を28,800,000円とした上で減価償却費4,320,000円を計上している場合（利息相当額は適正に処理されているものとする。）

＜資　料＞

(1) 当社は、当期においてリース会社との間で次の内容のリース契約（法人税法に規定するリース取引に該当する。）を締結している。

① 契約締結日　　　　　令和7年8月1日（事業供用日）
② リース資産　　　　　機械装置（法定耐用年数10年）
③ リース期間　　　　　4年
④ リース料の総額　　　38,400,000円（月額リース料800,000円）
⑤ リース料の総額の内訳
　　リース資産の取得価額相当額　　28,800,000円
　　支払利息相当額　　　　　　　　 9,600,000円
　　　合　　計　　　　　　　　　　38,400,000円
⑥ リース資産は、リース期間の終了後は無償で当社に譲渡されるものである。

(2) 当社は機械装置を事業の用に供するに当たり、据付費600,000円を支払い、損金経理している。当社はこの契約に基づいて、リース料6,400,000円を支払っている。

(3) 当社は機械装置の償却方法として、定率法を選定しており、法定耐用年数10年の場合の償却率は0.200、保証率は0.06552、改定償却率は0.250である。

解答 【設問1】

(1) 判　定

リース期間の終了後は無償で譲渡　∴　所有権移転リース取引

(2) 償却限度額

$(38,400,000 + 600,000) \times 0.200 = 7,800,000$円 $\geqq (38,400,000 + 600,000) \times 0.06552$

$= 2,555,280$円

∴　$7,800,000 \times \dfrac{8}{12} = 5,200,000$円

(3) 償却超過額

$(5,760,000 + 600,000) - 5,200,000 = 1,160,000$円

【設問2】

(1) 判　定

リース期間の終了後は無償で譲渡　∴　所有権移転リース取引

(2) 償却限度額

$\{(38,400,000 - 9,600,000) + 600,000\} \times 0.200 = 5,880,000$円 $\geqq \{(38,400,000 - 9,600,000) + 600,000\} \times 0.06552 = 1,926,288$円

∴　$5,880,000 \times \dfrac{8}{12} = 3,920,000$円

(3) 償却超過額

$(4,320,000 + 600,000) - 3,920,000 = 1,000,000$円

3 金銭の貸借とされるリース取引（法64の2②）

1．制度の概要

内国法人が譲受人から譲渡人に対する賃貸（リース取引に該当するものに限ります。）を条件に資産の売買を行った場合において、その資産の状況に照らし、これら一連の取引が実質的に金銭の貸借であると認められるとき[*01]は、その資産の売買はなかったものとし、かつ、その譲受人からその譲渡人に対する金銭の貸付けがあったものとして、その譲受人又は譲渡人である内国法人の各事業年度の所得の金額を計算することとされています。

[*01] **取引当事者の意図、その資産の内容等から、その資産を担保とする金融取引を行うことを目的とするものであるかどうかにより判定します。**

<図解>

リース取引の形態として、賃借人が所有する資産を賃貸人に売却し、賃貸人からその資産のリースを受ける取引が実務上多く行われています。この取引をリースバック取引（セール・アンド・リースバック取引）といいます。

```
        形式上の取引  ←――――→  取引実態

  譲渡人    資産の売却   譲受人        譲渡人    借入金    譲受人
  (賃借人)  ―――――→   (賃貸人)      (賃借人)  ←―――   (賃貸人)
            ←―――――                          ―――→
                対 価                            返 済
             ＋
  譲渡人    資産の賃借   譲受人
  (賃借人)  ―――――→   (賃貸人)
            ←―――――
              リース料
```

リースバック取引を行うことにより、賃借人は資産の売却代金を取得し、同時にその売却した資産の賃借に係るリース料を支払うことになります。この一連の取引は、実質的には、所有資産を担保に資金の貸付けを受けたことと同じ状況だといえます[*02]。したがって、法人税の課税上は、次のように取扱います。

① 売却はなかったものとする。
　　→　譲渡益は益金不算入、譲渡損は損金不算入
② 譲受人から金銭の借入れがあったものとする。
　　→　対価の額は借入金とする。

[*02] この規定は、譲渡人が実質的な借入金の返済額をリース料として損金の額に算入することを防止するためのものです。

2．賃借人の取扱い

(1) 譲渡損益の取扱い

資産の売買はなかったものとされるため、次の税務調整が必要となります。

区分	取扱い	会社経理	税務調整
譲渡益	益金不算入	(現金預金)×× (資 産)×× 　　　　　　　　(譲 渡 益)××	○○譲渡益益金不算入 　　　　(減算留保)
譲渡損	損金不算入	(現金預金)×× (資 産)×× (譲 渡 損)××	○○譲渡損否認 　　　　(加算留保)

(2) 減価償却との関係（基通12の5－2－2）

資産の売買はなかったものとされるため、賃借人においては継続して減価償却を行うことになります。

| 償却費として損金経理をした金額 | → | 賃借料等として損金経理をした金額のうち借入金の元本返済額 |

資産の売買により賃借人が賃貸人から受け入れた金額は、借入金として取り扱うことになります。したがって、賃借人における支払リース料の内訳は、借入金の元本の返済部分と借入金に係る支払利息部分の合計額であると考えます。また、賃借人においては、資産を継続して所有しているものと考えるため減価償却を行いますが、支払リース料のうち借入金の元本返済額については、償却限度額の範囲内において損金算入が認められています。

なお、元本返済額は、次の金額とされます。

原則	通常の金融取引における元本と利息の区分計算の方法に準じて合理的に計算した金額
特例	次の算式により計算した金額 　当期のリース料×$\dfrac{借入金とされる金額}{リース料の額の合計額}$

（注）支払利息部分（当期のリース料－償却費として損金経理をした金額）については、期間経過に応じて損金の額に算入されることになります。

設例1－3　金銭の貸借とされるリース取引

次の資料により、当社の当期における税務上の調整を示しなさい。

(1) 当社は、令和7年5月1日に、平成27年6月に取得し事業の用に供していた機械装置（取得価額45,000,000円、法定耐用年数15年、定率法償却率0.133、改定償却率0.143、保証率0.04565）について、リース会社との間で次の契約を締結している。

① 当社は、リース会社に対して機械装置を30,000,000円で譲渡し、その後直ちにリース期間を5年として同機械装置をリース会社から賃借すること。

② リース料は月額630,000円とすること。

（注） このリース契約は、法人税法に規定するリース取引に該当するものである。また、これらの取引は、実質的に金融取引を行うことを目的とすると認められるものである。

(2) 当社は(1)の取引について、次の経理処理を行っている。

（現　　　　金）　30,000,000円　　（機　械　装　置）　32,500,000円
（機械装置売却損）　2,500,000円
（支 払 リ ー ス 料）　6,930,000円　　（現　　　　金）　6,930,000円

（注） 支払リース料の内訳は、元本の返済に相当する部分の金額5,500,000円及び利息に相当する部分の金額1,430,000円である。

解答

(1) 償却限度額

32,500,000×0.133＝4,322,500円 ≧ 45,000,000×0.04565＝2,054,250円

∴ 4,322,500円

(2) 償却超過額

5,500,000－4,322,500＝1,177,500円

（単位：円）

項目		金額	留保	社外流出
加算	機械装置売却損否認	2,500,000	2,500,000	
	減価償却超過額（機械装置）	1,177,500	1,177,500	
減算				

解説

償却費として損金経理をした金額は、元本の返済に相当する部分の金額の5,500,000円となりますが、この5,500,000円は次のように求めることができます。

$$6,930,000 \times \frac{30,000,000}{630,000 \times 12 \times 5} = 5,500,000円$$

Section 2 借地権

土地を他人に賃貸する場合に、その賃貸に伴って権利金という一時金を収受する慣行がある地域があります。その権利金を収受する慣行のある地域において土地を賃貸した場合に、権利金が収受されなかった場合や通常収受すべき権利金に満たない金額しか収受されていない場合には、贈与部分が生じていることになります。
このSectionでは、借地権の取扱いを学習します。

1 基本的な考え方

借地権の設定に当たっては、その目的となる土地を上地部分と底地部分とに分けて考えることになります。

借地権の設定に当たっては、借地権者は権利金という一時金の支払いを行いますが、権利金を支払った部分は、借地権者が買い取った部分と考えるため、地代（上地の使用料）を支払う必要はない部分となります。一方、権利金の支払いが行われていない部分は、地主の持分として残っていると考えるため、借地権者は底地の使用料としての地代を地主に対して支払うことになります。

＜図解＞

(1) 借地権の基本的考え方は、次のとおりです。

- 借地権（上地）→借地権者の持分 → 地代（上地使用料）の支払いは必要なし
- 底地権（底地）→地主の持分 → 地代（底地使用料）の支払いが必要

(2) 借地権の基本的な考え方から、土地全体のうち①地代の支払いがある部分を底地とし、それ以外の部分（地代の支払いがない部分）を借地権と考えることになります。ここで、実際に収受した権利金の額が、この考えに基づく借地権の価額に満たないときは、何ら対価の収受がない部分（贈与部分）[*01] が生じていることになります。

*01) 地主の立場では、権利金収入を認識するのと合わせて、贈与部分を借り手の区分に応じて寄附金や給与として取り扱うことになります。

- 実際に収受した権利金／贈与部分 → ②地代の支払いがない部分 → 借地権
- 底地権（底地） → ①地代の支払がある部分

2 土地の使用に伴う対価についての所得計算

1．原　則（法22②）

　借地権の設定により収受した権利金は、その事業年度の益金の額に算入されます。また、通常収受すべき権利金を収受しなかった場合等については、その収受しなかった部分についての贈与があったものとして、その贈与部分を寄附金又は給与として取り扱うことになります。

2．特　例（令137）

　借地権（地上権又は土地の賃借権をいいます。）又は地役権の設定により他人に土地を使用させた内国法人については、その使用の対価として通常権利金を収受する取引上の慣行がある場合においても、その権利金の収受に代え、その土地の価額（一部を権利金として収受している場合には、その収受した金額を控除した金額）に照らしその使用の対価として相当の地代を収受しているときは、その土地の使用に係る取引は正常な取引条件でされたものとして、各事業年度の所得の金額を計算することとされています。

＜図解＞

① 権利金の収受がなかったとしても、土地全体の使用料として相当の地代が支払われている場合には、法人税の課税上は正常な取引として取り扱われるため、贈与部分は生じません。

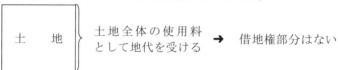

② 土地全体の使用料が支払われていない場合には、その地代の支払われていない部分を借地権と考えます。その借地権の価額相当額の権利金の収受がないときは、贈与部分が生じていることになり、不足する権利金の額について課税上の問題が生ずることになります。

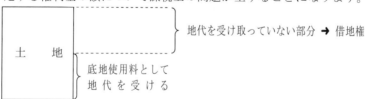

3 借地権設定時の地主の取扱い

1．概　要

借地権設定時における地主の立場では、土地全体に対して収受すべき対価を権利金又は地代として収受していれば課税上の問題は生じませんが、一部でも収受していない部分がある場合には、贈与した部分があることになります。その贈与部分がある場合には、認定課税の問題が生じますが、判定の流れは、次のとおりです。

＜図解＞

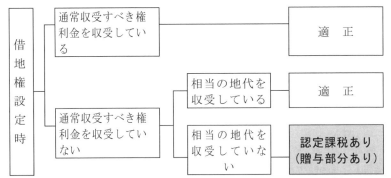

2．相当の地代の計算（基通13－1－2、個別通達）

(1) 原　則

相当の地代は、その相当の地代を収受していれば税務上適正な取引とされ、相当の地代に満たない地代しか収受していなければ、認定課税を行うという判定に用いる地代を指しています。相当地代年額として求めることになりますが、その相当地代年額は、次の算式により計算します。

基本算式

相当地代年額＝（その土地の更地価額－実際収受権利金の額）×6％[*01]

*01）土地の賃貸による運用利率を年利6％として計算しています。

＜図解＞

更地価額

実　際　収　受
権　利　金　の　額

×6％ → 相当地代年額

「土地の更地価額－実際収受権利金の額」により底地と考える部分を算定して、その底地部分について支払いを受けるべき地代年額（相当地代年額）を算定しています。

なお、相当地代年額の計算に使用する土地の更地価額は、借地権設定時の実勢価額によることが原則ですが、公示価格又は相続税評価額のいずれかの価額によることができます。

(2) 相続税評価額による場合

土地の更地価額として相続税評価額を用いる場合の相当地代年額の計算は、次の算式により行います。

> **基本算式**
>
> $$\left[その土地の相続税評価額等 - 実際収受権利金の額 \times \frac{その土地の相続税評価額}{その土地の更地価額（通常取引価額）}\right] \times 6\%$$

（注） 相続税評価額は、次の①と②のいずれか少ない金額によります。
　① 借地権設定年の相続税評価額
　② 借地権設定の年以前3年間の相続税評価額の平均額

＜図解＞

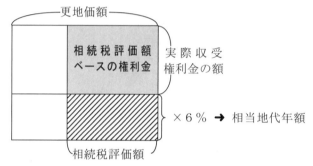

相当地代年額を相続税評価額をベースに計算する場合には、実際収受権利金の額を相続税評価額ベースに引き直して計算する必要があります。

4 権利金の認定（地主）

1．権利金認定額（基通13－1－3）

権利金認定額は、次の算式により計算します。

> **基本算式**
>
> (1) 土地の更地価額（通常の取引価額） $\times \left[1 - \dfrac{実際収受地代年額}{更地としての相当地代年額}\right]$
>
> (2) 通常収受すべき権利金の額
>
> (3) (1)と(2)の少ない方[*01] － 実際収受権利金の額

[*01] (1)の算式で求めた価額と(2)の通常収受すべき権利金の額の少ない方とするのは、通常収受すべき権利金の額を超えての認定課税は行わないという意味です。

（注） (1)の土地の更地価額は、通常の取引価額によりますが、更地としての相当地代年額を計算する場合の更地価額は相続税評価額によることができます。なお、更地としての相当地代年額は、実際に権利金を収受している場合であっても、収受していない場合の相当地代年額として計算します。

＜図解＞
① 地代ベースの借地権割合

(1)の算式は、税務上の借地権の価額を、地代ベースで求めた借地権割合により計算しようとするものです。

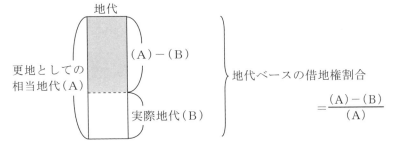

② 借地権の価額

土地の更地価額に①で求めた地代ベースの借地権割合を乗じて借地権の価額を計算します。

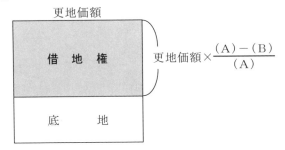

設例2－1　権利金認定額

次の資料により、権利金認定額を計算しなさい。

(1) 土地の更地価額
　① 通常の取引価額　　　　　　　　　　240,000,000円
　② 過去3年間の相続税評価額の平均額　150,000,000円
(2) 通常収受すべき権利金の額　　　　　　190,000,000円
(3) 実際に収受している地代年額　　　　　　2,100,000円
(4) 実際に収受している権利金の額　　　　　　　なし

【解答】

(1) $240,000,000 \times \left(1 - \dfrac{2,100,000}{150,000,000 \times 6\%}\right) = 184,000,000$円

(2) 190,000,000円

(3) (1)＜(2)　∴　184,000,000円

2．経理処理と別表四上の調整

(1) 借地人が法人である場合

借地人が法人である場合において、権利金認定額があるときは、その権利金認定額相当額の贈与があったものとして、次のように取扱うことになります[*02]。

取　扱　い
（寄　附　金）×××　（権利金収入）×××

寄附金の額と権利金収入の額は、結果的には相殺されるため、収益及び費用の認識に関する税務調整は必要ありません。ただし、権利金認定額相当額は、寄附金の額として寄附金の計算に含める必要があります。

[*02] 借地人においては、受贈益が計上されることになります。

(2) 借地人が当社の役員又は使用人である場合

借地人が当社の役員又は使用人である場合において、権利金認定額があるときは、その権利金認定額相当額の給与の支払いがあったものとして、次のように取扱います。

取　扱　い
（賞　　　与）×××　（権利金収入）×××

なお、この給与の額が損金不算入となるときは、別表四において「役員給与の損金不算入額（加算社外流出）」又は「過大使用人給与（加算社外流出）」の税務調整が必要になります。

5 帳簿価額の一部損金算入（令138①）

1．制度の概要

内国法人が借地権等の設定により他人に土地を使用させる場合において、次の要件を満たすときは、一定の金額をその設定日の属する事業年度の損金の額に算入しなければなりません。

適用要件
① 借地権等の設定 … 建物又は構築物の所有を目的とする地上権又は賃借権の設定であること
② 減価割合 … $\dfrac{\text{設定直前の土地の価額}-\text{設定直後の土地の価額}}{\text{設定直前の土地の価額}} \geqq \dfrac{5}{10}$ であること

建物等の所有を目的とする借地権の設定があった場合には、地主においては、その借地権の目的となった土地について長期間にわたり利用制限を受けることになってしまいます。そこで、土地のうち借地権部分については譲渡があったものと考えて、譲渡原価相当額を計算し損金の額に算入することを認めたものです。

2．損金算入額

損金算入額は、次の算式により計算します。

基本算式

$$設定直前の土地の帳簿価額 \times \frac{借地権等の価額}{設定直前の土地の価額}$$

（注）借地権等の価額＝実際収受権利金の額＋権利金認定額

＜図解＞
　設定直前の土地の帳簿価額のうち、借地権等の価額に対応する部分を求め、譲渡原価相当額として損金の額に算入します。

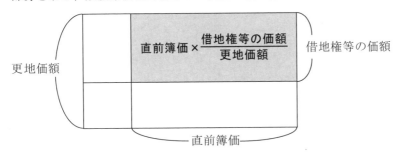

3．経理処理と別表四上の調整

借地権等の設定に伴って、土地の帳簿価額の一部損金算入の規定を適用する場合の経理処理と別表四上の調整との関係は、次のとおりです。

経　理　処　理	税　務　調　整
（原　価）×××（土　地）×××	調整なし（適正）
未処理の場合	土地帳簿価額認定損（減算留保）

なお、未処理であった場合において、翌期以降において経理処理上原価を認識した場合には「土地帳簿価額認定損額否認（加算留保）」の調整が必要になります。

4．他の規定との関係

土地の帳簿価額の一部損金算入の規定の適用がある借地権の設定は、もはや土地を部分的に譲渡したものとして、次の規定等を適用することが認められています。

規　　定
交換の圧縮記帳、特定資産の買換えの圧縮記帳　等

具体的には、権利金収入の額を譲渡対価の額（収益の額）とし、土地の帳簿価額一部損金算入額を譲渡原価の額（費用の額）として、それぞれの規定の適用があります。

5. まとめ

基本算式

(1) 判 定

$$\left[相続税評価額 - 実際収受権利金の額 \times \frac{相続税評価額}{更地としての通常取引価額} \right] \times 6\% = (A)$$

(A) ＞ 実際収受地代年額　∴　権利金認定あり

(2) 権利金認定額

① 土地の更地価額（通常の取引価額） $\times \left[1 - \dfrac{実際収受地代年額}{更地としての相当地代年額（※）} \right]$

　※　相続税評価額 × 6％

② 通常収受すべき権利金の額

③ ①と②の少ない方 － 実際収受権利金の額　→　贈与（寄附金、給与）

(3) 土地帳簿価額の一部損金算入

① 判 定

$$\frac{設定直前の土地の価額 - 設定直後の土地の価額}{設定直前の土地の価額} \geqq \frac{5}{10}$$

∴　適用あり

② 損金算入額

$$設定直前の土地の帳簿価額 \times \frac{借地権等の価額（※）}{設定直前の土地の価額}$$

　※　収受権利金 ＋ 認定権利金

→　土地帳簿価額認定損（減算留保）

設例2-2　　　　　　　　　　　　　　　　　　　　　帳簿価額の一部損金算入

次の資料により、当社の当期における税務上の調整を示しなさい。なお、寄附金の損金不算入については触れる必要はない。

(1) 当社は令和7年4月1日に、当社の得意先であるA社との間で、当社所有のB土地にA社の事業所建物を建設するための借地権設定に伴う賃貸借契約を締結している。その借地権設定契約の内容は次のとおりである。なお、権利金及び地代年額は当期中に現金で収受し、当期の収益に計上している。
   ① 借地権設定に伴う権利金（一時金）　　250,000,000円
   ② 地代年額　　　　　　　　　　　　　　26,100,000円
   ③ 存続期間　　　　　　　　　　　　　　30年

(2) B土地に係る借地権設定直前の帳簿価額等の資料は、次のとおりである。なお、当社はB土地の賃貸借に関して、(1)で行った経理処理以外の処理は一切行っていない。
   ① 借地権設定直前のB土地の帳簿価額　　　　　　71,500,000円
   ② 借地権設定直前のB土地の通常取引価額　　　1,250,000,000円
   ③ 借地権設定直後のB土地の通常取引価額　　　　312,500,000円
   ④ B土地の相続税評価額の過去3年間平均額　　　750,000,000円
   ⑤ B土地の賃借につき通常収受すべき権利金の額　887,000,000円

解答

(1) 判　定
   ① $(750,000,000 - 250,000,000 \times \dfrac{750,000,000}{1,250,000,000}) \times 6\% = 36,000,000$円
   ② ①＞26,100,000円　　∴　認定あり

(2) 権利金認定額
   ① $1,250,000,000 \times (1 - \dfrac{26,100,000}{750,000,000 \times 6\%}) = 525,000,000$円
   ② 887,000,000円
   ③ ①＜②　　∴　①－250,000,000＝275,000,000円（寄附金）

(3) 土地帳簿価額の一部損金算入
   ① 判　定
   $\dfrac{1,250,000,000 - 312,500,000}{1,250,000,000} = 0.75 \geq \dfrac{5}{10}$　　∴　適用あり
   ② 損金算入額
   $71,500,000 \times \dfrac{250,000,000 + 275,000,000}{1,250,000,000} = 30,030,000$円

（単位：円）

	項　　　　目	金　　額	留　保	社外流出
加算				
減算	土地帳簿価額認定損	30,030,000	30,030,000	

6　更新料の取扱い（令139）

1．取扱い

　内国法人が借地権又は地役権の存続期間を更新する場合において、更新料の支払をしたときは、一定の金額をその更新日の属する事業年度の損金の額に算入します。

　この場合において、その支払いをした更新料の額は、その借地権又は地役権の帳簿価額に加算することになります。

2．損金算入額及び帳簿価額の計算

(1) 損金算入額

　更新料の支払いをした場合における損金算入額は、次の算式により計算します。

> **基本算式**
> 更新直前の借地権等の帳簿価額 × $\dfrac{更新料の額}{更新時の借地権等の価額}$

(2) 借地権等の帳簿価額

　更新料の支払いをした場合におけるその後の帳簿価額は、次の算式により計算します。

> **基本算式**
> 更新直前の借地権等の帳簿価額＋更新料の額－損金算入額

＜図解＞

　損金算入額は、更新直前の借地権等の帳簿価額のうち、更新に当たって支払った更新料の額に対応する部分の金額となります。

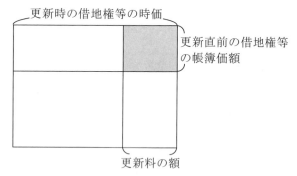

　なお、更新後における借地権の帳簿価額は、更新直前の借地権等の帳簿価額に、支払った更新料の額を加え、損金算入額を控除した金額となります。

3. まとめ

基本算式
(1) 会社計上の簿価
(2) 税務上の簿価
   更新直前の借地権等の帳簿価額＋支払更新料－損金算入額（※）

   ※ 更新直前の借地権等の帳簿価額 × $\dfrac{更新料の額}{更新時の借地権等の価額}$

(3) 計上もれ又は過大計上
   (2)－(1) → 借地権計上もれ（加算留保）
   (1)－(2) → 借地権過大計上（減算留保）

設例2－3　　　　　　　　　　　　　　　　　　　　　更新料

次の資料により、当社の当期における税務上の調整を示しなさい。

(1) 当社は、当社が賃借している借地権について、当期において契約期限が到来したため、その契約を更新するため更新料4,320,000円を支出し、借地権として資産に計上している。

(2) (1)の更新直前の借地権の帳簿価額は9,900,000円であったが、当社は更新に当たりこれを全額費用に計上している。なお、この更新時の借地権の価額は12,000,000円であった。

解答
(1) 会社計上の簿価
　　4,320,000円

(2) 税務上の簿価
　　9,900,000＋4,320,000－※3,564,000＝10,656,000円

　　※ 9,900,000 × $\dfrac{4,320,000}{12,000,000}$ ＝3,564,000円

(3) 計上もれ
　　(2)－(1)＝6,336,000円

（単位：円）

	項　　目	金　額	留　保	社外流出
加算	借地権計上もれ	6,336,000	6,336,000	
減算				

Try it　　　　　　　　　　　　　　　　　　　　　　リース取引、借地権

次の資料により、当社の当期における税務上の調整を示しなさい。

(1) 当社は、当期においてリース会社との間で次の内容のリース契約（法人税法に規定するリース取引に該当する。）を締結している。
　① 契約締結日　　　　令和7年7月1日（事業供用日）
　② リース資産　　　　器具備品（法定耐用年数は10年）
　③ リース期間　　　　6年
　④ リース料の総額　　7,200,000円（月額リース料100,000円）
　⑤ リース資産は、リース期間の終了後に、著しく有利な価額で購入する権利が与えられているものである。

(2) 当社は、(1)の器具備品に係る引取運賃50,000円を支払い、当期の費用に計上している。また、当期において支払ったリース料の額900,000円についても当期の費用に計上している。

(3) 当社は器具備品の償却方法として、定率法を選定しており、法定耐用年数10年の場合の償却率は0.200、保証率は0.06552、改定償却率は0.250である。

(4) 当社は、当社が賃借している借地権について、当期において契約期限が到来したため、その契約を更新するため更新料3,600,000円を支出し、全額雑費勘定に計上している。

(5) (4)の更新直前の借地権の帳簿価額は6,000,000円である。なお、この更新時の借地権の価額は15,000,000円であった。

答案用紙

1．リース取引
　(1) 判　定

　(2) 償却限度額

　(3) 償却超過額

2．借地権
　(1) 会社計上の簿価

　(2) 税務上の簿価

　(3) 計上もれ

(単位:円)

項目	金額	留保	社外流出
加算			
減算			

解 答

1. リース取引
   (1) 判 定
      リース期間の終了後は著しく有利な価額で購入する権利が与えられているもの
      ∴ 所有権移転リース取引❶
   (2) 償却限度額
      $(7,200,000+50,000)\times 0.200=1,450,000$円$\geqq (7,200,000+50,000)\times 0.06552=475,020$円
      ∴ $1,450,000\times\dfrac{9}{12}=1,087,500$円❶
   (3) 償却超過額
      $(900,000+50,000)-1,087,500=\triangle 137,500 \rightarrow 0$❶

2. 借地権
   (1) 会社計上の簿価
      6,000,000円
   (2) 税務上の簿価
      $6,000,000+3,600,000-{}^{※}1,440,000=8,160,000$円❶
      ※ $6,000,000\times\dfrac{3,600,000}{15,000,000}=1,440,000$円❶
   (3) 計上もれ
      (2)-(1)=2,160,000円

(単位:円)

項目	金額	留保	社外流出
加算	借地権計上もれ	2,160,000	❺ 2,160,000	
減算				

> **解説**
>
> ①　法人税法上のリース取引については、所有権移転リース取引と所有権移転外リース取引とがあり、所有権移転リース取引に該当するものは条文に列挙されており、所有権移転外リース取引は所有権移転リース取引に該当しないものです。本問は、リース期間の終了後は著しく有利な価額で購入する権利が与えられているものであるため、所有権移転リース取引に該当します。したがって、償却方法は通常の減価償却資産と同じとなります。
>
> ②　取得価額とすべき金額は、通常の減価償却資産と同じです。したがって、引取運賃は取得価額に算入すべき付随費用となります。取得価額に算入していない場合は、取得価額に算入するとともに会社計上の償却費に加算します。
>
> ③　リース料を費用計上している場合は、そのリース料は償却費に計上したことになります。
>
> ④　借地権は、基本的に減価しない資産ですので、減価償却することはないですが、更新料を支払った場合は、その更新料を支払わないと期間の終了に伴う減価を補充できないと考え、その減価分だけ損金算入できます。更新料自体は借地権の価額を構成します。

Chapter 11
帰属事業年度

Section 1 リース譲渡

資産の販売等による収益やそれに対応する原価の額は、その資産の引渡日の属する事業年度に計上するのが原則です。しかし、代金の回収が分割である場合には、引渡日の属する事業年度で一括して課税を受けたのでは納税資金が不足することも考えられます。このようなことを考慮してリース（税法上のリース取引）資産の譲渡をした場合には、分割して収益や原価の額を計上する延払基準が認められています。
このSectionでは、リース譲渡の取扱いを学習します。

1 リース譲渡（法63）

1．制度の概要

内国法人が、リース譲渡を行った場合において、そのリース譲渡に係る収益の額及び費用の額につき、その事業年度以後の各事業年度の確定した決算において延払基準の方法により経理したときは、その経理した金額は、その各事業年度の益金の額及び損金の額に算入することができます。

＜図解＞

リース譲渡による損益は、他の資産の譲渡と同様に原則として資産を相手方に引渡した日（引渡基準）の属する事業年度で計上されますが、特例として、延払基準が認められています。

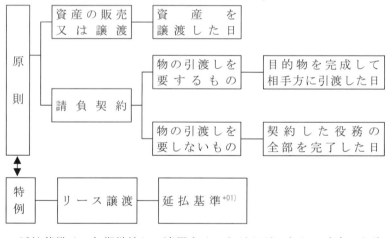

*01）延払基準の適用は、リース譲渡をした個々の資産ごとに選択することができます。

延払基準は、毎期継続して適用することが必要であり、確定した決算において特例を選択することの意思表示として延払基準の方法による経理をしなければなりません。したがって、決算において引渡基準を採用しておき、申告書において延払基準による経理との差額を申告調整することは認められていません。

2．リース譲渡の意義（法63①）

税法上のリース取引によるリース資産の引渡しをいいます。

なお、リース資産の意義は、減価償却の規定では、所有権移転外リース取引のことだけですが、リース譲渡の場合は、所有権移転外リース及び所有権移転リースの両方をいいます。

2 延払基準の方法（令124）

1．延払基準の計算方法

延払基準の方法は、次の算式により計算した金額をその事業年度の収益の額及び費用の額とする方法をいいます。

> 基本算式
> (1) 収益の額
>   対価の額 × 賦払金割合
> (2) 費用の額
>   （原価の額＋手数料の額）× 賦払金割合

2．賦払金割合の計算

(1) 賦払金割合

賦払金割合は、次の算式により計算します。

> 基本算式
> $$\frac{\text{分母のうちその事業年度中に支払期日の到来する賦払金の合計額}}{\text{対価の額}}$$

(2) 税務上の賦払金の額（賦払金割合計算上の分子）

税務上の賦払金の額は、次のように計算します。

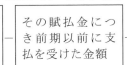

| 当期に支払期日が到来する賦払金の額の合計額 | － | その賦払金につき前期以前に支払を受けた金額 | ＋ | 翌期以後に支払期日の到来する賦払金につき当期中に支払を受けた金額 |

＜図解＞

履行期日	回収状況	税務上の賦払金
前期以前到来分	前期以前回収	
当期到来分 ①	② 当期回収分 / 当期未回収	① －②＋③
翌期以後到来分	当期回収分 ③ / 未回収	

3．延払基準の方法による経理

延払基準の方法による経理には、次の方法があります。

経理方法
⑴　収益分割計上法
⑵　未実現利益控除法

譲渡直前の帳簿価額が1,500円の資産を、リース資産として3,000円で譲渡し、当期中に賦払金1,400円を回収した場合の経理処理は、次のようになります。

⑴　収益分割計上法

経　理　処　理	
（現金預金）　1,400円	（リース譲渡）　1,400円
（譲渡原価）　　700円(注)	（資　　　産）　　700円

（注）$1,500 \times \dfrac{1,400}{3,000} = 700$円

⑵　未実現利益控除法

経　理　処　理	
（譲渡未収金）　3,000円	（リース譲渡）　3,000円
（現　　　金）　1,400円	（譲渡未収金）　1,400円
（譲渡原価）　1,500円	（資　　　産）　1,500円
（未実現利益控除）　　800円(注)	（未実現利益）　　800円

（注）$(3,000 - 1,500) \times \dfrac{3,000 - 1,400}{3,000} = 800$円

3 経理しなかった場合（法63）

延払基準の適用を受けた法人が、その後のいずれかの事業年度の確定した決算において、延払基準の方法により経理しなかった場合には、そのリース譲渡に係る収益の額及び費用の額（既に益金の額及び損金の額に算入したものを除きます。）は、その経理しなかった事業年度の益金の額及び損金の額に算入しなければなりません[01]。

*01) 延払基準の方法により経理しなかった場合には、その経理しなかった資産についてのみ、その後の事業年度において延払基準の適用がありません。
なお、費用には、法人の使用人たる外交員等に対して支払う歩合給、手数料等で所得税法第204条《源泉徴収義務》に規定する報酬等に該当するものも含まれます。

＜具体例＞

前期において、次の資産を譲渡している。

譲渡対価	譲渡原価	税務上の賦払金		
		前　期	当　期	翌　期
1,000円	250円	400円	300円	300円

前期は延払基準により経理していますが、当期においては延払基準による経理を行っていない場合の税務上の取扱い（計上すべき収益及び費用の額）は、次のとおりです。

前　期	当　期
(1) 収益の額 　　$1,000 \times \dfrac{400}{1,000} = 400$円 (2) 費用の額 　　$250 \times \dfrac{400}{1,000} = 100$円	(1) 収益の額 　　$1,000 - 400 = 600$円 (2) 費用の額 　　$250 - 100 = 150$円

延払基準は、延払基準の方法により経理をすることが適用要件となります。したがって、その経理をしなかった当期においては、延払基準は適用できません。当期においては税務上、既に認識された収益の額及び費用の額を除いた収益の額及び費用の額の全額を認識することになります。なお、賦払金の回収は残っていますが、翌期において延払基準を適用することはできません。

4 まとめ

基本算式
(1) 収益の額
　　対価の額×※賦払金割合
　　※ 賦払金割合

$$\dfrac{\text{当期支払期日到来分の賦払金の合計額} - \text{当期支払期日到来分のうち前期以前に支払を受けた金額} + \text{翌期以後支払期日到来分のうち当期中に支払を受けた金額}}{\text{対価の額}}$$

(2) 費用の額
　　（原価の額＋手数料の額）×賦払金割合

設例1—1　　　　　　　　　　　　　　　　　　　　　　　　　　　　　　　　リース譲渡

次の資料により、当社の当期において収益分割計上法により経理する場合の収益の額及び費用の額を求めなさい。

(1) 当社は、令和7年5月1日に倉庫建物（帳簿価額は30,000,000円である。）を、A社に対してリース（法人税法上のリース取引に該当する。）している。このリースは、次の条件により実行されている。なお、外交員に対する契約手数料が600,000円ある。

① リース料の総額　　60,000,000円

② 対価支払方法　　令和7年5月末日を初回として、毎月月末にリース期間の5年に渡って1,000,000円ずつのリース料である。

(2) 当社は、収益分割計上法により経理処理することとしている。

解答

(1) 収益の額

$$60,000,000 \times \frac{1,000,000 \times 11}{60,000,000} = 11,000,000 円$$

(2) 費用の額

$$(30,000,000 + 600,000) \times \frac{1,000,000 \times 11}{60,000,000} = 5,610,000 円$$

Section 2 工事の請負

工事の請負による収益や原価の額は、その引渡日の属する事業年度に計上するのが原則です。しかし、各事業年度の業績を適正に所得に反映させるため、長期大規模工事については工事進行基準を強制的に適用し、その他の一定の工事については選択で工事進行基準を適用することができます。
このSectionでは、工事の請負の取扱いを学習します。

1 概　要

工事の請負による損益は、原則として工事が完成し相手方に引渡した日（工事完成基準）の属する事業年度で計上されますが、長期大規模工事については工事進行基準が強制され、一定の工事については工事進行基準により経理することが認められています。

<図解>

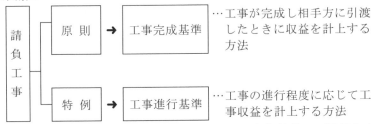

任意適用の場合の工事進行基準については、毎期継続して適用することが必要であり、着工事業年度から工事進行基準の方法による経理が必要なため、着工事業年度は工事完成基準を採用し、その翌年から工事進行基準を採用するといった方法は認められません。

なお、損失が生ずると見込まれる工事についても、工事進行基準を採用することができます。

2 工事の請負

1．長期大規模工事の請負（法64①、令129②）

(1) 制度の概要

内国法人が、長期大規模工事の請負をしたときは、その着工事業年度からその目的物の引渡事業年度の前事業年度までの各事業年度の所得の金額の計算上、その長期大規模工事の請負に係る収益の額及び費用の額のうち、その各事業年度の収益の額又は費用の額として工事進行基準の方法により計算した金額を、益金の額及び損金の額に算入することになります。

つまり、長期大規模工事については、工事進行基準が強制的に適用されるということです。

(2) 長期大規模工事の意義

長期大規模工事とは、工事（製造及びソフトウエアの開発を含みます。）のうち、次の要件を満たすものをいいます。

要　　件
① 着手日から契約に定められている目的物の引渡期日までの期間が1年以上であること。
② 請負対価の額が、10億円以上であること。
③ 契約において、請負対価の額の$\frac{1}{2}$以上が目的物の引渡期日から1年を経過する日後に支払われることが定められていないものであること。

2. 長期大規模工事以外の工事の請負（法64②）

内国法人が、工事（着工事業年度中にその目的物の引渡しが行われないものに限るものとし、長期大規模工事を除きます。）の請負をした場合において、その工事の請負に係る収益の額及び費用の額につき、着工事業年度からその目的物の引渡事業年度の前事業年度までの各事業年度の確定した決算において工事進行基準の方法により経理したときは、その経理した金額は、その各事業年度の益金の額及び損金の額に算入することができます[01]。

*01) **長期大規模工事以外の工事**については、工事進行基準は、任意適用になりますが、例えば、A工事は工事完成基準、B工事は工事進行基準といったように、個々の工事ごとに選択することができます。

3 工事進行基準の方法（令129③）

1. 工事進行基準の計算方法

工事進行基準の方法は、次の算式により計算した金額をその事業年度の収益の額及び費用の額とする方法をいいます。

基本算式
(1) 収益の額
　請負対価の額×進行割合－前期までに計上した収益の額
(2) 費用の額
　期末見積総工事原価×進行割合－前期までに計上した費用の額

なお、進行割合は次の算式により計算します。

$$\frac{既に要した原材料費・労務費・経費の額}{期末見積総工事原価}$$

この算式は、工事進行程度を「見積総工事原価」に対する「実際投入原価」の割合により算定するものです。

2．工事進行基準の方法による経理

工事進行基準の方法による経理の基本的な仕訳は次のとおりです。

取引の区分	基本的な仕訳
工事代金の前受け	（現　　金）×××　（未成工事受入金）×××
工事原価の発生	（未成工事支出金）×××　（原材・労務・経費）×××
完成工事高の計上	（未成工事受入金）×××　（完成工事高）××× （完成工事未収入金）×××
完成工事原価の計上	（完成工事原価）×××　（未成工事支出金）×××

4 経理しなかった場合（法64②）

長期大規模工事以外の工事について、着工事業年度後のいずれかの事業年度の確定した決算において工事進行基準の方法により経理しなかった場合には、その経理しなかった決算に係る事業年度の翌事業年度以後の事業年度については、工事進行基準の適用を受けることはできません[01]。

工事進行基準は、継続して適用することが必要ですが、継続適用を破ったその工事については、以後において工事進行基準の適用はできないことを示しています。

[01] 長期大規模工事については、工事進行基準の適用が強制されるためこの規定の適用はありません。

5 まとめ

基本算式

長期大規模工事の判定

(1) 着手日から目的物の引渡期日までの期間が1年以上

(2) 請負対価の額が10億円以上

(3) 契約において、請負対価の額の$\frac{1}{2}$以上が目的物の引渡期日から1年を経過する日後に支払われることが定められていないもの

基本算式

(1) 収益の額

　　請負対価の額×※進行割合－前期までに計上した収益の額

　　※　進行割合

$$\frac{既に要した原材料費・労務費・経費の額}{期末見積総工事原価}$$

(2) 費用の額

　　期末見積総工事原価×進行割合－前期までに計上した費用の額

設例2-1　　　　　　　　　　　　　　　　　　　　　　　　　　　　　　　　　工事進行基準

次の資料により、当社の当期において計上すべき収益の額及び費用の額を計算するとともに、当期末における完成工事未収入金を計算しなさい。

(1) 当期末までに当社が請負をした工事に関する資料は次のとおりである。なお、前期末までの工事利益の計上は、税務上適正に行われている。

種類	工事着工日	引渡期日	工事請負高	当期末現況見積(確定)工事原価	当期支出工事原価	前期末まで要した工事原価合計額
A工事	令和5年6月1日	令和7年12月31日	400,000千円	200,000千円	40,000千円	160,000千円
B工事	令和5年10月1日	令和9年9月30日	550,000千円	300,000千円	75,000千円	150,000千円
C工事	令和7年4月12日	令和8年3月31日	210,000千円	136,500千円	136,500千円	―
D工事	令和7年8月1日	令和10年7月31日	450,000千円	200,000千円	70,000千円	―

(2) 当社は、工事の請負につき工事進行基準による経理を行っており、当期についても同様の経理を行うものとする。なお、前期末までに工事進行基準により計上した工事収益の額はA工事320,000千円、B工事275,000千円であり、工事費用の額はA工事160,000千円、B工事150,000千円である。

(3) 当社が当期末までに各工事につき受入れた金額はA工事350,000千円、B工事300,000千円、C工事180,000千円、D工事62,500千円である。

(4) 当社は、建設業を営む資本金の額が500,000,000円の内国法人である。

解答
(1) 収益の額

① A工事（工事進行基準・引渡事業年度）
　400,000,000－320,000,000＝80,000,000円

② B工事（工事進行基準）
　$550,000,000 \times \dfrac{75,000,000+150,000,000}{300,000,000} - 275,000,000 = 137,500,000$円

③ C工事（工事完成基準）
　210,000,000円

④ D工事（工事進行基準）
　$450,000,000 \times \dfrac{70,000,000}{200,000,000} = 157,500,000$円

⑤ 合計
　①＋②＋③＋④＝585,000,000円

解答

(2) 費用の額

① A工事

$200,000,000 - 160,000,000 = 40,000,000$ 円

② B工事

$300,000,000 \times \dfrac{75,000,000 + 150,000,000}{300,000,000} - 150,000,000 = 75,000,000$ 円

③ C工事

$136,500,000$ 円

④ D工事

$200,000,000 \times \dfrac{70,000,000}{200,000,000} = 70,000,000$ 円

⑤ 合　計

①＋②＋③＋④＝$321,500,000$ 円

(3) 完成工事未収入金

① A工事

$400,000,000 - 350,000,000 = 50,000,000$ 円

② B工事

$(275,000,000 + 137,500,000) - 300,000,000 = 112,500,000$ 円

③ C工事

$210,000,000 - 180,000,000 = 30,000,000$ 円

④ D工事

$157,500,000 - 62,500,000 = 95,000,000$ 円

⑤ 合　計

①＋②＋③＋④＝$287,500,000$ 円

Try it 工事進行基準

次の資料により、当社の当期における税務上の調整を示しなさい。

(1) 当期末までに当社が請負をした工事に関する資料は次のとおりである。なお、前期末までの工事利益の計上は、税務上適正に行われている。

種　類	工事着工日	引渡期日	工事請負高	当期末現況見積 (確定)工事原価	当期支出 工事原価	前期末まで要した 工事原価合計額
A工事	令和6年11月12日	令和8年5月31日	800,000千円	500,000千円	300,000千円	160,000千円
B工事	令和6年12月1日	令和8年10月31日	1,000,000千円	570,000千円	171,000千円	256,500千円
C工事	令和7年6月12日	令和10年3月31日	1,100,000千円	650,000千円	180,000千円	―
D工事	令和7年9月2日	令和10年7月31日	1,200,000千円	760,000千円	228,000千円	―

(2) 当社は、工事の請負につき工事完成基準による経理を行うこととしているため、上記工事につき、当期において収益及び費用に計上した金額はない。なお、B工事においては、前期までに収益の額として450,000,000円が加算調整され、費用の額として256,500,000円が減算調整されている。

(3) 当社が各工事につき工事代金の収受の予定は、C工事を除いて、引渡し期日の翌日から1年以内に請負対価の額の全額収受となっている。C工事ついては、引渡し期日までに請負対価の額の10%相当額を、引渡し期日の翌日から1年以内に請負対価の額の20%相当額を、さらに1年以内に請負対価の額の残額を収受することとなっている。

(4) 当社は、建設業を営む資本金の額が500,000,000円の内国法人である。

答案用紙

(1) 長期大規模工事の判定

① A工事

② B工事

③ C工事

④ D工事

(2) 収益の額

① B工事
　(イ) 会社計上額

　(ロ) 税務上の金額

　(ハ) 計上もれ

② D工事
　(イ) 会社計上額

　(ロ) 税務上の金額

　(ハ) 計上もれ

(3) 費用の額
　①　B工事
　　(イ)　会社計上額

　　(ロ)　税務上の金額

　　(ハ)　計上もれ

　②　D工事
　　(イ)　会社計上額

　　(ロ)　税務上の金額

　　(ハ)　計上もれ

(単位：円)

	項　　　目	金　　額	留　　保	社外流出
加算				
減算				

解 答

(1) 長期大規模工事の判定

① A工事

請負対価の額　10億円未満❶　　∴　該当しないため、適正

② B工事

(イ) 着手日から引渡日までの期間　1年以上❶

(ロ) 請負対価の額　10億円以上

(ハ) 契約において、請負対価の額の$\frac{1}{2}$以上が目的物の引渡期日から1年を経過する日後に支払われることが定められていない。

∴　該　当

③ C工事

契約において、請負対価の額の$\frac{1}{2}$以上が目的物の引渡期日から1年を経過する日後に支払われることが定められている。　　∴　該当しないため、適正❶

④ D工事

(イ) 着手日から引渡日までの期間　1年以上

(ロ) 請負対価の額　10億円以上

(ハ) 契約において、請負対価の額の$\frac{1}{2}$以上が目的物の引渡期日から1年を経過する日後に支払われることが定められていない。❶

∴　該　当

(2) 収益の額

① B工事

(イ) 会社計上額

0

(ロ) 税務上の金額

$1,000,000,000 \times \dfrac{171,000,000 + 256,500,000}{570,000,000} - 450,000,000 = 300,000,000$円❶

(ハ) 計上もれ

$300,000,000 - 0 = 300,000,000$円

② D工事

(イ) 会社計上額

0

(ロ) 税務上の金額

$1,200,000,000 \times \dfrac{228,000,000}{760,000,000} = 360,000,000$円

(ハ) 計上もれ

$360,000,000 - 0 = 360,000,000$円

(3) 費用の額
　① B工事
　　(イ) 会社計上額
　　　　0
　　(ロ) 税務上の金額
$$570,000,000 \times \frac{171,000,000 + 256,500,000}{570,000,000} - 256,500,000 = 171,000,000 円$$
　　(ハ) 計上もれ
　　　　171,000,000 － 0 ＝ 171,000,000円
　② D工事
　　(イ) 会社計上額
　　　　0
　　(ロ) 税務上の金額
$$760,000,000 \times \frac{228,000,000}{760,000,000} = 228,000,000 円❶$$
　　(ハ) 計上もれ
　　　　228,000,000 － 0 ＝ 228,000,000円

(単位：円)

	項　　　目	金　　額	留　　保	社外流出
加算	工 事 収 益 計 上 も れ 　　　　（B　工　事） 　　　　（D　工　事）	 300,000,000 360,000,000	 ❶300,000,000 ❶360,000,000	
減算	工 事 原 価 計 上 も れ 　　　　（B　工　事） 　　　　（D　工　事）	 171,000,000 228,000,000	 ❶171,000,000 ❶228,000,000	

解説

① 長期大規模以外の工事については、工事進行基準の適用を受けるためには、確定した決算において工事進行基準の経理をしなければ認められませんが、長期大規模工事に該当した場合は、工事進行基準の強制適用となります。

② A工事については、長期大規模工事に該当しないため、工事完成基準により収益及び費用を計上することになります。当期において完成していないため、収益及び費用の計上は要しません。

③ C工事は請負対価の額の収受する日が先送りされているため、長期大規模工事に該当しません。長期大規模工事は、収益及び費用の繰上げ計上です。納税資金が確保できないのに、工事進行基準を強制適用するのには無理があるため、長期大規模工事の要件となっています。

④ 工事進行基準により計上すべき収益及び費用は、当期までの進行割合を乗じて算出します。つまり、前期に計上された収益及び費用は、その進行割合を乗じた金額から控除することになります。B工事は、会社経理で前期において収益及び費用を計上していませんが、税務上、前期の別表四において収益計上もれ及び費用計上もれと加算されていることになります。

Chapter 12

欠損金

Section 1 欠損金の繰越し

各事業年度の所得の金額は、事業年度単位で計算することを原則としているため、前期以前に生じた欠損金額(税務上の赤字)を当期の所得計算に影響させることは原則としてできません。しかし、企業資本の維持等の理由から一定の要件の下、事業年度間の損益通算を行うことを認めています。この制度を「欠損金の繰越し」といいます。このSectionでは欠損金の繰越控除を学習します。

1 欠損金額の意義（法2十九）

欠損金額とは、各事業年度の所得の金額の計算上その事業年度の損金の額がその事業年度の益金の額を超える場合のその超える部分の金額をいいます[*01]。

*01) いわゆる税務上の赤字の金額（マイナスの所得金額）を指しています。所得金額と当期純利益の額が異なるように、企業会計における当期純損失の額とは異なります。

＜所得金額と欠損金額＞

所得金額	＝	その事業年度の益金の額	－	その事業年度の損金の額
欠損金額	＝	その事業年度の損金の額	－	その事業年度の益金の額

2 繰越控除（法57）

各事業年度開始の日前10年（適用上、当期は実質9年）以内に開始した青色申告書[*01]を提出する事業年度において生じた欠損金額は、その発生年度の古いものから順次、この繰越控除を行う前の当期の所得金額を限度として、当期の損金の額に算入されます。

*01) 青色申告制度は、納税者が所定の帳簿書類を備え付け税務署長の承認を受けたときに、青色の用紙の申告書を提出することができるという制度です。青色申告書を提出する法人は、税務上の各種の特典が受けられます。なお、図解は7年間ですが、9年間繰越控除できます（平成30年4月1日前に開始した事業年度において生じた欠損金額の繰越期間は9年間です。）。

＜図解＞

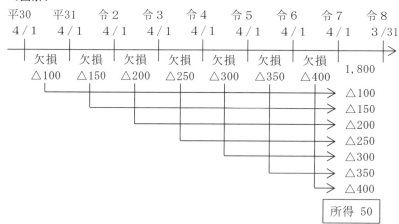

1．適用要件

次の要件に該当している場合に限り適用されます。

適　用　要　件
(1)　欠損金額の発生事業年度について青色申告書である確定申告書を提出していること。
(2)　その後において連続して確定申告書を提出していること。

2．繰越控除の対象となる欠損金額

青色申告書を提出する事業年度において生じた欠損金額が対象となりますが、次のものは除かれます。

除外される欠損金額
(1)　当期から9年超前に生じた欠損金額
(2)　この規定によりすでに損金の額に算入されたもの
(3)　欠損金の繰戻し還付の計算の基礎となったもの[*02]

3．損金算入額

損金算入額は、繰越控除を行う前の当期の所得金額を限度[*03]とするため、次のように計算します。

> **基本算式**
> (1)　控除対象欠損金額
> (2)　別表四差引計（×50%[*04]）
> (3)　(1)と(2)のいずれか少ない方
> → 欠損金等の当期控除額（差引計の下・減算※社外流出）

4．別表四の表示

欠損金等の当期控除額は、別表四差引計の金額を限度[*04]として控除するため、別表四上では差引計の欄の次に記載します。なお、金額に△（マイナス）を付す必要があります。

＜別表四＞

内　　容	金　額	留　保	社外流出
仮　　　計			
合　　　計			
差　引　計			
欠損金等の当期控除額	△　××		※△××
総　　　計			
所　得　金　額			

[*02] 欠損金の繰越しの対象と同様に、青色申告書を提出した事業年度の欠損金を対象とする制度です。他の制度の適用対象とした欠損金は繰越控除の対象とすることはできません。

[*03] 所得金額を超えて控除を認めると、その超える部分が新たな欠損金額となり「9年間」を超えて繰越控除が可能となってしまうため、一定の所得金額を限度として控除することとされています。

[*04] 中小法人以外の法人については、損金算入額は別表四差引計の50%が限度となります（平成24年3月期以前は100%、平成25年3月期、平成26年3月期及び平成27年3月期については80%、平成28年3月期については65%、平成29年3月期については60%、平成30年3月期については55%認められていました。）。なお、期末資本金1億円以下の法人のうち、大法人（資本金5億円以上の法人）による完全支配関係（100%の支配関係をいいます。）があるものを非中小法人といい、非中小法人以外を中小法人といいます。

設例1-1　欠損金の繰越し

次の資料により、当社の当期における欠損金等の当期控除額を計算し、別表四（一部）を完成させなさい。

(1) 前期において8,000,000円の欠損金額が生じている。なお、前期において欠損金の繰戻し還付の規定の適用は受けていない。
(2) 当期の法人税申告書別表四の差引計の欄に記載されている金額は15,000,000円である。
(3) 当社は設立以来連続して青色の申告書により確定申告書を提出している。
(4) 当社の期末資本金の額は100,000,000円であり、株主は全て個人である。

解答　8,000,000円＜15,000,000円　∴　8,000,000円

別表四　　　　　　　　　　　　　　　　　　　　　　　　　　　（単位：円）

内　容	金　額	留　保	社外流出
合　計・差　引　計	15,000,000	××	××
欠損金等の当期控除額	△8,000,000		※△8,000,000
総　計	7,000,000		
所　得　金　額	7,000,000		

解説

欠損金等の当期控除額は、次のように求めています。

8,000,000円　＜　15,000,000円　∴　8,000,000円
控除対象欠損金額　　別表四差引計

Section 2 欠損金の繰戻し還付

青色欠損金については、繰越控除が認められていますが、欠損金が生じた後、当分の間業績の回復が見込まれない場合等には、繰越控除制度での救済は不可能です。そこで、この場合における救済措置として、繰越控除制度との選択により、前1年間の法人税額について繰戻しによる還付が認められています。
このSectionでは欠損金の繰戻し還付を学習します。

1 制度の概要（法80）

1．還付の請求

青色申告書である確定申告書を提出する事業年度において生じた欠損金額がある場合には、その内国法人は、その申告書の提出と同時に、納税地の所轄税務署長に対し、次の法人税額の還付を請求することができます。

> **還付請求額**
>
> 還付所得事業年度の法人税額 × $\dfrac{\text{欠損事業年度の欠損金額}}{\text{還付所得事業年度の所得金額}}$

（注）欠損事業年度とは、欠損金額に係る事業年度をいいます[*01]。
還付所得事業年度とは、欠損事業年度開始の日前1年以内に開始したいずれかの事業年度をいいます[*02]。

*01) 還付請求を行う事業年度（当期）を指しています。

*02) 一年決算法人を前提とした場合の「前期」を指しています。

2．申告要件

1.の規定は、還付所得事業年度から欠損事業年度の前事業年度まで連続して青色申告書である確定申告書を提出し、欠損事業年度の青色申告書である確定申告書をその提出期限までに提出した場合に限り、適用されます。

つまり、還付所得事業年度から欠損事業年度に至るまで全て青色申告書を提出していることが要件とされ、さらに、欠損事業年度においては、期限内申告が必要とされます。

<図解>

3．還付請求額

(1) 基本算式

還付請求額は、次の算式により計算します。

基本算式

$$還付所得事業年度の法人税額 \times \frac{欠損事業年度の欠損金額（注）}{還付所得事業年度の所得の金額}$$

（注） 分母の金額が限度となります。

(2) 還付所得事業年度の法人税額

還付所得事業年度の法人税額は、次の金額となります。

基本算式

$$差引所得に対する法人税額 + [所得税額控除 + 外国税額控除] - 使途秘匿金に係る特別税額$$

（注） 法人税の附帯税は除きます。

＜欠損金の繰戻し還付の不適用＞

欠損金の繰戻し還付の規定は、次の法人以外の法人の各事業年度において生じた欠損金額については、適用できません。

ただし、清算中に終了する事業年度等を除きます。

① 普通法人のうち、その事業年度終了時の資本金の額が1億円以下であるもの（大法人による完全支配関係があるものを除きます。）又は資本を有しないもの

② その他一定の法人

---

2 繰越控除との関係

青色申告法人の場合には、欠損金の繰越控除にするか、欠損金の繰戻し還付にするかは法人が任意に選択することになります。さらに一部繰越控除一部繰戻し還付と区分して適用することもできます。この場合には、繰戻し還付の計算の基礎となった欠損金額を繰越控除の対象となる欠損金額から除いて計算することになります。

＜図解＞

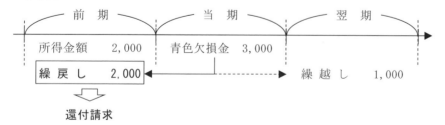

当期に生じた青色申告書を提出した事業年度の欠損金3,000について、前期に繰戻した2,000は繰越控除の対象とはならないため、残額の1,000が、翌期以降に繰越控除の対象となっていきます。

設例2−1　欠損金の繰戻し還付

次の資料により、当社の前期における還付請求額及び当期における欠損金等の当期控除額を示しなさい。

(1) 当社の当期以前3年間の所得金額又は欠損金額及び法人税額は、次のとおりである。

事 業 年 度	所得金額又は欠損金額
令和5年4月1日～令和6年3月31日	9,000,000円
令和6年4月1日～令和7年3月31日	△ 18,000,000円
令和7年4月1日～令和8年3月31日	12,000,000円

（注）令和6年3月期における法人税額は1,434,000円である。なお、当期の所得金額は、欠損金の当期控除額控除前の金額である。

(2) 当社は、製造業を営む期末における資本金の額が1億円の内国法人である（株主は全て個人である。）。なお、設立以来連続して青色の申告書により確定申告を行っている。

解答

1．前期の還付請求額

$$1,434,000 \times \frac{9,000,000}{9,000,000} = 1,434,000円$$

2．当期の欠損金等の当期控除額

$18,000,000 - 9,000,000 = 9,000,000円 < 12,000,000円$　　∴　9,000,000円

Section 3 災害損失欠損金額

青色申告書を提出していない法人の欠損金額は、原則として繰越控除は認められていません。しかし、その欠損金額が災害により生じた損失に係るものである場合には、その災害という特殊性に着目して繰越控除が認められています。
このSectionでは、災害損失金の取扱いを学習します。

1 繰越控除（法58）

各事業年度開始の日前10年（適用上、当期は実質9年）以内に開始した事業年度において生じた災害損失欠損金額は、その発生年度の古いものから順次、この繰越控除を行う前の当期の所得金額を限度として、当期の損金の額に算入されます。

＜図解＞

白色申告法人については、欠損金額のうち、災害損失に係る部分の金額のみが繰越控除の対象となります。

（注）（　）書きは、欠損金額のうち災害損失に係る部分の金額を示しています。

1．適用要件

次の要件に該当している場合に限り適用されます。

適　用　要　件
(1)　災害損失欠損金額の生じた事業年度においてその計算に関する明細を記載した確定申告書を提出していること。
(2)　その後において連続して確定申告書を提出していること。

2．繰越控除の対象となる欠損金額

欠損金額のうち、棚卸資産、固定資産又は一定の繰延資産について災害により生じた損失に係るもの（災害損失欠損金額）が対象となりますが、次のものは除かれます。

除外される欠損金額
(1)　青色申告書を提出した事業年度の欠損金
(2)　当期から9年超前に生じた欠損金額
(3)　この規定によりすでに損金の額に算入されたもの

3．損金算入額

損金算入額は、繰越控除を行う前の当期の所得金額を限度[*01]とするため、次のように計算します。

> **基本算式**
> (1)　災害損失欠損金額
> (2)　別表四差引計（×50%[*02]）
> (3)　(1)と(2)のいずれか少ない方
> 　　　→ 欠損金等の当期控除額（差引計の下・減算※社外流出）

4．災害損失欠損金額

(1) 対象資産の範囲

災害損失欠損金額として繰越控除できるものは、次の資産について生じた災害損失に係るものに限られています[*03]。

対象資産の範囲
棚卸資産
固定資産
繰延資産のうち他の者の有する固定資産を利用するために支出されたもの（公共的施設負担金、共同的施設負担金等）

(2) 対象となる災害の範囲

災害損失欠損金額として繰越控除できるものは、次の災害について生じた災害損失に係るものに限られています[*04]。

災害の範囲	具体例
自然災害	震災・風水害・冷害・雪害・干害・落雷・噴火等
人為的災害	火災・鉱害・火薬類の爆発等
その他	害虫・害獣等

[*01] 所得金額を超えて控除を認めると、その超える部分が新たな欠損金額となり「9年間」を超えて繰越控除が可能となってしまうため、一定の所得金額を限度として控除することとされています。

[*02] 中小法人以外の法人については、損金算入額は別表四差引計の50％が限度となります（平成24年3月期以前は100％、平成25年3月期、平成26年3月期及び平成27年3月期については80％、平成28年3月期については65％、平成29年3月期については60％、平成30年3月期については55％認められていました。）。なお、期末資本金1億円以下の法人のうち、大法人（資本金5億円以上の法人）による完全支配関係（100％の支配関係をいいます。）があるものを非中小法人といい、非中小法人以外を中小法人といいます。

[*03] 現金や有価証券等は対象資産に含まれていません。

[*04] 盗難、横領、詐欺、紛失等は対象となる災害の範囲に含まれません。

(3) 災害損失欠損金額の計算

災害損失欠損金額は、次の算式により計算します。

> 基本算式
> (1) その事業年度の欠損金額
> (2) 滅失損、評価損[*05]＋修繕費[*06]－保険金等の額
> (3) (1)と(2)のいずれか少ない方

欠損金額のうち、次の損失の額（保険金等により補てんされるものは除きます。）の合計額に達するまでの金額を求めています。

＜図解＞

青色申告の場合に生じた欠損金額は、その発生原因にかかわらず、繰越控除の対象となりますが、白色申告の場合に生じた欠損金額は、その発生原因を災害により生じたものに限定して、繰越控除の対象としています。

[*05] 災害により資産が滅失等したこと又は災害に伴いその資産の帳簿価額を減額したことにより生じた損失の額（取壊し、除去の費用その他の付随費用も含まれます。）をいいます。

[*06] 災害のやんだ日の翌日から一年以内に、その資産の原状回復のために支出する修繕費等の費用に係る損失の額をいい、資本的支出となる部分は含まれません。

5. 別表四の表示

欠損金等の当期控除額は、別表四差引計の金額を限度として控除するため、別表四上では差引計の欄の次に記載します。なお、青色申告書を提出した事業年度の欠損金の当期控除額がある場合には、その控除額と合わせて（合計して）表示し、金額には△（マイナス）を付す必要があります。

＜別表四＞

内　　容	金　　額	留　保	社外流出
仮　　計			
合　　計			
差 引 計			
欠損金等の当期控除額	△××		※△××
総　　計			
所 得 金 額			

2 まとめ

基本算式
(1) 災害損失欠損金額
　① その事業年度の欠損金額
　② 滅失損、評価損＋修繕費－保険金等の額
　③ ①と②のいずれか少ない方
(2) 別表四差引計
(3) (1)と(2)のいずれか少ない方
　　→ 欠損金等の当期控除額（差引計の下・減算※ 社外流出）

設例3-1　　　　災害損失金の繰越控除

次の資料により、当社の当期における欠損金等の当期控除額を示しなさい。

(1) 当社の当期における別表四差引計の金額は39,600,000円である。
(2) 前期において生じた洪水に伴い、当社では欠損金額が30,000,000円生じているが、その洪水に伴い計上された損失の額の内訳は次のとおりである。

　① 建物の損壊損失　　　　　　　　12,000,000円
　② 建物の復旧費用　　　　　　　　 4,800,000円
　③ 浸水により計上した商品評価損　18,000,000円
　④ 浸水した商品に係る売却損　　　 1,200,000円
　⑤ 現金の紛失による損失　　　　　 2,400,000円

　（注）上記には、資本的支出に該当するものは含まれていない。

(3) 当社は、小売業を営む資本金の額が300,000,000円の内国法人である。なお、当社は設立以来、青色申告の承認を受けていない。

解答
(1) 災害損失欠損金額
　12,000,000＋4,800,000＋18,000,000＝34,800,000円＞30,000,000円　∴　30,000,000円
(2) 別表四差引計
　39,600,000×50％＝19,800,000円
(3) (1)＞(2)　∴　19,800,000円（差引計の下・減算※ 社外流出）

Section 4 債務免除等があった場合

更生手続開始の決定等があった場合に、法人の再建のため等に、債権者等から債務免除等を受ける場合があります。この債務免除益等には、原則として法人税が課税されますが、原則どおりに課税した場合には、法人の再建を阻害する恐れがあります。そこで、債務免除益等のうち一定の金額については法人税を課税しないこととされています。

このSectionでは、債務免除等があった場合の欠損金の損金算入を学習します。

1 更生手続開始の決定があった場合（法59①④⑤）

内国法人について更生手続開始の決定があった場合において、債権者等から債務の免除等を受けたときは、その事業年度前の各事業年度において生じた一定の欠損金額のうち債務免除益等の合計額に達するまでの金額は、その事業年度の損金の額に算入することができます。

＜図解＞

この規定は、会社更生法等の適用を受ける場合に、累積赤字の補てんに充てられる債務免除益等の受贈益に対する課税を行わないというものです。

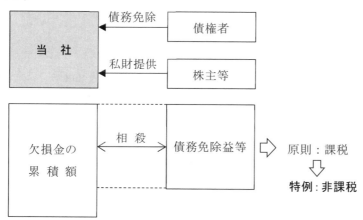

1．適用要件

次の要件に該当している場合に限り適用されます。

適 用 要 件
(1) 更生手続開始の決定があった場合において、債権者等から債務の免除等を受けたこと。
(2) 税務署長がやむを得ない事情があると認める場合を除き、確定申告書、修正申告書又は更正請求書に損金算入に関する明細の記載があり、かつ、一定の書類の添付があること。

2．適用事由等

次の事由に該当している場合に、それぞれの金額を対象として適用されます。

適 用 事 由	金　　　額
(1) 債権者から債務の免除を受けた場合	債務免除益の額
(2) 役員等[*01]から金銭等の贈与を受けた場合	受贈益の額
(3) 評価換えをした場合	評価益の額から評価損の額を控除した金額[*02]

*01) 役員若しくは株主等である者又はこれらであった者をいいます。

*02) 純評価益（マイナスの場合にはゼロとします。）です。

3．控除対象となる欠損金額

債務免除等があった場合の欠損金の損金算入の規定は、他の欠損金の繰越控除により補てんできない欠損金額（たとえば、欠損金の繰越控除は、当期の計算上、当期開始の日前9年以内に開始した欠損金に限られますが、当期開始の日前9年を超えて開始した欠損金などをいいます。以下、期限切れ欠損金といいます。）についても適用されます。したがって、前期以前の繰越欠損金額の合計額[*03]を対象とします。

*03) 別表五(一)Ⅰの期首現在利益積立金額がマイナスの場合におけるそのマイナスの金額をいいます。

4．損金算入額

損金算入額は、次のように計算します。

```
基本算式
(1) 債務免除益等
    債務免除益＋私財提供益＋純評価益
(2) 控除対象欠損金額
    前期以前の繰越欠損金額の合計額
(3) (1)と(2)のいずれか少ない方
    → 欠損金等の当期控除額（差引計の下・減算※社外流出）
```

5．別表四の表示

　　欠損金等の当期控除額は、別表四上では差引計の欄の次に記載します。なお、欠損金額の繰越控除又は災害損失欠損金額の繰越控除[*04]とは一体として適用されるものであり、別表四での控除順序は問題とならないことから、これらの控除額と合わせて（合計して）表示し、金額には△（マイナス）を付す必要があります。

<別表四>

内　　容	金　額	留　保	社外流出
仮　　計			
合　　計			
差　引　計			
欠損金等の当期控除額	△　××		※△××
総　　計			
所　得　金　額			

*04) 更生手続開始の決定があった場合は、欠損金額の繰越控除又は災害損失欠損金額の繰越控除額の計算上、中小法人でなくても、差引計の金額が限度となります。

2 再生手続開始の決定等があった場合（法59②④⑤）

内国法人について再生手続開始の決定等があった場合[01]において、債権者等から債務の免除等を受けたときは、その事業年度前の各事業年度において生じた一定の欠損金額のうち債務免除益等の合計額に達するまでの金額は、その事業年度の損金の額に算入することができます。

[01] 迅速な企業再生を支援する観点から、民事再生法等の法的整理に加え、これに準ずる一定の要件を満たす私的整理において債務免除等が行われた場合も認められます（私的整理のうち、整理回収機構や中小企業再生支援協議会が関与する私的整理及び私的整理ガイドラインに基づく私的整理が適用対象となります。）。

1．適用要件

次の要件に該当している場合に限り適用されます。

適 用 要 件
(1) 再生手続開始の決定等があった場合において、債権者等から債務の免除等を受けたこと
(2) 税務署長がやむを得ない事情があると認める場合を除き、確定申告書、修正申告書又は更正請求書に損金算入に関する明細の記載があり、かつ、一定の書類の添付があること

2．適用事由等

次の事由に該当している場合に、それぞれの金額を対象として適用されます。

適 用 事 由	金 額
(1) 債権者から債務の免除を受けた場合	債務免除益の額
(2) 役員等から金銭等の贈与を受けた場合	受贈益の額
(3) 評価換えをした場合	評価益の額から評価損の額を減算した金額[02]

[02]「評価益－評価損」がマイナスの場合でもそのまま集計することになります。

3．控除対象となる欠損金額（令117の2）

再生手続開始の決定等があった場合には、評価換えをしているかいないかによって、控除対象となる欠損金額の算定順序が異なります。更生手続開始の決定があった場合と同様に、前期以前の繰越欠損金額の合計額[03]を対象としますが、次の区分の違いにより、除外される欠損金額がある場合とない場合があります。

区 分	除外される欠損金額
評価換えあり	な し
評価換えなし	欠損金額又は災害損失欠損金額の当期控除額

[03] 更生手続き開始の決定があった場合と同様に別表五㈠Ⅰの期首現在利益積立金額がマイナスの場合におけるそのマイナスの金額をいいます。

<図解>

① 評価換えありの場合

　欠損金額の繰越控除又は災害損失欠損金額の繰越控除を適用する前[04]に適用するため、除外される欠損金はありません。

② 評価換えなしの場合

　欠損金額の繰越控除又は災害損失欠損金額の繰越控除を適用した後に適用するため、次のようになります。

```
繰越欠損金│┌──────────────┐
の 合 計 額││欠損金額又は災害│
         ││損失欠損金額の  │
         ││当 期 控 除 額  │
         │├──────────────┤
         ││                │
         ││                │} → 控除対象欠損金額
         ││                │
         │└──────────────┘
```

[04] 青色欠損金を温存することにより翌期以降の所得金額と相殺できるようにして、早期の事業再生を図ろうとするものです。なお、再生手続開始の決定があった場合は、欠損金額の繰越控除又は災害損失欠損金額の繰越控除額の計算上、中小法人でなくても、差引計の金額が限度となります。

4．損金算入額

(1) 評価換えありの場合

　評価換えを行った場合の損金算入額は、次の算式により計算します。

基本算式

(1) 債務免除益等

　　債務免除益＋私財提供益＋(評価益－評価損)

　　(注)(評価益－評価損)がマイナスの場合でもそのまま使用

(2) 控除対象欠損金額

　　前期以前の繰越欠損金額の合計額

(3) 別表四差引計

(4) (1)から(3)のうち最も少ない金額

　　→ 欠損金等の当期控除額（差引計の下・減算※社外流出）
---

(2) 評価換えなしの場合

評価換えを行っていない場合の損金算入額は、次の算式により計算します。

> 基本算式
> (1) 債務免除益等
>   債務免除益＋私財提供益
> (2) 控除対象欠損金額
>   前期以前の繰越欠損金額の合計額 － 欠損金額又は災害損失欠損金額の当期控除額
> (3) 別表四差引計－欠損金額又は災害損失欠損金額の当期控除額
> (4) (1)から(3)のうち最も少ない金額
>   → 欠損金等の当期控除額（差引計の下・減算※社外流出）

5．別表四の表示

欠損金等の当期控除額は、別表四上では差引計の欄の次に記載します。なお、欠損金額の繰越控除又は災害損失欠損金額の繰越控除とは一体として適用されるものであり、別表四での控除順序は問題とならないことから、これらの控除額と合わせて（合計して）表示し、金額には△（マイナス）を付す必要があります。

＜別表四＞

内　　容	金　額	留　保	社外流出
仮　　計			
合　　計			
差 引 計			
欠損金等の当期控除額	△　××		※△××
総　　計			
所 得 金 額			

3 解散した場合(残余財産がないと見込まれるとき)(法59③④⑤)

内国法人が解散した場合において、残余財産[*01]がないと見込まれるとき[*02]は、その清算中に終了する事業年度前の各事業年度において生じた一定の欠損金額(期限切れ欠損金額)は、欠損金額等の控除後の所得金額を限度として、その事業年度の損金の額に算入されます。

1. 適用要件

次の要件に該当している場合に限り適用されます。

適 用 要 件
(1) 更生手続開始の決定があった場合の期限切れ欠損金の損金算入制度又は再生手続開始の決定等があった場合の期限切れ欠損金の損金算入制度の適用を受ける事業年度でないこと。
(2) 残余財産がないと見込まれる場合[*03]
(3) 税務署長がやむを得ない事情があると認める場合を除き、確定申告書、修正申告書又は更正請求書に損金算入に関する明細の記載があり、かつ、一定の書類の添付があること。

2. 控除対象となる欠損金額

再生手続開始の決定等があった場合で評価換えをしていないときと同様に、前期以前の繰越欠損金額の合計額から、欠損金額又は災害損失欠損金額の当期控除額が除外となります。また、適用年度終了の時における資本金等の額が零以下である場合には、そのマイナスの資本金等の額を欠損金額と同様に損金算入の対象とするとされています。これは、資本金等の額がマイナスである場合には、残余財産がないにもかかわらず税額が発生する可能性がある[*04]ことから、そのマイナスの資本金等の額を欠損金額と同様に取り扱うこととされたものです。

除外される欠損金額	控除対象欠損金額に加算される金額
欠損金額又は災害損失欠損金額の当期控除額	資本金等の額がマイナスである場合のマイナスの金額

*01) 会社の清算手続きにおいて債務を弁済した後の残りの財産をいいます。

*02) 各事業年度の所得の金額の計算上、残余財産がないにもかかわらず、債務免除等があった場合には税額が発生する場合があります。このような場合に対応するため、残余財産がないと見込まれるときには、所得金額を限度として期限切れ欠損金を損金算入することにより、税額が生じないようにされています。

*03) 例えば、破産手続開始の決定による解散の場合には通常、残余財産がないと見込まれる場合に該当するほか、法的整理でない場合においても、適切に実態貸借対照表を作成した結果債務超過となっていれば残余財産がないと見込まれる場合に該当します。

*04) 例えば自己株式の市場取得があった場合に、資本金等の額がマイナスになる可能性があります。

<図解>

欠損金額又は災害損失欠損金額の繰越控除を適用した後に適用するため、次のようになります。

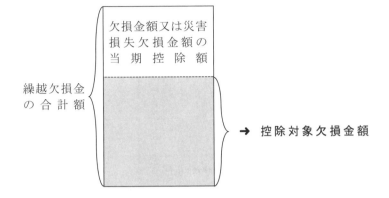

3．損金算入額

損金算入額は、次のように計算します。

```
基本算式
1．欠損金額等
  (1) 控除対象欠損金額又は災害損失欠損金額
  (2) 別表四差引計（中小法人以外の場合×50％）
  (3) (1)と(2)のいずれか少ない方
2．解散
  (1) 控除対象欠損金
      前期以前の繰越欠損金額の合計額－欠損金額等の当期控除額（注）
      ＋マイナスの資本金等の額（絶対値） *05)
      （注） 1．による繰越控除額
  (2) 別表四差引計－欠損金額等の当期控除額（注）
  (3) (1)と(2)のいずれか少ない方
3．欠損金等の当期控除額
    1．＋2．→（差引計の下・減算※ 社外流出）
```

*05) 例えば、資本金等の額がマイナス100の場合、その100の分、控除対象欠損金が増えることになります。

4 まとめ

1．更生手続開始の決定があった場合

> **基本算式**
> 1．債務免除等
>   (1) 債務免除益等
>   債務免除益＋私財提供益＋純評価益（注１）
>   注１　評価益－評価損＜０の場合は零（ゼロ）
>   (2) 控除対象欠損金額
>   前期以前の繰越欠損金額の合計額
>   (3) (1)と(2)のいずれか少ない方
> 2．欠損金額等
>   (1) 欠損金額又は災害損失欠損金額－（1．による損金算入額－期限切れ欠損金）
>   （注２）
>   注２　かっこ内の金額がマイナスとなる場合は０
>   (2) 別表四差引計－1．による損金算入額
>   (3) (1)と(2)のいずれか少ない方
> 3．欠損金等の当期控除額
>   1．＋2．→（差引計の下・減算※　社外流出）

2．再生手続開始の決定等があった場合（評価換えあり）

> **基本算式**
> 1．債務免除等
>   (1) 債務免除益等
>   債務免除益＋私財提供益＋（評価益－評価損）（注１）
>   注１　（評価益－評価損）がマイナスの場合でもそのまま使用
>   (2) 控除対象欠損金額
>   前期以前の繰越欠損金額の合計額
>   (3) 別表四差引計
>   (4) (1)から(3)のうち最少
> 2．欠損金額等
>   (1) 欠損金額又は災害損失欠損金額－（1．による損金算入額－期限切れ欠損金）
>   （注２）
>   注２　かっこ内の金額がマイナスとなる場合は０
>   (2) 別表四差引計－1．による損金算入額
>   (3) (1)と(2)のいずれか少ない方
> 3．欠損金等の当期控除額
>   1．＋2．→（差引計の下・減算※　社外流出）

3．再生手続開始の決定等があった場合（評価換えなし）

> 基本算式
> 1．欠損金額等
>   (1) 控除対象欠損金額又は災害損失欠損金額
>   (2) 別表四差引計
>   (3) (1)と(2)のいずれか少ない方
> 2．債務免除等
>   (1) 債務免除益等
>   債務免除益＋私財提供益
>   (2) 控除対象欠損金
>   前期以前の繰越欠損金額の合計額－欠損金額等の当期控除額（注1）
>   注1　1．による繰越控除額
>   (3) 別表四差引計－欠損金額等の当期控除額（注1）
>   (4) (1)から(3)のうち最少
> 3．欠損金等の当期控除額
>   1．＋2．→（差引計の下・減算※ 社外流出）

4．解散した場合（残余財産がないと見込まれるとき）

> 基本算式
> 1．欠損金額等
>   (1) 控除対象欠損金額又は災害損失欠損金額
>   (2) 別表四差引計（中小法人以外の場合×50％）
>   (3) (1)と(2)のいずれか少ない方
> 2．解散
>   (1) 控除対象欠損金
>   前期以前の繰越欠損金額の合計額－欠損金額等の当期控除額（注）
>   ＋マイナスの資本金等の額（絶対値）
>   注　1．による繰越控除額
>   (2) 別表四差引計－欠損金額等の当期控除額（注）
>   (3) (1)と(2)のいずれか少ない方
> 3．欠損金等の当期控除額
>   1．＋2．→（差引計の下・減算※ 社外流出）

設例4－1　債務免除等があった場合の欠損金の損金算入

次の資料により、当社の当期における欠損金等の当期控除額を計算しなさい。

⑴　当社は数年来業績が悪化しており、当期において民事再生法の規定による再生計画認可の決定を受けている。この決定を受けたことに伴い、当社は資産の評定を行っており、評価損15,000,000円を損金の額に算入している。

⑵　当期において民事再生法の規定による再生計画認可の決定を受けたことに伴い、次に掲げる債務免除等を受け、当社はこれらの金額を特別利益に計上している。
　①　債権者からの債務免除益　　　　　　55,000,000円
　②　現役員からの私財提供益　　　　　　42,000,000円
　③　元役員であった者からの私財提供益　35,000,000円
　④　大株主からの私財提供益　　　　　　38,000,000円

⑶　当社の当期における別表五㈠Ⅰの期首現在利益積立金額の差引合計額は、△279,000,000円であり、そのうち青色申告書を提出した事業年度において生じた欠損金額109,000,000円が当期に繰り越されてきている。なお、この債務免除等の欠損金の損金算入に当たって青色欠損金は使われていない。

⑷　当社の当期における別表四差引計に記載されている金額は326,000,000円であり、当期末における資本金の額は100,000,000円（資本金等の額は150,000,000円）である。

解答

1．債務免除等
　⑴　債務免除益等
　　55,000,000＋42,000,000＋35,000,000＋38,000,000－15,000,000＝155,000,000円
　⑵　控除対象欠損金額
　　279,000,000円
　⑶　別表四差引計
　　326,000,000円
　⑷　⑴から⑶のうち最少　∴　155,000,000円

2．欠損金額等
　⑴　欠損金額
　　109,000,000円
　⑵　326,000,000－155,000,000＝171,000,000円
　⑶　⑴＜⑵　∴　109,000,000円

3．欠損金等の当期控除額
　　1．＋2．＝264,000,000円

解説

別表四における表示は次のとおりになります。

区　　　分	総　　額	留　保	社　外　流　出
⋮			
差　引　計	326,000,000	—	—
欠損金等の当期控除額	△264,000,000		※△264,000,000
総　　計	62,000,000	—	—

Try it 債務免除等があった場合の欠損金の損金算入

次の資料により、当社の当期における税務上の調整を示しなさい。

(1) 当社(中小法人に該当する。)は数年来業績が悪化しており、当期において私的整理に関するガイドラインに基づき私的整理を行っている。これは、法人税法第59条《会社更生等による債務免除等があった場合の欠損金の損金算入》第2項に規定する民事再生法の法的整理に準じた事実に該当するものである。なお、法人税法第25条に規定する資産の評価益及び同法第33条に規定する資産の評価損の規定の適用は受けていない。

(2) 当期において上記の私的整理を受けたことに伴い、次に掲げる債務免除等を受け、当社はこれらの金額を特別利益に計上している。
① 債権者からの債務免除益　　　　　　40,000,000円
② 現役員及び元役員からの私財提供益　30,000,000円
③ 大株主である甲社からの私財提供益　50,000,000円

(3) 当社の当期における別表五㈠Ⅰの期首現在利益積立金額の差引合計額は、△60,000,000円であり、そのうち青色申告書を提出した事業年度において生じた欠損金額8,000,000円が当期に繰り越されてきている。

(4) 当社の当期における別表四差引計に記載されている金額は12,000,000円であり、当期末における資本金の額は100,000,000円(資本金等の額は140,000,000円)である。

答案用紙

1．欠損金額等
 (1) 控除対象欠損金

 (2) 別表四差引計

 (3)

2．債務免除等
 (1) 債務免除益等

 (2) 控除対象欠損金

 (3)
 (4)

3．欠損金等の当期控除額

(単位：円)

区　分	総　額	留　保	社外流出
⋮			
差　引　計			
欠損金等の当期控除額			
総　計			

解 答

1. 欠損金額等
   (1) 控除対象欠損金
       8,000,000円
   (2) 別表四差引計
       12,000,000円❶
   (3) (1)<(2) ∴ 8,000,000円❶

2. 債務免除等
   (1) 債務免除益等
       40,000,000＋30,000,000＋50,000,000＝120,000,000円❶
   (2) 控除対象欠損金
       60,000,000－8,000,000＝52,000,000円❶
   (3) 12,000,000－8,000,000＝4,000,000円❶
   (4) (1)から(3)のうち最少 ∴ 4,000,000円

3. 欠損金等の当期控除額
       1．＋2．＝12,000,000円

(単位：円)

区　　　　分	総　　額	留　　保	社　外　流　出
⋮			
差　引　計	12,000,000	—	—
欠損金等の当期控除額	△ 12,000,000		❺※△ 12,000,000
総　　　　計	0	—	—

解 説

① 本問は私的整理を行っている場合ですが、民事再生法の法的整理に準じた一定の私的整理として再生手続開始の決定等があった場合に含まれることになります。

② 法人税法上は、再生手続開始の決定等があった場合で評価換を行っていない場合に該当するため、欠損金額の損金算入の規定から適用されます。

③ 再生手続開始の決定等があった場合で評価換を行っていない場合の債務免除等の欠損金の損金算入における控除対象欠損金は、欠損金額の当期控除額を除いた金額となります。限度額である差引計も欠損金額の当期控除額を除いた金額となります。

Chapter 13

租稅公課

Section 1 還付金等

法人が納付した租税が還付された場合には、原則として益金の額に算入され法人税の課税を受けることになります。しかし、租税のうち納付時に損金不算入とされているものについては、還付時に課税してしまうと法人税が二度課税される結果となってしまいます。そこで、納付時に損金不算入とされる租税が還付された場合には、益金不算入とし二重課税を排除します。

このSectionでは、還付金等の取扱いを学習します。

1 制度の概要（法26①）

内国法人が次のものの還付を受け、又はその還付金を未納の国税若しくは地方税に充当される場合には、その還付又は充当される金額は、各事業年度の益金の額に算入しないこととされています。

益金不算入となる還付金等
① 損金の額に算入されない法人税額等の還付金
② 損金の額に算入されない附帯税等の還付金
③ 所得税額等の還付金
④ 欠損金の繰戻し還付による還付金　等

これらの租税は、納付時に損金不算入とされるものです。したがって、二重課税を排除するためこれらの租税に係る還付金の還付を受けた場合には、益金の額に算入しないこととされています。

2 経理処理と別表四上の調整

1．経理処理と取扱い

法人が還付を受けた還付金等の額の経理処理とその取扱いは、次のとおりです。

会社経理	還付金等の区分	取扱い
（現　金）×× （雑収入）××	納付時に損金不算入の租税	益金不算入
	納付時に損金算入の租税	益金算入

法人が還付を受けた還付金等は、雑収入等の収益として計上されることになります。その還付金等が益金不算入とされるものであるときは、別表四において次の税務調整が必要になります。

2．還付金等の区分と税務調整

還付を受けた還付金等について、法人が雑収入等の収益に計上している場合の税務調整は次のとおりです。

取扱い	還付金等の区分	税務調整
益金不算入	前期中間法人税の還付金 前期中間地方法人税の還付金 前期中間住民税の還付金	法人税等還付金等の益金不算入額（減算留保）
	損金不算入の附帯税等に係る還付金 所得税額等の還付金 欠損金の繰戻しによる還付金	所得税額等還付金等の益金不算入額（減算※社外流出）
益金算入	事業税の還付金 損金算入される附帯税等の還付金 還付加算金[*01]	調整なし（適正）

[*01] 還付加算金とは、還付金に付される受取利息相当額をいい、益金の額に算入されます。

納付時に損金不算入とされる租税について、還付時に益金不算入としますが、還付を受ける租税の区分に応じて、別表四上の調整における処分（留保と※社外流出）が異なる点に注意してください。

前期中間法人税、地方法人税及び住民税に係る還付金は、前期の確定申告の際に利益積立金額（留保金額）の修正額として、別表五（一）Ⅰに記入が行われています。したがって、還付時にも留保の調整とします。一方、すでに社外流出処理をしている租税に係る還付金については、課税外収入（※社外流出）として取り扱います。

設例1-1
還付金等

次の資料により、当社の当期における税務上の調整を示しなさい。

当社が当期において還付を受け雑収入として収益に計上した還付金等の内訳は、次のとおりである。

(1) 前期中間申告分の法人税の還付税額　　　　　　3,270,000円
(2) (1)に係る延滞税の還付税額　　　　　　　　　　　15,800円
(3) 前期中間申告分の地方法人税の還付税額　　　　　140,000円
(4) 前期中間申告分の住民税の還付税額　　　　　　　420,000円
(5) 前期中間申告分の事業税の還付税額　　　　　　　920,000円
(6) 前期に納付した源泉徴収所得税額　　　　　　　　170,000円
(7) 上記に係る還付加算金　　　　　　　　　　　　　190,000円

解答 ＜法人税等還付金等の益金不算入額＞
　3,270,000＋140,000＋420,000＝3,830,000円
＜所得税額等還付金等の益金不算入額＞
　15,800＋170,000＝185,800円

(単位：円)

	項　　目	金　額	留　保	社外流出
加算				
減算	法人税等還付金等の益金不算入額	3,830,000	3,830,000	
	所得税額等還付金等の益金不算入額	185,800		※ 185,800

解説
① 納付時に損金不算入とされる法人税、延滞税、地方法人税、住民税及び源泉徴収所得税額の還付金の額は、益金不算入とされます。なお、事業税の還付金及び還付加算金は、益金の額に算入されます。
② 益金不算入とされる還付金のうち、前期中間申告分の法人税及び住民税の還付金については「法人税等還付金等の益金不算入額」として留保の処分となり、延滞税及び源泉徴収所得税額の還付金については「所得税額等還付金等の益金不算入額」として※社外流出の処分となります。

Try it　　　　　　　　　　　　　　　　　　　　　　　　　　還付金等

次の資料により、当社の当期における税務上の調整を示しなさい。

当社が当期において還付を受け雑収入として収益に計上した還付金等の内訳は、次のとおりである。

(1)　前期中間申告分の法人税の還付税額　　　　　　　4,600,000円
(2)　(1)に係る延滞税の還付税額　　　　　　　　　　　　22,200円
(3)　前期中間申告分の地方法人税の還付税額　　　　　　225,000円
(4)　前期中間申告分の住民税の還付税額　　　　　　　　675,000円
(5)　前期中間申告分の事業税の還付税額　　　　　　　1,400,000円
(6)　前期に納付した源泉徴収所得税額　　　　　　　　　116,000円
(7)　上記に係る還付加算金　　　　　　　　　　　　　　　40,000円

答案用紙

＜法人税等還付金等の益金不算入額＞

＜所得税額等還付金等の益金不算入額＞

(単位：円)

	項　　　　目	金　　額	留　　保	社外流出
加算				
減算				

解答

＜法人税等還付金等の益金不算入額＞

4,600,000＋225,000＋675,000＝5,500,000円

＜所得税額等還付金等の益金不算入額＞

22,200＋116,000＝138,200円

(単位：円)

	項　　　　目	金　　額	留　　保	社外流出
加算				
減算	法人税等還付金等の益金不算入額	5,500,000	❺ 5,500,000	
	所得税額等還付金等の益金不算入額	138,200		❺ ※ 138,200

解説

留保と社外流出の区分は、納付時と同じです。

······· *Memorandum Sheet* ·······

Chapter 14

受取配当等

Section 1 みなし配当

法人が資本の払戻し等により株主に対して金銭等を交付することがあります。この交付金銭等は、資本金等の額や利益積立金額を財源として行われるものです。形式的には本来の配当とは異なりますが、法人の利益積立金額が株主に分配されたということです。税法上は、利益積立金額が株主に帰属したという経済的実質に着目して、これを配当等とみなすことになります。

このSectionでは、みなし配当の取扱いを学習します。

1 みなし配当（法24①）

法人の株主等である内国法人が一定の事由により金銭等の交付を受けた場合において、その金銭等の額の合計額がその法人の資本金等の額のうちその交付基因株式等に対応する部分の金額を超えるときは、その超える部分の金額は、剰余金の配当等の額とみなされます。

1．みなし配当事由

株主等に対する利益積立金額の分配が、次の事由により行われた場合には、株主等である法人においてみなし配当を認識することになります。

みなし配当事由の内容
(1) 非適格合併
(2) 非適格分割型分割
(3) 非適格株式分配
(4) 資本の払戻し又は解散による残余財産の分配
(5) 自己株式等の取得（金融商品取引所の開設する市場における購入等を除きます。）
(6) その他一定の場合

みなし配当は、株主等の立場で生じるものです。所有する株式等の発行法人に上記の事由が生じた場合に、みなし配当を認識するということです[*01]。なお、みなし配当は、基本的な考え方として、次の算式により計算することになります。

*01) 発行法人が内国法人である場合には、受取配当等の益金不算入等の規定が適用されることになります。

基本算式

みなし配当の額＝交付金銭等の価額－資本金等の額

＜図解＞

みなし配当とは、交付金銭等の価額が資本金等の額を超える部分の金額であり、利益積立金額を財源に払い戻された金額です。

交付金銭等	交付財源	
120	利益積立金額 20	みなし配当 20
	資本金等の額 100	

2 みなし配当の額の計算

1．資本の払戻しの場合

(1) みなし配当の額

資本の払戻しの場合のみなし配当の額は、次の算式により計算します。

基本算式

資本の払戻しによる交付金銭等の価額 － 払戻等対応資本金額等 × 払戻等に係る当社所有株式数 / 発行済株式総数

(2) 資本金等の額

交付金銭等の価額から控除する資本金等の額は、次のように計算します。

① 払戻等対応資本金額等

基本算式

払戻法人の払戻直前の資本金等の額 × ※払戻割合

≧ 払い戻しにより減少した資本剰余金の額

∴ いずれか少

※ 払戻割合

払戻しにより減少した資本剰余金の額 / (払戻法人の前期末の資産の帳簿価額 － 払戻法人の前期末の負債の帳簿価額)　〔小数点以下3位未満切上〕

② 当社対応分

基本算式

払戻等対応資本金額等 × 払戻等に係る当社所有株式数 / 払戻法人の発行済株式総数

(3) 税務上の簿価

資本の払戻しを受けた場合には、有価証券を部分的に譲渡したものと考え、譲渡原価を計上し、譲渡損益を認識することになります。資本の払戻し後における税務上の帳簿価額は、次の算式により計算します。

基本算式

払戻し直前の帳簿価額 － 払戻し直前の帳簿価額 × 払戻割合[*01]
　　　　　　　　　　　譲渡原価相当額

*01) この場合の譲渡原価は、実際に株数が減るわけではないため、資本の払戻しに対応する帳簿価額を減価させることになります。

設例1―1　資本の払戻し

次の資料により、当社のみなし配当の額を計算しなさい。

(1) 当社はA株式4,500株（帳簿価額400,000円）を所有しているが、A株式の発行法人であるA社は、当期において資本の払戻しを行っている。その交付財源等の資料は、次のとおりである。

＜資　料＞

① 発行済株式総数　　450,000株
② 払戻金総額　　19,500,000円（資本剰余金の額の減少に伴う剰余金の配当額である。）

A社の払戻し直前の資本構成		前期末の資産の帳簿価額	前期末の負債の帳簿価額
資本金等の額	その他		
20,500,000円	20,000,000円	70,000,000円	29,500,000円

(2) 当社は、A社が行った資本の払戻しにより195,000円の交付を受けている。

解答

$$195,000 - 9,881,000^{※} \times \frac{4,500}{450,000} = 96,190円$$

※ ① $\dfrac{19,500,000}{70,000,000 - 29,500,000} = 0.48148\cdots \rightarrow 0.482$

② $20,500,000 \times 0.482 = 9,881,000円 < 19,500,000円$　∴　9,881,000円

解説

資本の払戻し後における、A株式の帳簿価額は207,200円（400,000 − 400,000 × 0.482）となります。

＜参考・みなし配当の通知＞

株式等の発行法人は、みなし配当事由により金銭等を交付する場合には、次の事項を株主等に対し通知しなければなりません。
① 金銭等の交付基因となったみなし配当の事由及びその事由が生じた日
② 1株当たりのみなし配当額
③ 払戻割合等

2．自己株式の取得の場合

(1) みなし配当の額

株式の発行法人が自己株式の取得をした場合（発行法人に対して発行法人の株式を譲渡した場合）のみなし配当の額は、次の算式により計算します。

基本算式

$$\text{自己株式の取得による払戻金等の価額} - \text{取得直前の資本金等の額} \times \frac{\text{取得に係る当社譲渡株式数}}{\text{発行済株式総数}}$$

(2) 対象取引

みなし配当事由の自己株式の取得は、相対取引[*02]又は公開買付[*03]による取得を指しています。したがって、市場からの購入により取得した場合等とは区別することになります。

取引の区分		みなし配当の有無
自己株式の取得	相対取引及び公開買付	みなし配当あり
	市 場 取 引 等	みなし配当なし

[*02] 売買をする当事者間で数量・価格・決済方法を決めて行う取引方法をいいます。

[*03] 不特定多数の者に対しての公告により、会社の経営権の取得等を目的として有価証券市場外で株券等の買付けを行うことをいいます。

(3) 税務上の簿価

自己株式の取得の場合には、株主は発行法人に対して発行法人の株式を譲渡することになるため、譲渡原価を計上し、譲渡損益を認識することになります。自己株式の取得後における税務上の帳簿価額は、次の算式により計算します。

基本算式

$$\text{譲渡直前の帳簿価額} - \underline{\text{売却株式に係る譲渡直前の帳簿価額}}^{*04}$$
$$\text{譲渡原価相当額}$$

自己株式の取得の場合には、株主は通常の譲渡と同様に移動平均法又は総平均法によって譲渡原価を認識することになります。

[*04] 外見上は通常の株式の譲渡と何ら変わらないため、その譲渡原価の計算は、移動平均法又は総平均法によります。

設例1−2　　　　　　　　　　　　　　　　　　　　　　　　　　　　　　　　　自己株式の取得

次の資料により、当社のみなし配当の額を計算しなさい。

(1) 当社は、内国法人B株式会社（以下「B社」という。）の株式を6,000株保有していたが、B社から買取りの申し出を受けたため、相対取引により当期においてその全株を売却している。

この売却に関する資料は、次のとおりである。

＜資　料＞

①	譲渡対価の額	14,000,000円
②	譲渡直前の帳簿価額	12,000,000円
③	B社の取得直前の資本金等の額のうち、当社売却株式対応額	13,500,000円

(2) 当社はこの売却について、譲渡対価の額から源泉徴収税額102,100円を控除した13,897,900円と、譲渡直前の帳簿価額12,000,000円との差額1,897,900円を有価証券売却益として収益に計上する処理を行った。

解答　14,000,000−13,500,000＝500,000円

解説

みなし配当の額は、この計算の後、受取配当等の益金不算入の対象となる配当等の額として集計が必要です。

なお、源泉徴収税額は、所得税額控除の対象（按分不要）となります。

3．解散による残余財産の分配の場合

(1) みなし配当の額

解散による残余財産[*05]の分配の場合のみなし配当の額は、次の算式により計算します。

[*05] 会社の清算手続きにおいて債務を弁済した後の残りの財産をいいます。

基本算式

$$\text{解散の残余財産の分配による交付金銭等の価額} - \text{払戻等対応資本金額等} \times \frac{\text{払戻等に係る当社所有株式数}}{\text{発行済株式総数}}$$

(2) 資本金等の額

交付金銭等の価額から控除する資本金等の額は、次のように計算します。

① 払戻等対応資本金額等

基本算式

払戻（分配）法人の分配直前の資本金等の額 × ※分配割合[*06]

※ 分配割合

$$\frac{\text{分配により交付した金銭等の額}^{*07}}{\text{払戻法人の前期末の資産の帳簿価額} - \text{払戻法人の前期末の負債の帳簿価額}} \quad \text{小数点以下3位未満切上}$$

[*06] 残余財産を一括で分配した場合には100%となります。一括で分配した場合は、分配割合の計算も要しません。

[*07] 資本の払戻しの払戻割合と似た割合ですが、分子の金額は、交付した金銭の額及び金銭以外のあらゆる資産の価額の合計額であるところが異なります。

② 当社対応分

基本算式

$$\text{払戻等対応資本金額等} \times \frac{\text{払戻等に係る当社所有株式数}}{\text{払戻法人の発行済株式総数}}$$

(3) 税務上の簿価

解散による残余財産の分配を受けた場合には、資本の払戻しの場合と同様に、有価証券を部分的に譲渡したものと考え、譲渡原価を計上し、譲渡損益を認識することになります。残余財産の分配後における税務上の帳簿価額は、次の算式により計算します。

基本算式

$$\text{分配直前の帳簿価額} - \underbrace{\text{分配直前の帳簿価額} \times \text{分配割合}^{*08}}_{\text{譲渡原価相当額}}$$

[*08] この場合の譲渡原価は、実際に株数が減るわけではないため、分配に対応する帳簿価額を減価させることになります。

設例 1－3　　　　　　　　　　　　　　　　　　　　　　解散による残余財産の分配

次の資料により、当社のみなし配当の額を計算しなさい。

(1) 当社はＣ株式5,000株（帳簿価額500,000円）を所有しているが、Ｃ株式の発行法人であるＣ社は、当期において解散による残余財産の一部の分配を行っている。その交付財源等の資料は、次のとおりである。

＜資　料＞
① 発行済株式総数　　500,000株
② 分配金総額　　　　11,000,000円

Ｃ社の分配直前の資本構成		前期末の資産の帳簿価額	前期末の負債の帳簿価額
資本金等の額	その他		
35,000,000円	16,000,000円	80,000,000円	29,000,000円

(2) 当社は、Ｃ社が行った残余財産の一部の分配により110,000円の交付を受けている。

解答

$$110,000 - 35,000,000 \times {}^{※}0.216 \times \frac{5,000}{500,000} = 34,400 円$$

$$※ \quad \frac{11,000,000}{80,000,000 - 29,000,000} = 0.2156\cdots \rightarrow 0.216$$

解説

残余財産の分配後における、Ｃ株式の帳簿価額は392,000円（500,000－500,000×0.216）となります。

4．まとめ

基本算式
1．有価証券の譲渡損益
　(1) みなし配当
　(2) 有価証券
　　① 会社計上の簿価
　　② 税務上の簿価
　　③ 計上もれ（又は過大計上）
2．受取配当等の益金不算入
　(1) みなし配当
　(2) 短期所有株式等に係る配当等
　(3) 配当等の額
　　① 完全子法人株式等
　　② 関連法人株式等
　　③ その他株式等
　　④ 非支配目的株式等
　(4) 控除負債利子の額
　　① 当期支払負債利子
　　② 控除負債利子の額
　(5) 益金不算入額
　　(3)①＋（(3)②－(4)②）＋(3)③×50％＋(3)④×20％
　　　　→ 受取配当等の益金不算入額（減算※ 社外流出）

Section 2 自己株式

株式の発行法人が自己株式を取得した場合には、その株式を譲渡した株主においてみなし配当が生じることは学習しましたが、その自己株式の取得が証券市場を通じて行われた場合には、譲渡した株主が特定できないため、みなし配当は認識しません。また、自己株式を取得した発行法人では、自己株式の譲渡等によりその自己株式を処分することが考えられますが、その処分時の課税関係はどのようになるのでしょうか。このSectionでは、自己株式の取扱いを学習します。

1 自己株式（発行法人）の課税関係

1．自己株式の取得

(1) 概　要

自己株式の取得方法には、相対取引、公開買付及び市場購入の3つの方法がありますが、法人税の課税関係を考える上では、次の2つの取扱いに区分されます。

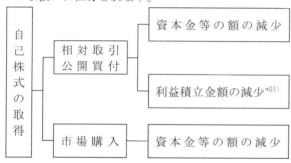

*01) 株主においては、みなし配当とされる部分です。

(2) 相対取引又は公開買付による取得の場合

相対取引又は公開買付により自己株式を取得した場合には、次の資本金等の額及び利益積立金額が減少することになります。

区　分	金　額
資本金等の額の減少	取得直前の資本金等の額 × $\dfrac{\text{取得株式数}}{\text{発行済株式総数}}$
利益積立金額の減少	交付金銭等の額 − 取得直前の資本金等の額 × $\dfrac{\text{取得株式数}}{\text{発行済株式総数}}$

相対取引又は公開買付により自己株式を取得した場合には、株主に対する金銭等の交付を、株主に対する持分の払戻しと考えるため、資本金等の額を減少させるとともに、交付した金銭等の額のうち取得資本金額を超える部分の金額を利益積立金額の減少額（みなし配当）として取り扱います。

(3) 市場購入による取得

市場からの購入により自己株式を取得した場合には、次の資本金等の額が減少します。

区　分	金　　額
資本金等の額の減少	自己株式の取得の対価の額相当額

市場からの購入により自己株式を取得した場合には、株式を譲渡した株主においては、その株式を取得した法人にとっての自己株式を譲渡したとの認識がない（できない）ため、株主においてみなし配当が生じないよう利益積立金額は減少させないこととされています。したがって、自己株式の取得の対価の額の全額を資本金等の額の減少額として取り扱うことになります。

設例2－1　自己株式（取得）

次の資料により、設問の場合ごとに、当社の当期における別表四及び別表五(一)の記入を示しなさい。

(1) 当社は当期において、自己株式500株を1,500,000円で取得し、その取得原価をもって自己株式勘定（株主資本の控除項目）に計上している。

(2) (1)の自己株式の取得直前の当社における資本金等の額は140,000,000円であり、発行済株式総数は100,000株であった。

【設問1】
当該自己株式を相対取引により取得した場合

【設問2】
当該自己株式を市場取引により取得した場合

解答【設問1】

別表四　　　　　　　　　　　　　　　　　　　　　　　　　　　（単位：円）

区　分	金　額	留　保	社　外　流　出
当　期　純　利　益	×××	×××	800,000

別表五(一) I　　　　　　　　　　　　　　　　　　　　　　　　（単位：円）

区　分	期首現在利益積立金額	当期の増減 減	当期の増減 増	差引翌期首現在利益積立金額
自　己　株　式			△ 800,000	△ 800,000

別表五(一) II　　　　　　　　　　　　　　　　　　　　　　　　（単位：円）

区　分	期首現在資本金等の額	当期の増減 減	当期の増減 増	差引翌期首現在資本金等の額
自　己　株　式			△ 700,000	△ 700,000

【設問2】

別表四

　　調整なし

別表五㈠Ⅰ

　　記入なし

別表五㈠Ⅱ

(単位：円)

区分	期首現在資本金等の額	当期の増減 減	当期の増減 増	差引翌期首現在資本金等の額
自己株式			△1,500,000	△1,500,000

解説

① 【設問1】では、相対取引による取得であることから、取得資本金額（$140,000,000 \times \dfrac{500}{100,000} = 700,000$円）が資本金等の額の減少額となります。また、交付金銭等の額（1,500,000円）から取得資本金額（700,000円）を控除した金額（800,000円）は、利益積立金額の減少額（自己株式を譲渡した株主においてはみなし配当とされます。）となります。

② 【設問2】では、市場取引による取得であることから、自己株式の取得の対価の額が資本金等の額の減少額となります。

2．自己株式の譲渡

自己株式を譲渡した場合には、次の資本金等の額が増加することになります。

区　分	金　　額
資本金等の額の増加	払い込まれる金銭等の額

自己株式を取得した場合には、資本の払戻しと考えるため、資本金等の額及び利益積立金額が減少しますが、自己株式を譲渡した場合には、新たに出資を受けたと考えるため、その譲渡により払い込まれた金銭等の額を資本金等の額の増加額として取り扱うことになります。

設例2－2　　　　　　　　　　　　　　　　　　　　　自己株式（譲渡）

次の資料により、設問の場合ごとに、当社の当期における別表四及び別表五(一)の記入を示しなさい。

(1) 当社は前期において、自己株式500株を1,500,000円で取得し、その取得原価をもって自己株式勘定（株主資本の控除項目）に計上している。なお、当該自己株式の取得直前の当社における資本金等の額は140,000,000円であり、発行済株式総数は100,000株であった。
(2) 当社は当期において、前期に取得した自己株式500株を1,800,000円で譲渡し、その対価の額と取得原価（1,500,000円）の差額を資本剰余金（自己株式処分差益）として計上している。

【設問1】
前期における自己株式の取得が、相対取引による取得であった場合

【設問2】
前期における自己株式の取得が、市場取引による取得であった場合

解答【設問1】

別表四
　　調整なし

別表五(一) I　　　　　　　　　　　　　　　　　　　　　　　　（単位：円）

区　分	期首現在利益積立金額	当期の増減 減	当期の増減 増	差引翌期首現在利益積立金額
自　己　株　式	△　800,000	△　800,000		0
資本金等の額			△　800,000	△　800,000

別表五(一) II　　　　　　　　　　　　　　　　　　　　　　　　（単位：円）

区　分	期首現在資本金等の額	当期の増減 減	当期の増減 増	差引翌期首現在資本金等の額
資本剰余金			300,000	300,000
自　己　株　式	△　700,000	△　700,000		0
利益積立金額			800,000	800,000

【設問2】

別表四

 調整なし

別表五㈠ I

 記入なし

別表五㈠ II

(単位：円)

区　分	期首現在資本金等の額	当期の増減		差引翌期首現在資本金等の額
		減	増	
資 本 剰 余 金			300,000	300,000
自 己 株 式	△1,500,000	△1,500,000		0

Section 3 資本の払戻し

法人が資本の払戻しを行った場合には、株主においてはみなし配当が生じることは学習しましたが、その資本の払戻しを行った法人における処理はどのようになるのでしょうか。

このSectionでは、資本の払戻しの取扱いを学習します。

1 資本の払戻し（払戻法人）の課税関係

資本の払戻し（資本剰余金の額の減少に伴うものに限ります。）があった場合には、次の資本金等の額及び利益積立金額が減少します。

区　分	金　額
資本金等の額の減少	次のうちいずれか少ない金額（減資資本金額） ①払戻直前の資本金等の額×払戻割合 ②払い戻しにより減少した資本剰余金の額
利益積立金額の減少	交付金銭等の額－減資資本金額

（注）払戻割合とは、次の算式により計算した割合です。

$$\frac{払戻しにより減少した資本剰余金の額}{払戻法人の前期末の資産の帳簿価額 - 払戻法人の前期末の負債の帳簿価額} \quad \left[\begin{array}{l}小数点以下\\3位未満切上\end{array}\right]$$

資本剰余金を原資とする剰余金の配当があった場合には、税務上は資本の払戻しがあったものと考えるため、交付金銭等の額のうち減資資本金額を超える部分の金額を利益積立金額の減少額（株主においてはみなし配当となる。）とし、減資資本金額は資本金等の額の減少額として取り扱うことになります。

設例3-1　資本の払戻し

次の資料により、当社の当期における別表四及び別表五㈠の記入を示しなさい。

⑴　当社は、当期において剰余金の配当（資本剰余金を原資とする資本の払戻しである。）を行っている。その剰余金の配当に係る資料は、次のとおりである。

＜資料＞

① 剰余金の配当の総額　　　　16,000,000円
② 発行済株式総数　　　　　　200,000株
③ 払戻し直前の資本構成等

払戻し直前の資本構成		前期末の資産の帳簿価額	前期末の負債の帳簿価額
資本金等の額	その他		
30,000,000円	6,000,000円	50,000,000円	14,000,000円

⑵　当社は、⑴の剰余金の配当について、剰余金の配当の総額に相当する資本剰余金を減少させる経理を行っている。

解答

別表四　　　　　　　　　　　　　　　　　　　　　　　　（単位：円）

区　分	金　額	留　保	社外流出	
当期純利益	×××	×××	配当	2,650,000
			その他	

別表五㈠Ⅰ　　　　　　　　　　　　　　　　　　　　　　（単位：円）

区　分	期首現在利益積立金額	当期の増減		差引翌期首現在利益積立金額
		減	増	
資本金等の額			△2,650,000	△2,650,000

別表五㈠Ⅱ　　　　　　　　　　　　　　　　　　　　　　（単位：円）

区　分	期首現在資本金等の額	当期の増減		差引翌期首現在資本金等の額
		減	増	
資本剰余金	×××	16,000,000		×××
利益積立金額			2,650,000	2,650,000

解説

① 資本金等の額の減少額は次のように求めます。

30,000,000×※0.445＝13,350,000円＜16,000,000円　　∴　13,350,000円

※ $\dfrac{16,000,000}{50,000,000-14,000,000}=0.444\cdots \to 0.445$

② 利益積立金額の減少額は次のように求めます。

16,000,000－13,350,000＝2,650,000円

Try it　　　　　　　　　　　　　　　　　　　　　自己株式の取得に係るみなし配当

次の資料により、当社の当期における税務上の調整を示しなさい。

(1) 当社は、数年前から内国法人A株式会社（以下「A社」という。）の株式を120,000株保有していたが、A社から買取りの申し出を受けたため、相対取引により当期においてそのうち24,000株を売却している。

この売却に関する資料は、次のとおりである。

＜資　料＞

① 譲渡対価の額　　　　　　　　　　　　　　　　　　　　　18,000,000円
② 譲渡直前の帳簿価額　　　　　　　　　　　　　　　　　　63,000,000円
③ A社の取得直前の資本金等の額　　　　　　　　　　　　 600,000,000円
④ A社の取得直前の発行済株式数　　　　　　　　　　　　　 1,200,000株

(2) 当社はこの売却について、譲渡対価の額から源泉徴収税額1,225,200円（内訳は源泉徴収所得税額1,200,000円、源泉徴収復興特別所得税額25,200円）を控除した差引手取額を譲渡直前の帳簿価額から控除する経理を行っている。

答案用紙

1．有価証券の譲渡損益

(1) みなし配当

(2) 有価証券

① 会社計上の簿価

② 税務上の簿価

③ 計上もれ

2．受取配当等の益金不算入

(1) みなし配当

(2) 配当等の額

(3) 益金不算入額

(単位:円)

区　分		金　額	留　保	社外流出
加算				
減算				
	仮　　　計	×××	×××	×××

解答

1．有価証券の譲渡損益
  (1) みなし配当
   $18,000,000 - 600,000,000 \times \dfrac{24,000}{1,200,000} = 6,000,000$円 ❷
  (2) 有価証券
   ① 会社計上の簿価
    $63,000,000 - (18,000,000 - 1,200,000 - 25,200) = 46,225,200$円
   ② 税務上の簿価
    $63,000,000 - 63,000,000 \times \dfrac{24,000}{120,000} = 50,400,000$円 ❷
   ③ 計上もれ
    $50,400,000 - 46,225,200 = 4,174,800$円

2．受取配当等の益金不算入
  (1) みなし配当
    6,000,000円
  (2) 配当等の額（その他株式等）
    6,000,000円
  (3) 益金不算入額
    $6,000,000 \times 50\% = 3,000,000$円

(単位:円)

区　分		金　額	留　保	社外流出
加算	A 社 株 式 計 上 も れ	4,174,800	❷ 4,174,800	
減算	受取配当等の益金不算入額	3,000,000		❷ ※ 3,000,000
	仮　　　計	×××	×××	×××
	法 人 税 額 控 除 所 得 税 額 等	1,225,200		❷ 1,225,200

> **解 説**
>
> ① みなし配当は、交付金銭等の額が資本金等の額を超える部分の金額ですが、自己株式の取得に係るみなし配当の場合は、その交付金銭等の額は譲渡対価になります。
> ② 有価証券の譲渡損益の計算上、その計算の基礎となる譲渡対価は、本来の譲渡対価からみなし配当とされる金額を控除した金額となります。また、譲渡原価の計算は、総平均法又は移動平均法により計算した金額となります。
> ③ 本問の配当等の区分は、発行済株式数1,200,000株に対し、譲渡直前の所有株式数が120,000株であるため、所有割合が10%となり、その他株式等となります。
> ④ 法人税額控除所得税額は、源泉徴収所得税額がその他の区分とされるため、按分計算は不要となります。

.... *Memorandum Sheet* ....

Chapter 15

海外取引

Section 1 移転価格税制

法人が海外の特殊関係法人（国外関連者）との間で取引を行う場合に、取引価格の操作が容易にできてしまうと、日本で課税されるべき所得を海外に移転することが可能となり、日本で課税される所得が減少してしまう結果となります。移転価格税制は、このような取引価格の操作を防止し、適正な国際間課税を実現するために設けられている制度です。

このSectionでは、移転価格税制の取扱いを学習します。

1 国外関連者の意義（措法66の4①）

国外関連者とは、法人と次の関係にある外国法人をいいます。

特殊の関係
(1) 一方の法人が他方の法人の発行済株式等の50%以上を直接又は間接に保有する関係
(2) 同一の者によってそれぞれその発行済株式等の50%以上を直接又は間接に保有される関係
(3) 人事、取引、資金を通じて、一方の法人が他方の法人の事業の方針を実質的に決定できる関係
(4) (1)から(3)による一定の連鎖関係

＜図解＞

(1) 親子関係

次の関係にある外国法人は、国外関連者に該当します。

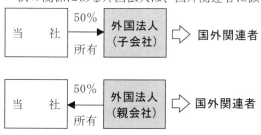

(2) 兄弟関係

次の関係にある外国法人は、国外関連者に該当します。

2 国外関連取引（措法66の4①④）

1．取扱い

　法人が国外関連者との間で国外関連取引を行った場合において、その国外関連者から支払を受ける対価の額が独立企業間価格に満たないとき又はその国外関連者に支払う対価の額が独立企業間価格を超えるときは、その国外関連取引は独立企業間価格で行われたものとみなされます。

＜図解＞

① 適正な取引（非国外関連者との取引）

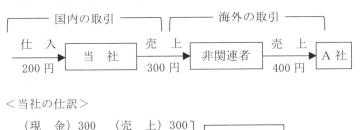

＜当社の仕訳＞

　（現　金）300　（売　上）300　　所得 100 円
　（仕　入）200　（現　金）200

＜非関連者の仕訳＞

　（現　金）400　（売　上）400　　所得 100 円
　（仕　入）300　（現　金）300

② 対象取引（国外関連者との取引）

＜当社の仕訳＞

　（現　金）220　（売　上）220　　所得 20 円
　（仕　入）200　（現　金）200

＜国外関連者の仕訳＞

　（現　金）400　（売　上）400　　所得 180 円
　（仕　入）220　（現　金）220

所得 80 円が海外に移転してしまう。

2．適用対象取引（国外関連取引）

法人とその国外関連者との間の資産の販売、購入、役務の提供その他の取引のうち次のものをいいます。

国外関連取引	
国外関連者に対する低額譲渡等	法人が国外関連者から支払を受ける対価の額が独立企業間価格に満たない取引
国外関連者からの高価買入等	法人が国外関連者に支払う対価の額が独立企業間価格を超える取引

国外関連取引は、国外関連者との間で行われる低額譲渡や高価買入れ等の資産の販売等に係る対価を伴う取引とされています。したがって、金銭の贈与や債務免除等は含まれません（国外関連者に対する寄附金として取り扱います。）。

3．独立企業間価格（措法66の4②）

次のいずれかの方法のうち、その取引において最も適切な方法により算定した金額[*01]をいいます。

[*01] 独立企業間価格は通常は、問題の資料として与えられます。

算定方法	内容
独立価格比準法	特殊関係にない売手と買手が、同種、同様の状況下で売買した取引の対価の額に相当する金額を対価の額とする方法
再販売価格基準法	再販売価格から通常の利潤の額を控除した金額を対価の額とする方法
原価基準法	製造等の原価の額に通常の利潤の額を加算した金額を対価の額とする方法

独立企業間価格の算定方法は、上記のとおりですが、その他上記に準ずる方法があります。

4．別表四上の調整

国外関連取引の対価の額と独立企業間価格との差額は、各事業年度の損金の額に算入しないこととされています。したがって、次の税務調整が必要になります。

区分	金額	税務調整
低額譲渡等	独立企業間価格－対価の額	移転価格否認
高価買入等	対価の額－独立企業間価格	（加算社外流出）

国外関連者からの高価買入資産を期末において保有している場合には、合わせて別表四において「取得価額減額（減算留保）」の調整が必要となります。なお、その資産が減価償却資産である場合には、減額後の取得価額に基づいて償却限度額を計算することになります。

3 国外関連者に対する寄附金(措法66の4③)

1. 損金不算入

法人が支出した寄附金の額のうちその法人に係る国外関連者に対するものは、各事業年度の損金の額に算入しないこととされています。

| 国外関連者に対する寄附金 | → | 全額が損金不算入 |

国外関連取引は、資産の販売等による対価を伴う取引を適用対象としているため、資産の販売等の対価の額は独立企業間価格に設定しておき、割戻し等の名目で金銭贈与をする等した場合には、正常な取引として適用の対象とならなくなってしまいます。しかし、その経済的な実態は、国外関連取引であり、国外関連者に対する寄附金(金銭の贈与や債務免除等)[01]は、対価を伴う取引と同様にその全額が損金不算入とされることになります。

[01] 移転価格税制における寄附金は、通常の寄附金と異なり、金銭の贈与や債務の免除に限られ、低額譲渡は該当しないと規定されています。

2. 別表四上の調整

国外関連者に対する寄附金は、寄附金の損金算入限度額とは無関係に、その全額が損金不算入とされます。なお、寄附金の損金算入限度額の計算における支出寄附金には、国外関連者に対する寄附金も含まれることになります。

区　分	税　務　調　整
国外関連者に対する低額譲渡等及び高価買入等	移転価格否認(加算社外流出)
国外関連者に対する金銭の贈与及び債務免除等	寄附金の損金不算入額 (仮計の下・加算社外流出)

4 まとめ

1．国外関連取引

基本算式

独立企業間価格－対価の額
　　　又は
対価の額－独立企業間価格　　→　移転価格否認（加算社外流出）

2．国外関連者に対する寄附金

基本算式
(1) 支出寄附金
　① 指定寄附金等
　② 特定公益増進法人等
　③ 一般寄附金
　④ 国外関連者
　⑤ 合　計　　①＋②＋③＋④
(2) 損金算入限度額
　① 一般寄附金の損金算入限度額
　② 特別損金算入限度額
(3) 損金不算入額
　① 国外関連者に対するもの
　② ①以外
　　　(1)⑤－(1)④－(1)①－　※　－(2)①
　　　※　(1)②と(2)②のいずれか少ない方
　③ ①＋②
　　　　　→　寄附金の損金不算入額（仮計の下・加算社外流出）

設例1-1　　　　　　　　　　　　　　　　　　　　　　　　　　　　　国外関連取引

次の資料により、当社の当期における税務上の調整を示しなさい。

(1) 当社は、当期において外国法人A社から商品を輸入しており、その輸入した商品の合計額は240,000,000円（すべてを当期中に販売している。）である。外国法人A社は当社の子会社であり、当社はA社の発行済株式総数の60％の株式を保有している。なお、A社から輸入した商品に係る独立企業間価格は184,000,000円である。

(2) 当社が当期において支出し、当期の費用に計上した寄附金の額の内訳は次のとおりである。
　① 指定寄附金等　　　　　　　　　　　　2,530,000円
　② 特定公益増進法人に対する寄附金　　　1,870,000円
　③ 上記以外の寄附金　　　　　　　　　　8,800,000円（うちA社に対するもの5,500,000円）

(3) 当社の当期における別表四の仮計の金額は275,000,000円（調整不要）である。

(4) 当社の当期末における資本金の額は50,000,000円、資本準備金の額は8,300,000円である。

【解答】

1. 移転価格否認

    $240,000,000 - 184,000,000 = 56,000,000$円

2. 寄附金の損金不算入

　(1) 支出寄附金

　　① 指定寄附金等　2,530,000円

　　② 特定公益増進法人等　1,870,000円

　　③ 一般寄附金　$8,800,000 - 5,500,000 = 3,300,000$円

　　④ 国外関連者　5,500,000円

　　⑤ 合　計　①＋②＋③＋④＝13,200,000円

　(2) 損金算入限度額

　　① 一般寄附金の損金算入限度額

　　　(イ) 資本基準額

　　　　$(50,000,000 + 8,300,000) \times \dfrac{12}{12} \times \dfrac{2.5}{1,000} = 145,750$円

　　　(ロ) 所得基準額

　　　　$(275,000,000 + 13,200,000) \times \dfrac{2.5}{100} = 7,205,000$円

　　　(ハ) $((イ)+(ロ)) \times \dfrac{1}{4} = 1,837,687$円

　　② 特別損金算入限度額

　　　(イ) 資本基準額

　　　　$(50,000,000 + 8,300,000) \times \dfrac{12}{12} \times \dfrac{3.75}{1,000} = 218,625$円

　　　(ロ) 所得基準額

　　　　$(275,000,000 + 13,200,000) \times \dfrac{6.25}{100} = 18,012,500$円

　　　(ハ) $((イ)+(ロ)) \times \dfrac{1}{2} = 9,115,562$円

(3) 損金不算入額

① 国外関連者に対するもの

5,500,000円

② ①以外

13,200,000－5,500,000－2,530,000－※1,870,000－1,837,687＝1,462,313円

※ 1,870,000円＜9,115,562円　∴ 1,870,000円

③ ①＋②＝6,962,313円

(単位：円)

	項　　目	金　額	留　保	社外流出
加算	移転価格否認（A社）	56,000,000		56,000,000
減算				
	仮　　計	275,000,000	×××	×××
	寄附金の損金不算入額	6,962,313		6,962,313

Try it
国外関連取引

次の資料により、当社の当期における税務上の調整を示しなさい。

(1) 当社は、当期において外国子法人A社（当社はA社の発行済株式総数の60％の株式を保有している。）から車両運搬具を4,000,000円で4月に購入し、直ちに事業の用に供している。この車両運搬具の償却状況等は次のとおりである。なお、独立企業間価格は3,000,000円である。

取得価額	当期償却費	期末帳簿価額	法定耐用年数	償却方法（償却率）
4,000,000円	1,000,000円	3,000,000円	5年	定額法（0.200）

(2) 当社はA社の他にも外国に子会社であるB社（当社はA社の発行済株式総数の80％の株式を保有している。）を有している。なお、当社は当期においてB社に対して有していた金銭債権20,000,000円があるが、債務免除をしている。

(3) 当社の当期における別表四の仮計の金額は400,000,000円（調整不要）である。

(4) 当社の当期末における資本金等の額は80,000,000円である。

答案用紙

1．移転価格否認

2．寄附金の損金不算入

3．減価償却
  (1) 償却限度額

  (2) 償却超過額

（単位：円）

	区　分	金　額	留　保	社外流出
加算				
減算				
	仮　　計	×××	×××	×××

解 答

1. 移転価格否認

    4,000,000−3,000,000=1,000,000円

2. 寄附金の損金不算入

    寄附金は国外関連者に対するもの　∴　全額（20,000,000円）損金不算入❷

3. 減価償却

   (1) 償却限度額

   $$3,000,000 \times 0.200 \times \frac{12}{12} = 600,000円$$

   (2) 償却超過額

    1,000,000−600,000=400,000円

（単位：円）

	区　分	金　額	留　保	社外流出
加算	移　転　価　格　否　認	1,000,000		❷ 1,000,000
	減価償却超過額（車両運搬具）	400,000	❷ 400,000	
減算	取　得　価　額　減　額	1,000,000	❷ 1,000,000	
	仮　　　　計	×××	×××	×××
寄　附　金　の　損　金　不　算　入　額		20,000,000		❷ 20,000,000

解 説

① A社及びB社は、当社がその発行済株式数の50％以上を有していることから、国外関連者となります。

② A社から車両運搬具を購入していますが、独立企業間価格より1,000,000円多く支払っています。購入金額と独立企業間価格との差額1,000,000円は、移転価格否認となります。また、その差額につき費用に計上されていないため、別表四において費用計上したのと同じ状態にするために、減算調整をします。

③ 国外関連者に対するものの寄附金の額は、通常と異なり、金銭の無償交付や債務の免除といった本来の対価の授受を伴わないものだけが該当します。つまり、本問の車両運搬具については多く支払った金銭の額は、その多く支払った部分については、通常であれば寄附金に該当しますが、購入金額として支払ったため、寄附金とはならず、移転価格否認となります。

④ 本問の寄附金は、国外関連者に対するもののみであるため、全額損金不算入とするだけで、損金算入限度額の計算は要しません。

⑤ 減価償却の計算は、独立企業間価格を基に計算することになります。

Section 2 タックスヘイブン税制

軽課税国にいわゆるペーパーカンパニーを設立し、そこに利益を留保すると、本来であれば配当を通じて課税されるべき日本の法人税の課税が延期されてしまいます。このような課税回避行為を防止するため、特定外国関係会社又は対象外国関係会社の留保利益のうち一定部分を、配当があったかのように当社の収益とみなすこととされています。このSectionでは、タックスヘイブン税制の取扱いを学習します。

1 制度の概要（措法66の6①）

次の内国法人（適用対象内国法人）に係る特定外国関係会社又は対象外国関係会社（以下「特定外国関係会社等」とします。）[01]が、適用対象金額を有する場合には、その金額のうち課税対象金額は、その内国法人の収益の額とみなして、その特定外国関係会社等の各事業年度終了の日の翌日から2月を経過する日を含むその内国法人の各事業年度の益金の額に算入することとされています。

[01] 特定外国関係会社又は対象外国関係会社は、外国関係会社のうち一定のものとなります。

> **適用対象内国法人**
> (1) 直接及び間接の外国関係会社株式等の保有割合が10％以上である内国法人
> (2) 外国関係会社との間に実質的支配関係がある内国法人
> (3) 外国関係会社（その内国法人との間に実質的支配関係があるものに限られます。）の他の外国関係会社に係る(1)の割合等が10％以上である内国法人（(1)を除く。）
> (4) 直接及び間接の外国関係会社株式等の保有割合が10％以上である同族株主グループに属する内国法人

＜図解＞

特定外国関係会社等において、配当を制限する等の租税回避がされる可能性があるため、一定の方法により計算した特定外国関係会社等の所得金額（適用対象金額）のうち、適用対象内国法人に帰属する金額（課税対象金額）については、適用対象内国法人の所得に取り込んで法人税を課税することとしています。

特定外国関係会社等　　　　　　　　　　　　適用対象内国法人

適用対象金額 × 保有割合 ＝ 課税対象金額 → 収益とみなす（適用前所得金額）

＜益金算入時期＞

実際に配当があったかのように課税するため、特定外国関係会社又は対象外国関係会社の事業年度終了日の翌日から２月を経過する日を含む当社の事業年度の益金の額に算入することとされています。

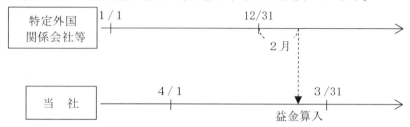

2 特定外国関係会社等の判定（措法66の6①②、措令39の14の2②）

1．外国関係会社

(1) 意　義

居住者及び内国法人並びに特殊関係非居住者[*01]により、発行済株式等の50％超を直接及び間接に保有される外国法人あるいは実質的支配関係[*02]がある外国法人をいいます。

＜図解＞

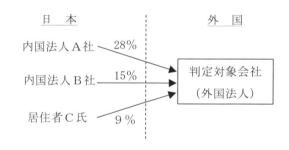

外国関係会社の判定

$28\% ＋ 15\% ＋ 9\% ＝ 52\% ＞ 50\%$　　∴　外国関係会社

(2) 間接保有

間接保有とは、内国法人とその保有関係をもつ外国法人を通じての保有又は50％超の保有の連鎖の関係[*03]をいいます。

＜図解＞

[*01] 居住者又は内国法人と一定の特殊の関係のある非居住者をいいます。

[*02] 実質支配関係とは、居住者又は居住者又は内国法人（居住者等といいます。）とその外国法人との間に次の関係がある場合のその関係とされています。
　イ　居住者等が外国法人の残余財産のおおむね全部について分配を請求する権利を有していること。
　ロ　居住者等が外国法人の財産の処分の方針のおおむね全部を決定することができる旨の契約その他の取決めが存在すること。

[*03] たとえば、50％超の保有割合の連鎖の関係をいいます。

2．特定外国関係会社（措法66の6②）

次の①、②又は③の外国関係会社をいいます。

① 次のいずれにも該当しないもの[*03]
   イ 主たる事業を行うに必要と認められる事務所、店舗その他の固定施設を有している外国関係会社
   ロ 本店所在地国においてその事業の管理、支配及び運営を自ら行っている外国関係会社
   ハ その他一定の要件に該当するもの[*04]

② その総資産額に対する剰余金の配当、受取利子、有価証券の貸付けなどによる利益の合計額の割合が30％を超える外国関係会社（総資産額に対する有価証券、貸付金等の資産の額の合計額として一定の金額の割合が50％超である外国関係会社に限ります。）[*05]

③ 租税に関する情報の交換に関する国際的な取組への協力が著しく不十分な国等として財務大臣が指定する国等に本店等を有する外国関係会社[*06]

3．対象外国関係会社（措法66の6②）

次の要件[*07]のいずれかに該当しない外国関係会社（特定外国関係会社を除く。）をいいます。

① 株式等や債券の保有、工業所有権等の権利等若しくは著作権の提供若しくは航空機等貸付けを主たる事業とするもの（一定のものを除く。）でないこと

② その本店所在地国においてその主たる事業を行うに必要な事務所等の固定施設を有していること並びにその本店所在地国においてその事業の管理、支配、運営を自ら行っていることのいずれにも該当すること

③ 主たる事業の区分に応じそれぞれに定める場合に該当すること
   イ 卸売業、銀行業、保険業、一定の運送業　等
      その事業を主として外国関係会社に係る居住者及び内国法人等以外の者との間で行っている場合として一定の場合
   ロ イ以外の事業
      その事業を主として本店所在地国において行っている場合として一定の場合

4．適用除外

それぞれ次に定める事実があるときは、その外国関係会社のその該当する事業年度に係る適用対象金額については、適用されません。

① 特定外国関係会社
   租税負担割合が27％以上である場合

② 対象外国関係会社
   租税負担割合が20％以上である場合

[*03] いわゆるペーパー・カンパニーが該当します。

[*04] 合算対象とならない子会社配当等が収益の大半である外国関係会社や、実体のあるビジネスに関して用いられている本店所在地国の不動産や資源等を源泉とするものが収益の大半である外国関係会社など、一定の要件の下で、租税回避リスクが限定的であると考えられるものです。

[*05] 受動的所得の割合が一定以上の外国関係会社（事実上のキャッシュ・ボックス）のことです。豊富な資本を持ちながら、能動的な事業遂行やリスク管理に必要な機能をほとんど果たしていない事業体を「キャッシュ・ボックス」といいます。

[*06]「外国子会社合算税制」において、情報交換に非協力的な国・地域に所在する外国子会社に対して合算課税を適用する仕組みを設けることを通じて、このような国地域に対して、税に関する透明性向上に向けた取組を促しています。

[*07] 事業基準、実体基準、管理支配基準、非関連者基準／所在地国基準といわれるものです。

3 課税対象金額の益金算入額の計算（措令39の15①②⑤、39の16①）

1．基準所得金額

(1) 意義

特定外国関係会社等の決算に基づく所得金額につき一定の基準により計算した金額をいいます[*01]。

*01) 本店所在地国の法令に基づく所得金額等を、日本の法令に基づく所得金額に引き直した所得金額を指しています。

(2) 計算方法等

基準所得金額は、次の①と②のうち少ない方の金額となります。

計算方法
① 日本の法令の例に準ずる所得金額±一定の調整
② 本店所在地国の法令による所得金額±一定の調整

<図解>

① 日本の法令による場合

特定外国関係会社等の決算に基づく所得金額
↓
日本の法令の適用による所得金額
↓
一定の調整

② 本店所在地国の法令による場合

特定外国関係会社等の決算に基づく所得金額
↓
本店所在地国の法令の適用による所得金額
↓
一定の調整

↓
いずれか少ない金額
↓
基準所得金額

なお、一旦適用した方法は継続して適用する必要があります。計算方法を変更しようとする場合には、あらかじめ納税地の所轄税務署長の承認を受けなければなりません。したがって、子会社の設立2期目以降はいずれか一方の方法により基準所得金額を計算することになります。

2．適用対象金額

適用対象金額は、次の算式により計算します。

基本算式

基準所得金額 − 各事業年度開始日前7年以内に開始した各事業年度の欠損金額 − 当期納付法人所得税額（納付ベース）

基準所得金額から、欠損金の当期控除額及び社外流出した納付ベースの法人所得税額[*02]を控除して計算します。なお、控除する法人所得税は、特定外国関係会社又は対象外国関係会社が当期に納めた金額であり、所得金額との対応関係はありません。

*02) 法人所得税は、特定外国関係会社等の所得に対して課されるすべての税をいいます。

3. 課税対象金額

課税対象金額は、次の算式により計算します。

基本算式

適用対象金額 × その内国法人の有する直接及び間接保有の株式等の保有割合

<図解>

適用対象金額のうち、当社に帰属する金額を、請求権等勘案合算割合を用いて計算しています。なお、請求権等勘案割合は、その特定外国関係会社等の期末時点のものを使用します。

*03) 一定の割合とは請求権等勘案合算割合のことです。50％超の持株割合の連鎖の関係である場合には、連乗して求めます。なお、実質支配の場合は100％として計算します。

4. まとめ

基本算式

(1) 判　定
　① 外国関係会社の判定
　② 特定外国関係会社又は対象外国関係会社の判定
　③ 適用対象内国法人の判定
　④ 適用除外の判定

(2) 基準所得金額
　　日本の法令の例に準ずる所得金額±一定の調整
　　　　　　　又は
　　本店所在地国の法令による所得金額±一定の調整

(3) 適用対象金額
　　(2)－当期開始前7年以内の欠損金額－当期納付法人所得税額

(4) 課税対象金額
　　(3) × その内国法人の有する直接及び間接保有の株式等の保有割合
　　　　　→ 課税対象金額の益金算入額（加算社外流出）

設例 4−1　　　　　　　　　　　　　　　　　　　　　　　　課税対象金額の益金算入額

次の資料により、当社の当期における税務上の調整を示しなさい。

(1) 当社は、令和 7 年 4 月 1 日に当社の子会社 A 社（当社がその発行済株式総数の90％を保有する内国法人である。）と共同して H 国に外国法人 B 社を設立している。B 社は、その発行済株式総数のうち50％を当社、30％を A 社、残りの20％を H 国に所在する現地法人 C 社（当社との間に特殊の関係はない。）に保有されている。

(2) B 社の設立第 1 期（2025年 4 月 1 日から2025年12月31日まで）の所得の金額は825,000 H ドル（H 国の法人所得税に関する法令により計算した金額である。）であり、その所得に対して課される H 国の法人所得税の額は137,000 H ドル（2026年 2 月28日に納付している。）である。なお、B 社の設立第 1 期の所得金額を日本の法人税に関する法令の規定の例に準じて計算した金額は1,012,000 H ドルである。

(3) (2)の H 国の法令により計算した金額には、次の①〜③の金額が損金の額に、④の金額が益金の額にそれぞれ算入されて計算されている。

　① 減価償却超過額　　　　　　47,300 H ドル
　② 寄附金の損金不算入額　　　55,000 H ドル
　③ 役員給与の損金不算入額　　57,200 H ドル
　④ 資産の評価益の益金不算入額　22,000 H ドル

(4) 1 H ドルは10円として計算するものとし、1 H ドル未満の端数は切り捨てるものとする。

(5) B 社は、主たる事業を行うに必要と認められる事務所、店舗その他の固定施設を有しておらず、また、本店所在地においてその事業の管理、支配及び運営を自ら行っていない。その他、租税回避リスクが限定的であると考えられるものに該当しない。

(6) 外国税額控除の適用については、考慮する必要はないものとする。

解答

(1) 判定

① 外国関係会社の判定

50％＋30％＝80％＞50％　∴　外国関係会社

② 特定外国関係会社等の判定

B社は、主たる事業を行うに必要と認められる事務所等の固定施設を有しておらず、また、本店所在地国においてその事業の管理、支配及び運営を自ら行っていない。その他、租税回避リスクが限定的であると考えられるものに該当しない。

∴　特定外国関係会社

③ 適用対象内国法人の判定

50％≧10％　∴　該当

④ 適用除外の判定

$\dfrac{137,000\text{Hドル}}{825,000\text{Hドル}} = 16.6\cdots\% < 27\%$　∴　適用あり

(2) 適用対象金額（基準所得金額と同額）

① 日本の法令　1,012,000Hドル

② 現地法令

825,000＋47,300＋55,000＋57,200－22,000＝962,500Hドル

③ ①＞②　∴　962,500Hドル

(3) 課税対象金額

962,500×50％＝481,250Hドル

481,250Hドル×10＝4,812,500円

（単位：円）

	項　　　　目	金　　額	留　　保	社外流出
加算	課税対象金額の益金算入額	4,812,500		4,812,500
減算				

解説

① 特定外国関係会社等が設立1期における基準所得金額の計算は、日本の法令による方法と現地法令による方法のいずれかを選択して適用することとなります。その後は、原則として設立1期目に選択した方法を継続して適用することとなります。

② 適用対象金額に乗ずる「直接及び間接保有の株式等の保有割合」は、本問の場合、直接保有分のみで50％となります。

子会社A社が外国法人である場合には、子会社A社が有している株式は、間接保有となりますが、子会社A社は内国法人であるため、間接保有とはなりません。

4 外国税額控除との関係（措令39の18①）

1．概　要

　　特定外国関係会社又は対象外国関係会社の課税対象金額の益金算入の規定の適用を受ける場合には、特定外国関係会社又は対象外国関係会社の所得金額のうち、課税対象金額部分が内国法人の所得金額に合算されることになるため、そこに国際間の二重課税の問題が発生してしまいます。そこで、特定外国関係会社又は対象外国関係会社の納付する外国法人税のうち、この課税対象金額に対応する部分について外国税額控除の適用を受けることができるように規定が整備されています。

(1) 特定外国関係会社又は対象外国関係会社の外国税額

　　適用対象内国法人が、特定外国関係会社又は対象外国関係会社の課税対象金額の益金算入の適用を受ける場合には、特定外国関係会社又は対象外国関係会社の外国法人税額のうち課税対象金額に対応する金額は、その内国法人が納付する控除対象外国法人税の額とみなして、外国税額控除の規定を適用することができます。

(2) 特定外国関係会社又は対象外国関係会社の外国税額の益金算入

　　適用対象内国法人が(1)の適用を受ける場合には、その内国法人が納付したとみなされた控除対象外国法人税の額は、一定の事業年度の益金の額に算入することになります。

2．控除対象外国法人税額

　　特定外国関係会社又は対象外国関係会社の課税対象金額の益金算入の適用を受ける場合には、次の算式により控除対象外国法人税の額を計算します。

基本算式
(1) 特定外国関係会社等の課税対象年度の所得に対して課される外国税額 × $\dfrac{課税対象金額}{適用対象金額}$
(2) 課税対象金額
(3) (1)と(2)のいずれか少ない方

＜図解＞

適用対象金額	
	課税対象金額 → 益金算入
	納付したとみなされる金額 → 控除対象外国法人税額

課税対象年度の所得に対する外国法人税額

3. 別表四と別表一との関係

(1) 別表四の調整

特定外国関係会社又は対象外国関係会社の課税対象金額の益金算入の規定の適用を受けた場合の別表四上の調整をまとめると次のようになります。

加算欄	課税対象金額の益金算入額（加算社外流出）
仮計の下	控除対象外国法人税額（加算社外流出） （課税対象金額に係る控除対象外国法人税額）

(2) 別表一の計算

外国税額控除の適用を受ける場合には、控除限度額を計算する必要があります。特定外国関係会社又は対象外国関係会社の課税対象金額の益金算入の規定の適用を受けた場合の国外源泉所得の金額は次のように計算します。

別表一	課税対象金額の益金算入額 ＋ 課税対象金額に係る控除対象外国法人税額

4. まとめ

基本算式

(1) 控除対象外国法人税額

① 特定外国関係会社等の課税対象年度の所得に対して課される外国税額 × $\dfrac{課税対象金額}{適用対象金額}$

② 課税対象金額

③ ①と②のいずれか少ない方

　　　　→控除対象外国法人税額（加算社外流出）

(2) 控除外国税額（別表一）

① 控除対象外国法人税額

② 控除限度額

　　差引法人税額 × $\dfrac{※当期の調整国外所得金額}{別表四の差引計}$

　　※(イ) 課税対象金額の益金算入額 ＋ 課税対象金額に係る控除対象外国法人税額

　　　(ロ) 別表四の差引計 × 90%

　　　(ハ) (イ)と(ロ)のいずれか少ない方

③ ①と②のいずれか少ない方（法人税額計の下・控除）

設例4-2　　　課税対象金額の益金算入に係る控除外国税額

次の資料により、当社の当期における法人税額から控除される外国税額を計算するとともに税務上の調整を示しなさい。

(1) 当社は、令和7年4月1日に当社の子会社A社（当社がその発行済株式総数の90%を保有する内国法人である。）と共同してH国に外国法人B社を設立している。B社（特定外国関係会社に該当する。）は、その発行済株式総数のうち50%を当社、30%をA社、残りの20%をH国に所在する現地法人C社（当社との間に特殊の関係はない。）に保有されている。

(2) B社の設立第1期（2025年4月1日から2025年12月31日まで）の所得の金額は825,000Hドル（H国の法人所得税に関する法令により計算した金額である。）であり、その所得に対して課されるH国の法人所得税の額は137,000Hドル（2026年2月28日に納付している。）である。

(3) 当社は、上記のB社の所得につき、課税対象金額の益金算入額4,812,500円の加算調整が生じることとなっている（適用対象金額9,625,000円）。

(4) 1Hドルは10円として計算するものとし、1Hドル未満の端数は切り捨てるものとする。

(5) 当社の令和8年3月期の所得金額は300,000,000円、差引法人税額は69,600,000円である。

解答

1. 控除対象外国法人税額（別表四）

    (1) $137,000 \text{H ドル} \times 10 \times \dfrac{4,812,500}{9,625,000} = 685,000$ 円

    (2) $4,812,500$ 円

    (3) (1)＜(2)　∴　685,000円（仮計下・加算社外流出）

2. 控除外国税額（別表一）

    (1) 控除対象外国法人税額

    $685,000$ 円

    (2) 控除限度額

    $69,600,000 \times \dfrac{{}^{※}5,497,500}{300,000,000} = 1,275,420$ 円

    ※① $4,812,500 + 685,000 = 5,497,500$ 円

    ② $300,000,000 \times 90\% = 270,000,000$ 円

    ③ ①＜②　∴　5,497,500円

    (3) (1)＜(2)　∴　685,000円（法人税額計の下・控除）

（単位：円）

区分		金額	留保	社外流出
加算	課税対象金額の益金算入額	4,812,500		4,812,500
減算				
仮計		×××	×××	×××
控除対象外国法人税額		685,000		685,000

解説

① 特定外国関係会社等が納付した外国法人税額を当社が納付したとみなして、外国税額控除の適用を受けることになります。当社が納付したみなされる金額は、適用対象金額のうち課税対象金額の占める割合を乗ずることにより算出されます。

② 控除限度額の計算上の国外源泉所得の金額は、本問の場合、国外で生じた収益及び費用はありませんが、別表四において加算される課税対象金額の益金算入額と控除対象外国法人税額との合計額が該当することになります。

5 特定外国関係会社等から配当金を収受した場合

1．概　要

　特定外国関係会社等を有する場合には、所得を軽課税国に所在する特定外国関係会社等に留保することによる租税回避を防止するために、その特定外国関係会社等の所得が生じた直後（特定外国関係会社等のその事業年度終了の日の翌日から２月を経過する日）に内国法人の所得に加算します（合算課税）。

　これは、あたかも特定外国関係会社等において生じた所得をすべて内国法人に配当したかのように、その内国法人に課税するものです。

　実際に、配当がされた場合には、二重課税が生じてしまうため、配当金はその全額が益金不算入とされます。

＜図解＞

① 課税対象金額が合算される事業年度[*01]

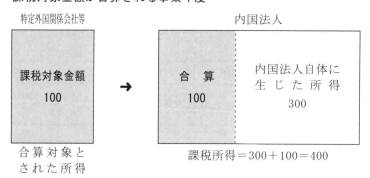

[*01] その事業年度に課税対象金額が生じた場合には、その事業年度終了の日の翌日から２月を経過する日においてその課税対象金額が内国法人の所得に合算されることになりますが、同じタイミングでその課税対象金額を原資として配当される場合もあります。その場合には、左記①と②を合わせた図解となります。

② 配当がされた事業年度[*01]

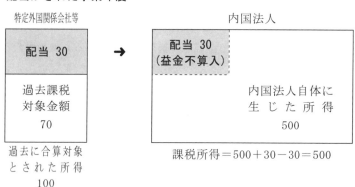

2．別表四上の調整

特定外国関係会社等から配当金を収受すると、合算済所得とその配当金との間で二重課税が生じてしまうため、特定外国関係会社等から収受した配当金は、その全額が益金不算入とされます[*02]。

なお、特定外国関係会社等が外国子会社に該当する場合と該当しない場合とで適用される条文が異なりますが、外国子会社の場合には、通常の外国子会社配当等の益金不算入の規定が流用されているためです。

*02) **外国子会社配当等の益金不算入のように、配当金の95％が益金不算入となるのではなく、その全額が益金不算入となります。**

区　分	配当金の取扱い	外国源泉税
外国子会社に該当する場合	全額益金不算入（法23の2①、措法66の8②）	税額控除適用なし（法69①かっこ書き）
		損金算入（措法66の8②）
上記以外の場合	全額益金不算入（措法66の8①）	税額控除適用なし（法69①かっこ書き）
		損金算入（法22③）

3．まとめ

> **基本算式**
> 特定外国関係会社等からの配当等（子会社であるか否かを問わず）
> →特定外国関係会社等の配当等の益金不算入額（減算※社外流出）

設例4-3　　特定外国関係会社等の配当等の益金不算入額

次の資料により、当社の当期における税務上の調整を示しなさい。

(1) 当社は、令和7年4月1日に当社の子会社A社（当社がその発行済株式総数の90％を保有する内国法人である。）と共同してH国に外国法人B社を設立している。B社（特定外国関係会社に該当する。）は、その発行済株式総数のうち50％を当社、30％をA社、残りの20％をH国に所在する現地法人C社（当社との間に特殊の関係はない。）に保有されている。

(2) B社の設立第1期（2025年4月1日から2025年12月31日まで）の所得の金額は825,000Hドル（H国の法人所得税に関する法令により計算した金額である。）であり、その所得に対して課されるH国の法人所得税の額は137,000Hドル（2026年2月28日に納付している。）である。

(3) 当社は、上記のB社の所得につき、課税対象金額の益金算入額4,812,500円の加算調整が生じることとなっている（適用対象金額9,625,000円）。

(4) 1Hドルは10円として計算するものとし、1Hドル未満の端数は切り捨てるものとする。

(5) 当社は当期の3月25日にB社から配当金3,000,000円を収受し、収益に計上し、源泉徴収された外国税210,000円は費用に計上している。

(6) 外国税額控除の適用については、考慮する必要はないものとする。

解答

（単位：円）

	項　目	金　額	留　保	社外流出
加算	課税対象金額の益金算入額	4,812,500		4,812,500
減算	特定外国関係会社等の配当等の益金不算入額	3,000,000		※　3,000,000

解説

当期以前に課税対象金額の益金算入額として加算された金額がある場合には、特定外国関係会社等から受けた配当等の額のうち、その加算された金額に達するまでの金額は、全額が益金不算入となります。

なお、特定外国関係会社等に該当しなかった時期の利益剰余金を配当する場合等に、特定外国関係会社等からの配当につき、全額益金不算入とならない場合もありますが、通常は、その配当の全額が益金不算入となります。

Chapter 16

組織再編成

Section 1 組織再編税制の概要

法人が経営の合理化を図る等のため、合併等が行われることがあります。この合併等により資産や負債がそのまま引き継がれたとしても、法人税では時価で譲渡したものとして取り扱うことが原則です。しかし、この譲渡損益に直ちに課税すると法人の組織再編を阻害することにつながるため、一定の要件を付した上で、組織再編成に伴う譲渡損益に対する課税を繰り延べる規定が設けられています。
このSectionでは、組織再編税制の概要を学習します。

1 組織再編成の形態

法人の組織再編成の種類には、次の7つの形態がありますが、それぞれの組織再編成の形態に応じて規定が置かれています。

1. 合併

合併とは、2以上の法人が契約により一つの法人となる法律上の行為をいいます[*01]。

会社法では、会社は合併をすることができ、合併後存続する会社又は合併によって設立した会社は、合併により消滅した会社の権利義務を承継することとされています。

*01) 法人税法においては、合併を積極的には定義していません。したがって、会社法からの借用概念になります。

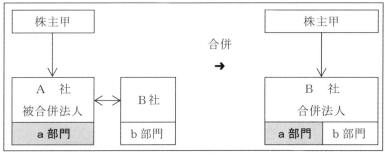

(1) **被合併法人**
 合併によりその有する資産及び負債の移転を行った法人をいいます。

(2) **合併法人**
 合併により被合併法人から資産及び負債の移転を受けた法人をいいます。

2．分割型分割

分割型分割とは、分割の日においてその分割に係る分割対価資産[*02]のすべてが分割法人の株主等に交付される場合のその分割等をいいます。

新設分割を前提とすると、事業を移転して新会社を設立し、その会社の株式を分割法人の株主に交付するもの等をいいます[*03]。

*02) 分割対価資産とは、分割の対価である分割承継法人の株式その他の資産をいいます。

*03) 分割型分割を行うと、その分割後においては、兄弟関係ができることになります。

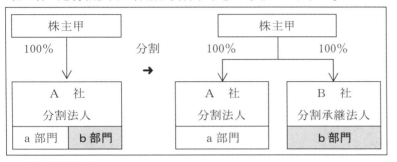

(1) 分割法人

分割によりその有する資産及び負債の移転を行った法人をいいます。

(2) 分割承継法人

分割により分割法人から資産及び負債の移転を受けた法人をいいます。

3．分社型分割

分社型分割とは、分割の日においてその分割に係る分割対価資産が分割法人の株主等に交付されない場合のその分割等をいいます。

新設分割を前提とすると、事業を移転して新会社を設立し、その会社の株式を分割法人自ら取得するもの等をいいます[*04]。

*04) 分社型分割を行うと、その分割後においては、親子関係ができることになります。

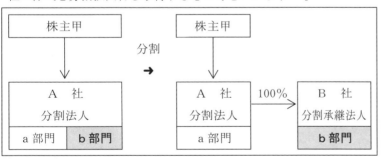

4．現物出資

金銭以外の資産を出資することを現物出資といいます。現物出資は、法人の設立時のみではなく、増資等も現物出資によることができます。

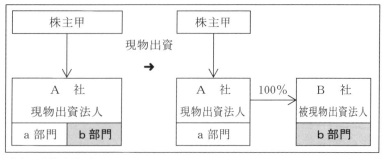

(1) 現物出資法人

現物出資によりその有する資産の移転を行い、又はこれと併せてその有する負債の移転を行った法人をいいます。

(2) 被現物出資法人

現物出資により現物出資法人から資産の移転を受け、又はこれと併せて負債の移転を受けた法人をいいます。

5．現物分配

現物分配は、法人が株主等に対して剰余金の配当その他の一定の事由により金銭以外の資産を交付すること[05]をいいます。この現物分配は、組織再編の一環と位置づけられ、子会社が孫会社の株式を親会社に対して現物分配することにより、親会社が孫会社を子会社化することができます。

*05) 会社法では、金銭以外の資産による配当（現物配当）が認められていますが、この現物配当等を指して法人税法では現物分配といいます。

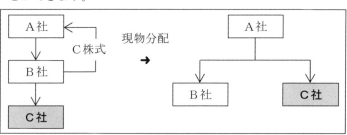

(1) 現物分配法人

現物分配によりその有する資産の移転を行った法人をいいます。

(2) 被現物分配法人

現物分配により現物分配法人から資産の移転を受けた法人をいいます。

6．株式交換

株式交換とは、会社が発行済株式の全部を既存の他の会社に取得させることをいいます。株式交換により、当該他の会社は持株会社となって子会社を支配していくことになります。

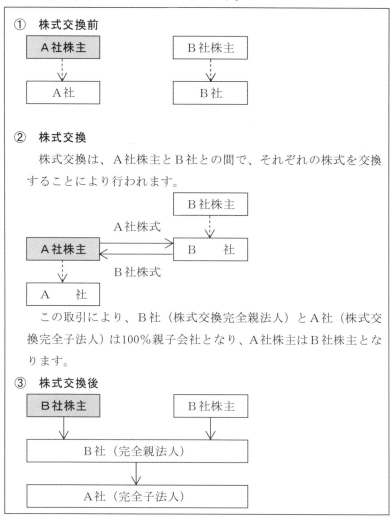

この取引により、B社（株式交換完全親法人）とA社（株式交換完全子法人）は100％親子会社となり、A社株主はB社株主となります。

(1) 株式交換完全親法人

株式交換により他の法人の株式を取得したことによってその法人の発行済株式の全部を有することとなった法人をいいます。

(2) 株式交換完全子法人

株式交換によりその株主の有する株式を他の法人に取得させたその株式を発行した法人をいいます。

7．株式移転

　株式移転とは、会社が発行済株式の全部を新たに設立する会社に取得させることをいいます。株式移転により、新たに設立された会社は持株会社となって子会社を支配していくことになります。

① 株式移転前

```
A社株主
  ↓
 A 社
```

② 株式移転

　株式移転は、A社株主が新設される持株会社B社に株式を移転し、その対価として新たにB社株式の交付を受けることにより行われます。

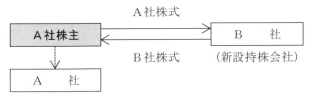

　この取引により、B社（株式移転完全親法人）とA社（株式移転完全子法人）は100％親子会社となり、A社株主はB社株主となります。

③ 株式移転後

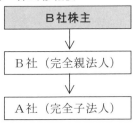

(1) 株式移転完全親法人

　株式移転により他の法人の発行済株式の全部を取得したその株式移転により設立された法人をいいます。

(2) 株式移転完全子法人

　株式移転によりその株主の有する株式をその株式移転により設立された法人に取得させたその株式を発行した法人をいいます。

2 適格組織再編成

1. 概　要

(1) 組織再編成（株式交換及び株式移転を除きます。）

　法人税法では、組織再編成により移転する資産であっても、原則として時価で譲渡したものとして譲渡損益を計上することになります。しかし、組織再編成の実態や移転資産に対する支配の継続という観点からは、資産を移転する前後で経済実態に実質的な変更がないと認められる場合には、移転資産をその帳簿価額のまま引き継ぎ、譲渡損益の計上を繰り延べることとされています[01]。

*01) この譲渡損益を繰り延べる組織再編成を適格組織再編成といいます。

＜図解＞

　組織再編成における資産及び負債を移転（譲渡）した法人の課税関係は、次のとおりです。

*02) 適格組織再編成の形態によって、正確には簿価による譲渡と簿価による引継ぎの取扱いがあります。簿価による譲渡と引継ぎでは、意味が異なる点もありますが、その効果は実質的に同じ部分が多いため、便宜的に簿価による譲渡としました。

(2) 株式交換及び株式移転の場合

　株式交換等は、他の組織再編成の形態とは異なり、完全子法人の株主と完全親法人との間で株式が譲渡される取引です。したがって、完全子法人の資産及び負債は他の法人に移転されません。

　しかし、その経済実態は、株式を譲渡することにより完全子法人の資産及び負債を移転したことと変わりはなく、非適格株式交換等の場合には、資産等を譲渡した場合と同じになるように、譲渡損益の代わりに時価評価損益を計上することになります[03]。なお、適格株式交換等の場合には、時価評価は要しません。

*03) このように取り扱うことによって、他の組織再編成の形態の課税関係との調整が図られています。

＜図解＞

　株式交換等を行った場合の完全子法人における課税関係は、次のとおりです。

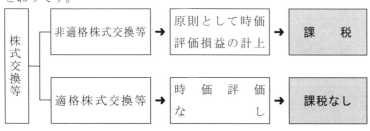

2．適格合併の判定（法2①十二の八、令6の3①②③④㉓、基通1-4-6）

(1) 合併の区分

法人税法では、組織再編成により移転した資産の対価として金銭等の交付がされると、それは売買として取り扱われます。つまり、非適格合併として取り扱われるということです。

```
┌─────────────────────────────┬─────────────────────────────┐
│ 被合併法人の株主等に対し合併法人  │ 被合併法人の株主等に対し合併法人  │
│ 株式又は合併親法人株式*04)以外の資  │ 株式又は合併親法人株式以外の資産 │
│ 産*05)の交付がない（株式等のみ交付）│ *05)の交付がある                │
│ ＝金銭等不交付合併*06)           │ （金銭等の交付あり）             │
└──────────┬─────────┬────────┴─────────────┬───────────────┘
           ↓         ↓                      ↓
    ┌──────────┐ ┌──────────┐          ┌──────────┐
    │ 保有割合が │ │ 保有割合が │          │          │
    │  50％超   │ │  50％以下  │          │          │
    └─────┬────┘ └─────┬────┘          └─────┬────┘
          ↓            ↓                     ↓
    ┌──────────┐ ┌──────────┐          ┌──────────┐
    │ 企業グループ│ │ 共同事業再編│          │ 非適格合併 │
    │  内 再 編 │ │            │          │          │
    └──────────┘ └──────────┘          └──────────┘
```

*04) 合併法人との間にその合併法人の発行済株式の全部を保有する関係がある法人の株式をいいます。

*05) 合併法人株式又は合併親法人株式以外の資産からは、剰余金の配当等及び反対株主等に対する買取請求に基づき交付される金銭等は除かれています。

*06) 金銭等不交付合併の判定は、合併法人が被合併法人の発行済株式の3分の2以上を有する場合におけるその他の株主に対して交付する対価を除外して判定します。すなわち、この場合、その他の株主に対して金銭等を交付しても、適格にできます（スクイーズアウト税制）。

(2) 企業グループ内再編

合併が、企業グループ内再編に該当する場合には、さらに次のように適格合併と非適格合併とに区分します*07)。

① 判　定

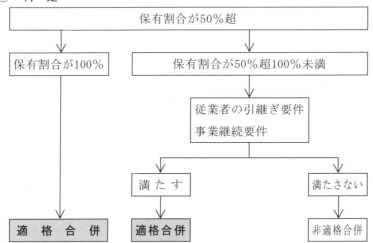

*07) 適格合併に該当する場合には、移転資産等に対する支配の継続という点に着目して、グループとして一体と考えられる法人間で行う組織再編成による資産等の移転については、その資産等に対する支配が継続しているものとして譲渡損益に対する課税を繰延べ、その資産等の移転がグループの外に対して行われる時に課税を行うこととされています。

② 従業者の引継ぎ要件及び事業継続要件

要　件	内　　容
従業者の引継ぎ要件	被合併法人の合併直前の従業者総数の80％以上が合併後に合併法人の業務に従事することが見込まれていること
事業継続要件	被合併法人の合併前に営む主要な事業が合併後に合併法人において引き続き営まれることが見込まれていること

＜保有割合＞

保有割合とは、次の割合をいいます。

① 被合併法人と合併法人との間の保有

② 同一の者によって被合併法人と合併法人が保有されている場合の保有

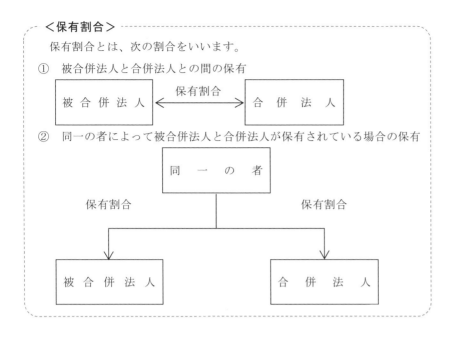

(3) 共同事業再編

① 判　定

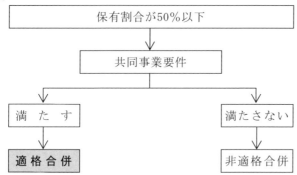

② 共同事業要件

要　件	内　　　　容
事業関連性要件	被合併法人の被合併事業[08]と合併法人の合併事業とが相互に関連するものであること
事業規模要件又は特定役員引継ぎ要件	事業規模要件[09] 　被合併事業と合併事業[10]のそれぞれの売上金額、従業者数、被合併法人と合併法人のそれぞれの資本金の額若しくは出資金の額又はこれらに準ずるものの規模の割合が5倍を超えないこと 特定役員引継ぎ要件[09] 　被合併法人の特定役員[11]のいずれかと合併法人の特定役員のいずれかとが合併後に合併法人の特定役員となることが見込まれていること
従業者の引継ぎ要件	被合併法人の合併直前の従業者総数の80%以上が合併後に合併法人の業務に従事することが見込まれていること
事業継続要件	被合併法人の被合併事業が合併後に合併法人において引き続き営まれることが見込まれていること
株式継続保有要件	被合併法人等の発行済株式の50%超を保有する企業グループ内の株主（ない場合は、この要件は除かれます。）がその交付を受けた合併法人等の株式の全部を継続して保有することが見込まれていること

[08] 被合併事業とは、被合併法人の合併前に営む主要な事業のうちのいずれかの事業をいいます。

[09] 事業規模要件又は特定役員引継ぎ要件は、いずれか一方を満たしていれば、要件を満たすことになります。

[10] 合併事業とは、合併法人の合併前に営む事業のうちのいずれかの事業をいいます。

[11] 特定役員とは、社長、副社長、代表取締役、代表執行役、専務取締役若しくは常務取締役又はこれらに準ずる者で法人の経営に従事している者をいいます。

＜判定上の注意点＞

共同事業再編における共同事業要件の判定では、次の点に注意が必要です。

① 事業関連性要件

それぞれの事業が一体となって何らかの相乗効果が生ずるようなものは、事業関連性があるものとされます。例えば、次のようなものは、事業が「相互に関連するものであること」に該当します。

(イ) ○×小売業と○×小売業というように同種の事業を営んでいるもの

(ロ) 製造と販売のように、その業態が異なっても同一の製品の製造と販売を行うもの

② 事業規模要件又は特定役員引継ぎ要件

事業規模要件は、いずれか一の指標が5倍を超えていなければ要件を満たすことになります。なお、特定役員引継ぎ要件は、経営面からみて共同事業が担保されることから、事業規模が5倍を超えているような法人間での合併であっても事業規模要件に代わる要件として認められているものです。

3．判定のまとめ

(1) 適格判定のフローチャート（合併・分割・現物出資）

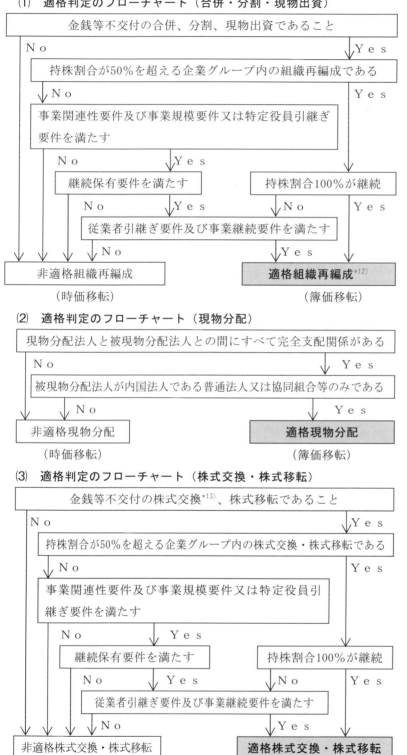

*12) 適格分割型分割は、分割承継法人の株式が、分割法人の株主等にその持分に応じて交付されるものに限られています。
このほか、分割法人が分割前に他の者による支配関係がないものであり、分割承継法人が分割後に継続して他の者による支配関係がないことが見込まれていることその他一定の要件を満たす分割型分割（スピンオフ税制）も、適格分割型分割として認められます。

*13) 金銭等不交付株式交換の判定は、株式交換完全親法人が株式交換完全子法人の発行済株式の3分の2以上を有する場合におけるその他の株主に対して交付する対価を除外して判定します。すなわち、この場合、その他の株主に対して金銭等を交付しても、適格にできます（スクイーズアウト税制）。

Section 2 合併・分割型分割の課税関係

複数の法人が一つになることを合併といいますが、合併で課税関係が生じるのは、合併法人、被合併法人及び被合併法人の株主の三者となります。それぞれの立場や適格合併と非適格合併では課税関係が異なるため注意が必要です。また、分割型分割は、基本的な課税関係が合併と同様になります。

このSectionでは、合併・分割型分割の課税関係を学習します。

1 概　要

合併又は分割型分割が行われた場合の基本的な課税関係は、次のとおりです。

1．非適格合併・非適格分割型分割の場合

区　分	取　扱　い	
被合併法人 分　割　法　人	移転資産等は、時価により譲渡したものとして譲渡損益を認識します。	
合　併　法　人 分割承継法人	移転資産等を時価により受け入れます。 被合併法人等の利益積立金額は引継がれません。	
被合併法人の株主 分割法人の株主	みなし配当	交付金銭等の価額が資本金等の額を超える場合に認識します。
	譲渡損益　株式のみ	帳簿価額を引継ぐ処理をし、有価証券の譲渡損益は認識しません。
	譲渡損益　上記以外	有価証券の譲渡損益を認識します。

2．適格合併・適格分割型分割の場合

区　分	取　扱　い	
被合併法人 分　割　法　人	移転資産等は、帳簿価額により引き継ぐものとして譲渡損益の計上は繰り延べられます。	
合　併　法　人 分割承継法人	移転資産等を帳簿価額により受け入れます。 被合併法人等の利益積立金額を引き継ぎます。	
被合併法人の株主 分割法人の株主	みなし配当	被合併法人の利益積立金額は合併法人へと引き継がれ、交付財源とはならないため認識しません。
	譲渡損益 （株式のみ）	帳簿価額を引継ぐ処理をし、有価証券の譲渡損益は認識しません。

2 課税関係の概要

1．適格合併の場合

(1) 概　要

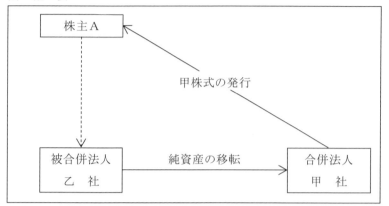

① 乙社の合併直前のB／S

B／S	
純資産　26,400,000円	資本金　16,500,000円
	利・積　 9,900,000円

（注）　純資産の時価は55,000,000円である。

② 甲社の合併による増加資本金の額　　11,000,000円

③ 株主Aの乙株式の帳簿価額　　22,000,000円

(2) 課税関係

① 被合併法人

被合併法人においては、合併により移転した資産等は、帳簿価額により合併法人へと引継がれます。また、利益積立金額についても合併法人に引き継がれることになります。

> 税務上の仕訳[*01]
> （資本金）　16,500,000円　（純資産）　26,400,000円
> （利・積）　 9,900,000円

*01）次ページの非適格合併の場合と条文での表現は異なりますが、合併法人から株式等を取得し、被合併法人の株主等に交付したものと考える点は同様です。

② 合併法人

純資産を被合併法人における帳簿価額で受け入れることになります。なお、被合併法人の資本金等の額から増加資本金の額を減算した金額は、資本金等の額の加算項目として取り扱い、増加した純資産の額から増加した資本金等の額を減算した金額は利益積立金額の加算項目として取り扱います。

> 税務上の仕訳
> （純資産）　26,400,000円　（資本金）　　11,000,000円
> 　　　　　　　　　　　　　（資本金等）　 5,500,000円
> 　　　　　　　　　　　　　（利・積）　　 9,900,000円

2．非適格合併の場合

(1) 概　要

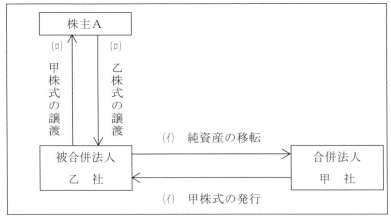

① 乙社の合併直前のB／S

B／S	
純資産　26,400,000円	資本金　16,500,000円
	利・積　　9,900,000円

（注）純資産の時価は55,000,000円（甲株式の時価も同額とします。）である。

② 甲社の合併による増加資本金の額　　11,000,000円

③ 株主Aの乙株式の帳簿価額　　22,000,000円

(2) 課税関係

① **被合併法人**

(イ) 時価を対価とする譲渡を行ったものとされ、譲渡損益に対して課税されます。譲渡損益は、利益積立金額を構成します[*02]。

*02）実際には法人税等が課税された後の金額が利益積立金額を構成しますが、便宜上法人税等は考慮していません。

税務上の仕訳			
（甲株式）	55,000,000円	（純資産）	26,400,000円
		（譲渡益）	28,600,000円
（譲渡益）	28,600,000円	（利・積）	28,600,000円

(ロ) 合併法人の株式等を一旦取得後、直ちにその株式等を被合併法人の株主に交付し、被合併法人は消滅します。

税務上の仕訳			
（資本金）	16,500,000円	（甲株式）	55,000,000円
（利・積）	38,500,000円		

② **合併法人**

純資産を時価で受け入れる資本等取引を行ったものとされ、増加した純資産の額から、増加資本金の額を減算した金額が資本金等の額の加算項目として取り扱われます。

税務上の仕訳			
（純資産）	55,000,000円	（資本金）	11,000,000円
		（資本金等）	44,000,000円

3．株主の取扱い

(1) 適格合併

適格合併の場合には、利益積立金額は合併法人に引き継がれているため、株主においてみなし配当は生じません。また、株式のみの交付を受けているため、譲渡損益も生じないことになります。

税務上の仕訳			
（甲株式）	22,000,000円	（乙株式）	22,000,000円

(2) 非適格合併

みなし配当を認識します。なお、金銭等を収受していない場合の新株の取得価額は「旧株の帳簿価額＋みなし配当」となり、金銭等を収受している場合の新株の取得価額は「時価」となります。

税務上の仕訳			
（甲株式）	60,500,000円	（乙株式）	22,000,000円
		（みなし配当）	38,500,000円

3 被合併法人における取扱い

1．移転資産等の取扱い（法62、62の2①）

(1) 適格合併

移転資産等は、被合併法人の最後事業年度[*01]終了時の帳簿価額により合併法人に引き継がれるため、被合併法人がその移転資産等について譲渡損益を計上した場合には、その譲渡損益は否認されます。

また、計算上の数値に過ぎない一定の引当金・積立金・圧縮特別勘定・特別償却準備金については、被合併法人が合併直前に繰入れ又は積立てをした後に、合併法人に引き継がれます。

(2) 非適格合併

税務上、被合併法人は、移転資産等を時価により譲渡したものとして、譲渡損益を認識しますが、正しい会計処理としては、譲渡損益を計上するものではありません。

したがって、税務上、譲渡損益が認識された場合には、被合併法人の最後事業年度の別表四において加算社外流出又は減算※社外流出[*02]として処理することになります。

なお、計算上の数値に過ぎない一定の引当金、圧縮積立金、圧縮特別勘定及び特別償却準備金は合併法人に引き継がれず、被合併法人において最後事業年度の益金の額に算入します。また、被合併法人は、最後事業年度においてこれらの繰入れ又は積立てはできません。

[*01] 被合併法人は合併後に合併法人に吸収等されることになりますが、被合併法人としての最後の事業年度をいいます。その事業年度開始の日から合併の日の前日までの期間となります。

[*02] 合併に際し、被合併法人の株主等に対して、みなし配当が支出されることになります。つまり、留保金課税に影響させないために、留保項目としないということです。

2．事業年度の特例（法14①二）

適格・非適格にかかわらず、事業年度の中途において合併により解散した被合併法人は、その事業年度開始の日から合併の日の前日までの期間を一事業年度（最後事業年度）とされ、各事業年度の所得に対する法人税を計算することになります。

これに対し、合併法人は、存続法人であるため、通常の事業年度となります。

＜図解＞

通常の事業年度はいずれも4月1日〜3月31日とします。

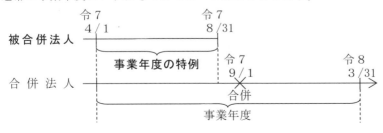

3．減価償却（最後事業年度が1年未満の場合）

　事業年度の中途において法人が合併（適格、非適格を問いません。）により解散した場合、その最後事業年度は1年未満となります。償却率等は、事業年度が1年であることを前提として定められているため、事業年度が1年未満の場合には、償却率等の調整計算を行うことになります。

(1) 旧定額法の場合

　償却率の調整計算をします。

> **基本算式**
>
> ① 償却率の調整計算
>
> $$通常の償却率 \times \frac{最後事業年度の月数}{12} = \times\times（小数点以下3位未満切上）$$
>
> ② 償却限度額の計算
>
> 取得価額 × 0.9 × ①で計算される償却率

(2) 定額法の場合

　償却率の調整計算をします。

> **基本算式**
>
> ① 償却率の調整計算
>
> $$通常の償却率 \times \frac{最後事業年度の月数}{12} = \times\times（小数点以下3位未満切上）$$
>
> ② 償却限度額の計算
>
> $$取得価額 \times ①で計算される償却率 \left(\times \frac{事業供用期間の月数}{最後事業年度の月数} \right)$$

(3) 旧定率法の場合

　耐用年数の調整計算をします。

> **基本算式**
>
> ① 耐用年数の調整計算
>
> $$耐用年数 \times \frac{12}{最後事業年度の月数} = \times\times（1年未満切捨）$$
>
> ② 償却限度額の計算
>
> 期首帳簿価額 × ①で計算される耐用年数の償却率

⑷ 定率法の場合

償却率又は改定償却率の調整計算をします。

① 判　定

> **基本算式**
>
> ⑴ 調整前償却額
>
> 期首帳簿価額（又は取得価額）×償却率
>
> ⑵ 償却保証額
>
> 取得価額×保証率
>
> ⑶ 償却限度額
>
> ⑴≧⑵の場合 ➜ 償却率の調整計算
>
> ⑴＜⑵の場合 ➜ 改定償却率の調整計算

② 償却率の調整計算をする場合

> **基本算式**
>
> ⑴ 償却率の調整計算
>
> $$\text{通常の償却率} \times \frac{\text{最後事業年度の月数}}{12} = \times\times$$（小数点以下3位未満切上）
>
> ⑵ 償却限度額の計算
>
> 期首帳簿価額×⑴で計算される償却率
>
> 又は
>
> $$\text{取得価額} \times \text{⑴で計算される償却率} \times \frac{\text{事業供用期間の月数}}{\text{最後事業年度の月数}}$$

③ 改定償却率の調整計算をする場合

> **基本算式**
>
> ⑴ 改定償却率の調整計算
>
> $$\text{通常の改定償却率} \times \frac{\text{最後事業年度の月数}}{12} = \times\times$$（小数点以下3位未満切上）
>
> ⑵ 償却限度額の計算
>
> 改定取得価額×⑴で計算される改定償却率

設例2−1　事業年度が1年未満の場合の償却限度額の計算

次の資料により、当社の最後事業年度(令和7年4月1日から令和7年11月30日までの事業年度)における減価償却限度額の計算をしなさい。

(1) 当社(資本金の額3億円)は、令和7年12月1日を合併期日としてA社に吸収合併された。なお、当社は、償却方法の選定の届出を行っていない。

(2) 減価償却資産の取得価額及び帳簿価額等の資料は次のとおりである。

種類	取得価額	期首帳簿価額	耐用年数	事業供用日
建物	42,000,000円	38,000,000円	50年	平成25年10月1日
機械	9,000,000円	5,000,000円	15年	平成18年12月10日
車両	3,000,000円	—	5年	令和7年6月20日

(3) 償却率等は次のとおりである。

耐用年数	旧定額法償却率	定額法償却率	旧定率法償却率	250%定率法			200%定率法		
				償却率	改定償却率	保証率	償却率	改定償却率	保証率
5	0.200	0.200	0.369	0.500	1.000	0.06249	0.400	0.500	0.10800
15	0.066	0.067	0.142	0.167	0.200	0.03217	0.133	0.143	0.04565
22	0.046	0.046	0.099	0.114	0.125	0.02296	0.091	0.100	0.03182
50	0.020	0.020	0.045	0.050	0.053	0.01072	0.040	0.042	0.01440

解答

1. 建物
   (1) 償却率の調整計算

   $0.020 \times \dfrac{8}{12} = 0.0133 \to 0.014$（小数点以下3位未満切上）

   (2) 償却限度額

   $42,000,000 \times 0.014 = 588,000$円

2. 機械
   (1) 耐用年数の調整計算

   $15 \times \dfrac{12}{8} = 22.5 \to 22$年（1年未満切捨）

   (2) 償却限度額

   $5,000,000 \times 0.099 = 495,000$円

3. 車両
   (1) 判定

   $3,000,000 \times 0.400 = 1,200,000$円 $\geqq 3,000,000 \times 0.10800 = 324,000$円　∴ 償却率の調整計算

   (2) 償却率の調整計算

   $0.400 \times \dfrac{8}{12} = 0.2666 \to 0.267$（小数点以下3位未満切上）

   (3) 償却限度額

   $3,000,000 \times 0.267 \times \dfrac{6}{8} = 600,750$円

解説

① 被合併法人の最後事業年度は、合併の日の前日が終了の日となります。

② 事業年度が1年未満の場合は、旧定額法と定額法は償却率の調整計算を行います。定率法は基本的には償却率の調整計算ですが、償却保証額の方が調整前償却額より多い場合は、改定償却率で償却限度額の計算を行うため、改定償却率の調整計算を行います。旧定率法は耐用年数の調整計算を行います。

定額法の償却率は、例えば耐用年数が2倍になると償却率が2分の1となり、耐用年数が長くなると償却率がほぼ反比例するのに対し、旧定率法の償却率は、例えば耐用年数を2倍しても償却率は2分の1とはならないため、耐用年数の調整計算を行います。

③ 1年未満の事業年度において、期中事業供用した場合（本問は車両が該当）に乗ずる分数の分母は、12ではなく、その事業年度の月数（本問は8月）となることに注意して下さい。

4．一括償却（最後事業年度が1年未満の場合）

損金算入限度額の計算は、次のとおりです。

基本算式

$$一括償却資産の取得価額の合計額 \times \frac{最後事業年度の月数}{36}$$

一括償却資産については、適格の場合は、被合併法人において上記の計算をし、損金算入後の帳簿価額が合併法人に引き継がれますが、非適格の場合は、合併法人に引継ぎができないため、被合併法人において最後事業年度終了時における一括償却資産の帳簿価額の全額をその最後事業年度の損金の額に算入します。

5．繰延資産（最後事業年度が1年未満の場合）

償却限度額の計算は、次のとおりです。

基本算式

$$繰延資産の額 \times \frac{最後事業年度の月数}{支出の効果の及ぶ期間の月数}$$

6．交際費等（最後事業年度が1年未満の場合）

定額控除限度額の計算は、次のとおりです。

基本算式

$$8,000,000円 \times \frac{最後事業年度の月数}{12}$$

7．寄附金（最後事業年度が1年未満の場合）

事業年度が1年未満の場合の寄附金の計算は、一般寄附金の損金算入限度額と特別損金算入限度額の資本基準額の算式が次のとおりに変わります。

基本算式

① 一般寄附金の損金算入限度額の資本基準額

$$期末資本金及び資本準備金 \times \frac{最後事業年度の月数}{12} \times \frac{2.5}{1,000}$$

② 特別損金算入限度額の資本基準額

$$期末資本金及び資本準備金 \times \frac{最後事業年度の月数}{12} \times \frac{3.75}{1,000}$$

設例2−2　事業年度が1年未満の場合の交際費等及び寄附金の損金不算入の計算

次の資料により、当社の最後事業年度（令和7年4月1日から令和7年9月30日までの事業年度）における交際費等の損金不算入額及び寄附金の損金不算入額の計算をしなさい。

(1) 当社（資本金の額100,000,000円、資本準備金20,000,000円）は、令和7年10月1日を合併期日としてA社に吸収合併されることとなった。

(2) 当期における交際費等の額は4,500,000円（接待飲食費に該当するものはない。）である。

(3) 当社が当期において支出し、費用に計上した寄附金の額の内訳は次のとおりである。
   ① 指定寄附金等　　　　　　　　　　　500,000円
   ② 特定公益増進法人等に対する寄附金　2,000,000円
   ③ 一般寄附金　　　　　　　　　　　5,000,000円

(4) 当社の当期に係る別表四の仮計の金額は80,000,000円（調整不要）である。

解答

1．交際費等の損金不算入額

(1) 支出交際費等　　4,500,000円

(2) 損金算入限度額

$4,500,000円 > 8,000,000 \times \dfrac{6}{12} = 4,000,000円$　　∴　4,000,000円

(3) 損金不算入額

(1)−(2)＝500,000円（加算社外流出）

2．寄附金の損金不算入額

(1) 支出寄附金
   ① 指定寄附金等　　　　500,000円
   ② 特定公益増進法人等　2,000,000円
   ③ 一般寄附金　　　　　5,000,000円
   ④ 合　計
      ①＋②＋③＝7,500,000円

(2) 損金算入限度額

① 一般寄附金の損金算入限度額

　(イ) 資本基準額

$(100,000,000 + 20,000,000) \times \dfrac{6}{12} \times \dfrac{2.5}{1,000} = 150,000円$

　(ロ) 所得基準額

$(80,000,000 + 7,500,000) \times \dfrac{2.5}{100} = 2,187,500円$

　(ハ) $((イ) + (ロ)) \times \dfrac{1}{4} = 584,375円$

② 特別損金算入限度額

　(イ) 資本基準額

$(100,000,000 + 20,000,000) \times \dfrac{6}{12} \times \dfrac{3.75}{1,000} = 225,000円$

(ロ) 所得基準額

$$(80,000,000+7,500,000) \times \frac{6.25}{100} = 5,468,750 円$$

(ハ) $((イ)+(ロ)) \times \frac{1}{2} = 2,846,875 円$

(3) 損金不算入額

7,500,000−500,000−※2,000,000−584,375＝4,415,625円（仮計の下・加算）

※ 2,000,000円＜2,846,875円 ∴ 2,000,000円

(単位：円)

区　分		金　額	留　保	社外流出
加算	交際費等の損金不算入額	500,000		500,000
減算				
仮　計				
寄附金の損金不算入額		4,415,625		4,415,625

解説

交際費等の定額控除限度額の計算上、乗ずる分数は、分母については12ですが、分子はその事業年度の月数になります。寄附金も同様に、一般寄附金の損金算入限度額の資本基準額及び特別損金算入限度額の資本基準額の計算上、最初に乗ずる分数は、分母については12ですが、分子はその事業年度の月数になります。

8. 中小法人の税率区分（最後事業年度が1年未満の場合）

中小法人については、所得金額のうち年800万円以下の部分は15％の税率により法人税が課されますが、被合併法人の最後事業年度が1年に満たない場合には、年800万円以下の所得金額部分の計算は、次のとおりです（基通16−4−1）。

基本算式

$$8,000,000 \times \frac{最後事業年度の月数}{12} = \times \times ^{*03}$$

*03) 左の算式により計算した千円未満の端数は切捨てですが、別表四の所得金額の下3桁の金額が左の算式により計算した千円未満の端数の金額より少ない場合には、その左の算式により計算した千円未満の端数は切捨てでなく、切り上げます。

4 合併法人における取扱い

1．移転資産の受入れの取扱い

(1) 適格合併（法62の2①、令123の3③）

合併法人が適格合併により移転を受けた資産及び負債については、帳簿価額による引継ぎを受けたものとされます。ただし、付随費用がある場合には、その金額を加算します。

(2) 非適格合併（法62①②）

合併法人が非適格合併により移転を受けた資産及び負債については、時価により取得したものとされるため、その移転を受けた資産の取得価額は時価相当額となります（付随費用がある場合には、その金額を加算します。）。

2．減価償却資産の受入れの取扱い（法31④⑤）

(1) 帳簿価額の引継ぎ

① 適格合併があった場合には、合併法人は、被合併法人の税務上の帳簿価額を引継ぎますが、繰越償却超過額については、繰越償却超過額として引き継ぎます。

② 合併法人が移転を受けた減価償却資産につき、合併法人が帳簿に記載した金額が、被合併法人において帳簿に記載されていた金額に満たない部分の金額[01]は、合併法人の繰越償却超過額とみなされます。

*01) 満たない部分の金額は、会社が償却費を計上したのと同じように簿価が減額されている状態であり、かつ、損金算入されていないことから、繰越償却超過額とみなされます。

＜図解＞

＜被合併法人＞	＜合併法人＞
繰越償却超過額	繰越償却超過額
	みなし繰越償却超過額
被合併法人の帳簿記載額	合併法人の帳簿記載額

引き継いだ税務上の簿価

(2) 耐用年数（耐令5←3に修正①②）

合併法人が移転を受けた減価償却資産の耐用年数は、次のいずれかを選択することになります

① 法定耐用年数
② 被合併法人において適用していた中古資産の耐用年数
③ 合併法人において見積もる使用可能期間の年数[02]
④ 合併法人において適用を受ける中古資産の簡便法の耐用年数[02]

*02) 被合併法人の帳簿価額、取得日等は合併法人が引き継ぐことになりますが、中古資産の耐用年数を計算する際は、特別に、合併法人が引き継ぐのではなく、新たに取得したものとして適用することとされています。

(3) 償却限度額（耐令5③）

合併法人が、適格合併により移転を受けた有形減価償却資産の合併の日を含む事業年度における償却限度額の計算は、次のとおりです。

① 旧定額法

基本算式

※取得価額 × 0.9 × 旧定額法償却率 × $\dfrac{\text{合併の日から期末までの月数}}{12}$ [*03]

*03) 1月未満の端数は1月とします。

※ 適格合併により受け入れた減価償却資産は、税務上の帳簿価額を引き継ぐとともに、取得価額も引き継ぎます。

　ただし、上記(2)の③④の耐用年数を選択した場合には、引き継いだ税務上の帳簿価額を取得価額[*04]とすることになります。

*04) 上記(2)③と(2)④の耐用年数は、取得後の使用可能期間が耐用年数の計算の基礎となります。したがって、取得価額もその対応関係から過去の損金算入額を含めない金額とされています。

② 定額法

基本算式

※取得価額 × 定額法償却率 × $\dfrac{\text{合併の日から期末までの月数}}{12}$

※ 適格合併により受け入れた減価償却資産は、税務上の帳簿価額を引き継ぐとともに、取得価額も引き継ぎます。ただし、上記(2)の③④の耐用年数を選択した場合には、旧定額法の場合と同様に、引き継いだ税務上の帳簿価額を取得価額と取り扱われます。

③ 旧定率法

基本算式

引継税務上簿価 × 旧定率法償却率 × $\dfrac{\text{合併の日から期末までの月数}}{12}$

④ 定率法

基本算式

(イ) 調整前償却額

　　引継税務上簿価 × 定率法償却率

(ロ) 償却保証額

　　※取得価額 × 保証率

(ハ) 償却限度額

　　(イ)≧(ロ)の場合

　　　→ 引継税務上簿価 × 定率法償却率 × $\dfrac{\text{合併の日から期末までの月数}}{12}$

　　(イ)<(ロ)の場合

　　　→ 改定取得価額 × 改定償却率 × × $\dfrac{\text{合併の日から期末までの月数}}{12}$

※ 適格合併により受け入れた減価償却資産は、税務上の帳簿価額を引き継ぐとともに、取得価額も引き継ぎます。

　ただし、上記(2)の③④の耐用年数を選択した場合には、旧定額法の場合と同様に、引き継いだ税務上の帳簿価額を取得価額とすることになります。

(4) 償却方法

償却方法は、合併法人が選定し届け出た償却方法となります。

なお、適格合併により移転を受けた減価償却資産は、引継ぎのため、被合併法人が取得した日においてその合併法人が取得したものとされます。つまり、被合併法人における取得日に応じた償却方法が適用されることになります*05)。

*05) 例えば、合併法人が償却方法を選定していない場合、被合併法人が平成10年3月に取得した建物についての償却方法は旧定率法となり、被合併法人が平成19年5月に取得した器具備品についての償却方法は250%定率法となります。

3．一括償却資産の受入れの取扱い（令133の2①⑨⑩）

合併法人が、適格合併により移転を受けた一括償却資産の合併の日を含む事業年度における損金算入限度額の計算は、次のとおりです。なお、繰越損金算入限度超過額の引継ぎ等については減価償却資産の場合と同じ考え方です。

基本算式

一括償却資産の取得価額の合計額 × $\dfrac{合併の日から期末までの月数}{36}$

4．繰延資産の受入れの取扱い（法32④⑥⑦）

合併法人が、適格合併により移転を受けた繰延資産の合併事業年度における償却限度額の計算は、次のとおりです。なお、繰越償却超過額の引継ぎ等については、減価償却資産の場合と同じ考え方です。

基本算式

繰延資産の額 × $\dfrac{合併の日から期末までの月数}{支出の効果の及ぶ期間の月数}$

5．貸倒引当金

(1) 引継ぎを受けた貸倒引当金（法52⑪）

適格合併により引継ぎを受けた貸倒引当金勘定の金額は、合併法人の合併の日を含む事業年度の益金の額に算入します。

また、被合併法人から引き継いだ繰入超過額は、合併法人の合併の日を含む事業年度において繰入超過額認容の減算調整を行います。

(2) 貸倒実績率（令96⑥）

適格合併に係る合併法人の貸倒実績率の計算は、合併法人のその事業年度開始の日前3年以内に開始した被合併法人の各事業年度の一括評価金銭債権の額及び貸倒損失等の額を含めて計算します。

(3) 簡便法の計算（措令43の7③）

適格合併を行った合併法人における基準年度（平成27年4月1日から平成29年3月31日までの間に開始した各事業年度）の一括評価金銭債権の額及び原則法により計算した実質的に債権とみられないものの額は、合併法人に係るものと被合併法人に係るものとの合計額で計算します。

········ *Memorandum Sheet* ········

設例2－3　適格合併により減価償却資産の移転を受けた合併法人

次の資料により、当社の当期における税務上の調整を示しなさい。なお、当社は、償却方法の選定の届出はしていない。また、耐用年数は法定耐用年数を適用することとする。

種類	取得価額	受入帳簿価額	当期償却費	法定耐用年数
建物　B	40,000,000円	24,000,000円	1,500,000円	24年
建物　C	30,000,000円	20,000,000円	800,000円	24年
機械	5,000,000円	2,000,000円	200,000円	10年
一括償却資産	3,600,000円	1,700,000円	1,000,000円	－

(注1) 当社は、当期の11月1日を合併期日として、A社と合併を行い、その合併により、上記の減価償却資産を、A社から引き継いでいる。なお、取得価額はA社における取得価額である。

(注2) 建物Bは、A社が平成10年2月4日に事業供用したものである。

(注3) 建物Cは、A社が平成18年3月31日に事業供用したものである。

(注4) 機械は、A社が平成19年3月31日以前に事業供用したものである。なお、A社において生じていた減価償却超過額で繰り越された金額が600,000円ある。

(注5) 一括償却資産は、A社において、前期(自令和6年4月1日至令和7年3月31日)に事業の用に供されたものである。なお、上記の一括償却資産の取得価額は、取得価額の合計額である。

(注6) 償却率等は、次のとおりである。

耐用年数	旧定額法償却率	定額法償却率	旧定率法償却率	250%定率法			200%定率法		
				償却率	改定償却率	保証率	償却率	改定償却率	保証率
10	0.100	0.100	0.206	0.250	0.334	0.04448	0.200	0.250	0.06552
24	0.042	0.042	0.092	0.104	0.112	0.02157	0.083	0.084	0.02969

解答

1. 建物B

   (1) 償却限度額

   $24,000,000 \times 0.092 \times \dfrac{5}{12} = 920,000$円

   (2) 償却超過額

   $1,500,000 - 920,000 = 580,000$円

2. 建物C

   (1) 償却限度額

   $30,000,000 \times 0.9 \times 0.042 \times \dfrac{5}{12} = 472,500$円

   (2) 償却超過額

   $800,000 - 472,500 = 327,500$円

3. 機械

   (1) 償却限度額

   $(2,000,000 + 600,000) \times 0.206 \times \dfrac{5}{12} = 223,166$円

⑵　償却超過額

　　　　200,000－223,166＝△23,166

　　　　23,166円＜600,000円　　∴　23,166円（認　容）

４．一括償却資産

　⑴　損金算入限度額

　　　$3,600,000 \times \dfrac{5}{36} = 500,000$ 円

　⑵　損金算入限度超過額

　　　1,000,000－500,000＝500,000円

（単位：円）

	項　　　　目	金　　額	留　　保	社外流出
加算	減価償却超過額			
	（建物Ｂ）	580,000	580,000	
	（建物Ｃ）	327,500	327,500	
	一括償却資産損金算入限度超過額	500,000	500,000	
減算	減価償却超過額認容			
	（機　械）	23,166	23,166	

解説

①　適格合併により、減価償却資産を引き継いだ場合の、償却方法の適用区分の判定の取得日は、その取得日も引き継ぐことになります。つまり、建物Ｂは当社が平成10年2月4日に取得したものとして償却方法の規定を適用していきます。当社は、償却方法を選定していないため、法定償却方法となり、平成10年3月31日以前取得の建物に該当する建物Ｂの償却方法は旧定率法となります。

②　建物Ｃは平成10年4月1日から平成19年3月31日までに取得した建物であるため、償却方法は旧定額法となります。

③　機械は、平成19年3月31日以前取得の建物以外の有形減価償却資産のため、償却方法（法定償却方法）は旧定率法となります。また、合併法人である当社は、被合併法人Ａ社において繰越償却超過額とされていた金額の引継ぎも行います。

④　一括償却資産は、期中に事業供用した場合においても分子の月数は12となりますが、適格合併により移転を受けた場合の分子の月数は、合併の日から事業年度末までの月数となります。

設例2-4　　　　　　　　　　　　　　適格合併があった場合の貸倒引当金の計算・合併法人

次の資料により、当社の当期における税務上の調整を示しなさい。

(1) 当社（卸売業を営んでいる。）は、当期末における資本金の額が100,000,000円（株主はすべて個人である。）の内国法人であるが、当社は、当期の10月1日を合併期日として、A社と合併を行っている。当期末における貸借対照表に計上されている売掛金等の債権の金額（貸倒引当金控除前の金額）は、300,000,000円である。

(2) 基準年度における期末一括評価金銭債権の帳簿価額及び原則法により計算した実質的に債権とみられないものの額は、当社及びA社においてそれぞれ次のとおりである。なお、実質的に債権とみられないものの額は、簡便法によることとする。

① 当　社

事　業　年　度	一括評価金銭債権の帳　簿　価　額	実質的に債権とみられないものの額
平成27年4月1日～平成28年3月31日	283,600,000円	16,000,000円
平成28年4月1日～平成29年3月31日	286,400,000円	12,800,000円

② A　社

事　業　年　度	一括評価金銭債権の帳　簿　価　額	実質的に債権とみられないものの額
平成27年10月1日～平成28年9月30日	215,200,000円	10,600,000円
平成28年10月1日～平成29年9月30日	342,400,000円	9,400,000円

(3) 当社の最近の各事業年度末における一括評価金銭債権の額及び貸倒損失の額は、当社及びA社においてそれぞれ次のとおりである。

① 当　社

区　分　＼　事業年度	令4.4.1～令5.3.31	令5.4.1～令6.3.31	令6.4.1～令7.3.31
一括評価金銭債権の額	296,400,000円	283,600,000円	275,200,000円
貸倒損失の額	3,190,000円	2,044,000円	3,192,000円

② A　社

区　分　＼　事業年度	令4.10.1～令5.9.30	令5.10.1～令6.9.30	令6.10.1～令7.9.30
一括評価金銭債権の額	352,400,000円	215,200,000円	203,900,000円
貸倒損失の額	2,659,000円	1,704,000円	2,660,000円

(4) 当社が当期において損金経理により繰り入れた貸倒引当金の額は7,000,000円である。また、当社が前期において損金経理により繰り入れた貸倒引当金の額5,000,000円（うち繰入超過額800,000円が含まれている。）及びA社から引き継いだ貸倒引当金3,000,000円（うち繰入超過額600,000円が含まれている。）は、当期にその全額を取り崩して収益に計上している。

解答 (1) 期末一括評価金銭債権

300,000,000円

(2) 貸倒実績率

$$\frac{^{※1}15,449,000 \times \frac{12}{72}}{^{※2}1,626,700,000 \div 6} = 0.00949\cdots \rightarrow 0.0095$$

※1　3,190,000＋2,044,000＋3,192,000＋2,659,000＋1,704,000＋2,660,000＝15,449,000円

※2　296,400,000＋283,600,000＋275,200,000＋352,400,000＋215,200,000＋203,900,000
　　　＝1,626,700,000円

(3) 実質的に債権とみられない金額（簡便法）

300,000,000×※0.043＝12,900,000円

$$※\quad \frac{16,000,000+12,800,000+10,600,000+9,400,000}{283,600,000+286,400,000+215,200,000+342,400,000}=0.0432\cdots \rightarrow 0.043$$

(4) 繰入限度額

① 300,000,000×0.0095＝2,850,000円

② $(300,000,000-12,900,000) \times \frac{10}{1,000} = 2,871,000$円

③ ①＜②　∴　2,871,000円

(5) 繰入超過額

7,000,000－2,871,000＝4,129,000円

(6) 繰入超過額認容

800,000＋600,000＝1,400,000円

（単位：円）

	項　目	金　額	留　保	社外流出
加算	一括貸倒引当金繰入超過額	4,129,000	4,129,000	
減算	一括貸倒引当金繰入超過額認容	1,400,000	1,400,000	

解説

① 適格合併が行われた場合には、合併法人である当社のその事業年度開始の日前3年以内に開始した事業年度（本問の場合、令和4年4月1日以後開始事業年度になります。）における被合併法人の貸倒れの実績について、貸倒実績率の計算に組み込むことになります。

② 本問の当社は中小法人のため、法定繰入率による計算ができます。その場合には、一括評価金銭債権の額から実質的に債権とみられない金額を控除しますが、適格合併があった場合の実質的に債権とみられない金額の簡便法の割合の計算は、被合併法人の実質的に債権とみられない金額等も含めて計算します。

③ 合併法人は被合併法人から貸倒引当金勘定の金額の引継ぎを受け、合併法人において益金算入しますが、その際、繰入超過額についても引継ぎ、減算調整することになります。

6．資産等に係る調整勘定（法62の8、令123の10）

(1) 概　要

一定の非適格合併等[06]により資産又は負債の移転を受けた場合において、引継ぎを受けた退職給与債務引受額等については、その退職給与債務引受額等に係る従業員が退職等したときに一定額を益金算入します。

また、一定の非適格合併等の時価純資産価額とその対価の額との差額については、5年間均等で損金又は益金算入します[07]。

なお、益金算入又は損金算入について経理要件は問われません。

(2) 適用対象となる組織再編成

適用対象となる非適格合併等とその適用を受ける法人は、次のとおりです。

適用対象となる非適格合併等	適用を受ける法人 （移転を受ける法人）
すべての非適格合併	合併法人
非適格分割等でその非適格分割等の直前において営む事業及びその事業に係る主要な資産又は負債のおおむね全部[08]が移転するもの	分割承継法人 被現物出資法人 事業譲受法人

(3) 調整勘定の種類

資産又は 負債の区分	種　　類	取扱い
① 負　債	退職給与負債調整勘定 短期重要負債調整勘定 差額負債調整勘定	益金算入
② 資　産	資産調整勘定	損金算入

＜図解＞

① 移転の支払対価＜時価純資産価額の場合

移転資産 （個別時価）	移転負債 （個別時価）
	負債調整勘定 （退職給与負債調整勘定の金額等）
	非適格合併等対価額[09] （支払対価）
	差額負債調整勘定

[06] 便宜上、合併以外の場合についても確認していきます。

[07] 企業会計では、個々の資産や負債の取得価額については個別時価を付すとともに、これらの合計額と取得対価との間に生ずる差額を「のれん」として計上することとされています。そこで、法人税法においても、企業会計との調整を図るために、非適格組織再編成や営業譲受けの場合の「のれん」の取扱いを規定したものです。

[08] 事業全体が一体として移転する場合に、取得資産・負債の価額と交付対価の額との間に差額、いわゆる「のれん」（＝資産・負債調整勘定）が生ずることと考えられます。一方で、個別資産のみが移転するような場合にはこのような差額が生ずることは一般的には考えられないことから、制度の対象を、事業やその主要な資産又は負債が一体として移転する場合に限っています。

[09] 非適格合併等により交付した金銭の額及び金銭以外の資産の価額の合計額をいいます。なお、その価額の合計額は、非適格合併等により発行した株式又は出資の非適格合併等の時の価額その他の資産の価額の合計額となり、増加することとなる資本金等の額（金銭等の交付がない場合）となります。

② 移転の支払対価＞時価純資産価額の場合

移転資産 （個別時価）	移転負債 （個別時価）
	負債調整勘定 （退職給与負債調整勘定の金額等）
	非適格合併等対価額[09] （支払対価）
資産調整勘定 （差額）	

(4) 退職給与負債調整勘定及び短期重要負債調整勘定

① 退職給与負債調整勘定

内　　容	引継ぎを受けた従業者につき合併法人等が退職給与債務引受けをした場合のその退職給与債務引受額[10]
減額する事由	退職給与引受従業者が退職その他の事由により従業者でなくなった場合又は退職給与を支給する場合
減額する金額 （益金算入額）	次の算式により計算した金額 退職給与負債調整勘定の当初計上額 $\times \dfrac{\text{減額対象従業者数}}{\text{退職給与引受従業者数}}$

[10] 退職給付引当金の額相当額です。退職給与負債調整勘定の金額については、従業員が退職していないため、債務が確定しておらず、原則として法人税上の債務に該当しないものですが、この規定の計算上は、債務として捉えています。

② 短期重要負債調整勘定

内　　容	移転を受けた事業に係る将来の債務で、その履行がその非適格合併等の日からおおむね3年以内に見込まれるものについて、その履行に係る負担の引受けをした場合のその債務額（債務の額相当額としてその事業につき生ずるおそれのある損失の額として見込まれる金額がその移転を受けた資産の取得価額の合計額の20％相当額を超える場合におけるその債務の額に限ります。）[11]
減額する事由	短期重要債務見込額に係る損失が生じ又は非適格合併等の日から3年が経過した場合
減額する金額 （益金算入額）	短期重要負債調整勘定の金額のうちその損失の額相当額（3年が経過した場合等にあっては、その短期重要負債調整勘定の金額）

[11] 短期重要債務見込額といいます。短期重要負債調整勘定の金額については、将来の債務であり、債務が確定しておらず、原則として法人税上の債務に該当しないものですが、この規定の計算上は、債務として捉えています。

(5) 差額負債調整勘定

内　　容	非適格合併等対価額が移転を受けた資産及び負債（負債調整勘定の金額を含む。）の時価純資産価額[*12]に満たない場合のその満たない部分の金額
減額する事由	差額負債調整勘定の金額を有する場合
減額する金額 （益金算入額）	次の算式により計算した金額 差額負債調整勘定の当初計上額 × $\dfrac{\text{その事業年度の月数}※}{60}$ ※　移転事業年度は、移転日から当期末までの月数

[*12] 移転資産の個別時価の合計額から移転負債の個別時価の合計額、退職給与負債調整勘定の金額及び短期重要負債調整勘定の金額を控除した金額をいいます。

益金算入額は、具体的には次のように計算します。

基本算式
(1) 差額負債調整勘定の当初計上額
　　（移転資産の個別時価の合計額 － 移転負債の個別時価の合計額
　　　－ 退職給与負債調整勘定の金額 － 短期重要負債調整勘定の金額）
　　－ 非適格合併等対価額
(2) 益金算入額
　　差額負債調整勘定の当初計上額 × $\dfrac{\text{その事業年度の月数}※}{60}$
　　※　移転事業年度は、移転日から当期末までの月数
　　　　→ 差額負債調整勘定の益金算入額（加算留保）

設例2−5　　　　　　　　　　　　　　　　　　　　　差額負債調整勘定・合併法人

次の資料により、当社の当期における税務上の調整を示しなさい。

(1) 当社は、当期においてA社と事業譲受契約を締結し、A社が営む機械部品製造事業のすべての資産及び権利義務を令和7年10月1日付で譲り受けた。

(2) 当社における機械部品製造事業の会計上の受入仕訳は次のとおりである。

（借）売掛債権	20,000,000円	（貸）買掛債務	15,000,000円
（借）棚卸資産	10,000,000円	（貸）退職給付引当金	10,000,000円
（借）その他資産	88,000,000円	（貸）賞与引当金	3,000,000円
		（貸）負ののれん（負債）	50,000,000円
		（貸）譲受対価・現金預金	40,000,000円

（注）退職給付引当金勘定の金額及び賞与引当金勘定の金額は、一般に公正妥当と認められる会計処理基準により計上されたものである。

解答

(1) 差額負債調整勘定の計上額

　　$\{(20,000,000+10,000,000+88,000,000)-15,000,000-10,000,000\}-40,000,000$
　　$=53,000,000$円

(2) 益金算入額

　　$53,000,000 \times \dfrac{6}{60} = 5,300,000$円

（単位：円）

	項　目	金　額	留　保	社外流出
加算	差額負債調整勘定の益金算入額	5,300,000	5,300,000	
減算				

解説

① 本問の事業譲受については、A社が営む機械部品製造事業のすべての資産及び権利義務の譲受けを行うことから、非適格合併等に該当し、移転を受ける資産等に係る調整勘定の損金算入又は益金算入の計算を行うことになります。

② 移転資産は、通常、取得の際に時価相当額を取得価額に付すことになります。したがって、本問の場合の個別時価の合計額は、売掛債権、棚卸資産及びその他資産の取得価額の合計額となります。

③ 移転負債の個別の時価の合計額は、本問の場合、買掛債務の額となります。なお、賞与引当金は損金算入されないことから、税務上は、負債とされません。

④ 退職給付引当金で一般に公正妥当と認められる会計処理基準により計上されたものは、退職給与負債調整勘定と認められます。退職給与負債調整勘定を益金算入する場合は、退職給与引受従業者が退職その他の事由により合併法人等の従業者でなくなった場合又は退職給与を支給する場合です。

⑤ 本問の会計上の負ののれんの金額は、税務上の負ののれんである差額負債調整勘定の金額と賞与引当金相当額分のズレが生じることになります。

(6) 資産調整勘定

内容	非適格合併等対価額が移転を受けた資産及び負債（負債調整勘定の金額を含む。）の時価純資産価額を超える場合のその超える部分の金額
減額する事由	資産調整勘定の金額を有する場合
減額する金額 （損金算入額）	次の算式により計算した金額 資産調整勘定の当初計上額 × $\dfrac{その事業年度の月数※}{60}$ ※ 移転事業年度は、移転日から当期末までの月数

損金算入額は、具体的には次のように計算します。

基本算式

(1) 資産調整勘定の当初計上額

　非適格合併等対価額 －（移転資産の個別時価の合計額
　－移転負債の個別時価の合計額－退職給与負債調整勘定の金額
　－短期重要負債調整勘定の金額）

(2) 益金算入額

　資産調整勘定の当初計上額 × $\dfrac{その事業年度の月数※}{60}$

　※ 移転事業年度は、移転日から当期末までの月数
　　　　　　　→ 資産調整勘定の損金算入額（減算留保）

設例2−6 資産調整勘定・合併法人

次の資料により、当社の当期における税務上の調整を示しなさい。

(1) 当社は、当期においてA社と事業譲受契約を締結し、A社が営む機械部品製造事業のすべての資産及び権利義務を令和7年11月1日付で譲り受けた。

(2) 当社における機械部品製造事業の会計上の受入仕訳は次のとおりである。

(借) 売 掛 債 権	20,000,000円	(貸) 買 掛 債 務	15,000,000円
(借) 棚 卸 資 産	10,000,000円	(貸) 退職給付引当金	10,000,000円
(借) その他資産	28,000,000円	(貸) 賞 与 引 当 金	3,000,000円
(借) 正のれん	30,000,000円	(貸) 譲受対価・現金預金	60,000,000円

(注) 退職給付引当金勘定の金額及び賞与引当金勘定の金額は、一般に公正妥当と認められる会計処理基準により計上されたものである。

【解答】

(1) 資産調整勘定の計上額

60,000,000−{(20,000,000+10,000,000+28,000,000)−15,000,000−10,000,000}
＝27,000,000円

(2) 損金算入額

$27,000,000 \times \dfrac{5}{60} = 2,250,000$円

(単位：円)

	項　目	金　額	留　保	社外流出
加算				
減算	資産調整勘定の損金算入額	2,250,000	2,250,000	

【解説】

① 本問は、非適格合併等対価額が時価純資産価額より、大きいため、資産調整勘定が生ずる場合に該当します。

② 本問は、会計上の正ののれんが税務上の正ののれんである資産調整勘定より、賞与引当金分だけ大きい場合に該当します。

7．その他（令80の2②、90の2、措法52の3⑮⑯その他）

制　度	適格合併の場合	非適格合併の場合
圧縮記帳	適格合併により、移転を受けた資産につき、圧縮積立金による損金算入額がある場合には、その圧縮積立金は引き継がれ、取得価額はその損金算入額を控除した金額とされます。	引継ぐ概念がない[*13]ため、合併法人において、圧縮記帳は関係ありません。
特別償却準備金	適格合併により、移転を受けた資産につき、特別償却準備金による損金算入額がある場合には、その特別償却準備金の金額は合併法人に引き継がれます。この場合の合併法人の合併事業年度における特別償却準備金の戻入額は、次の算式により計算されます。 $特別償却準備金の損金算入額 \times \dfrac{合併の日から期末までの月数}{戻入期間の月数}$	引継ぐ概念がないため、合併法人において、特別償却準備金は関係ありません。
売買目的有価証券の評価損益	適格合併により、売買目的有価証券の移転を受けた場合において、被合併法人の最後事業年度において評価損益に計上した金額は、合併法人が引き継ぐため、合併の日の属する事業年度において洗替処理をし、損金又は益金の額に算入します。	引継ぐ概念がないため、合併法人において、洗替処理しません。
繰越欠損金額	適格合併があった場合には、合併法人は、一定の期間内に支配関係が生じたときにおける支配関係事業年度前の事業年度において生じた一定の欠損金額などを除き、被合併法人の繰越欠損金額を引き継ぐことになります。	引継ぐ概念がないため、被合併法人の繰越欠損金額を合併法人において生じたものとすることはできません。

*13) 非適格合併は単なる売買です。圧縮積立金については売買することはできません。

5 被合併法人の株主の処理

(1) みなし配当の額

合併が非適格の場合には、被合併法人の株主においてみなし配当が生じます。適格合併の場合には、被合併法人の利益積立金額は合併法人に引き継がれるため、被合併法人の株主への交付財源とはならず、みなし配当は生じません。

区 分	みなし配当の額
適格合併	みなし配当課税はありません。
上記以外	(合併交付金銭等の価額 − 被合併法人の資本金等の額) × 当社所有株式数 / 発行済株式総数

(注) 合併交付金銭等のうちに被合併法人の最終事業年度に係る剰余金の配当等が含まれている場合には、その交付金額は、合併交付金銭等の価額には含まれません。本来の配当として取り扱うことになります。

(2) 株式の取得価額

合併があった場合には、原則として被合併法人の株主において、譲渡があったものとして譲渡損益を認識することになります。したがって、交付を受けた株式の取得価額は時価を付すことになります。

しかしながら、新株（合併法人の株式）のみを取得した場合には、株主の投資がそのまま継続しているものとして、譲渡損益は認識しません。したがって、その場合には、交付を受けた株式の取得価額は、原則として旧株の帳簿価額となりますが、みなし配当がある場合には、そのみなし配当の額を加算することになります。

区 分	取 得 価 額
新株のみ取得	旧株の帳簿価額[*01] ＋みなし配当 （＋付随費用）
上記以外	新株の時価

[*01] 適格合併の場合は、すべて新株のみの取得となり、みなし配当も生じないため、その新株の取得価額は旧株の帳簿価額相当額となります。

設例2−8　　　　　　　　　　　　　　　　　　　　　　　　　合併（みなし配当）

次の資料により、当社のみなし配当の額を計算しなさい。

(1) 当社は、A社が発行するA株式5,000株（帳簿価額275,000円）を有していたが、当期においてA社がB社に吸収合併（非適格）されることになった。

(2) (1)の合併により、当社はB社からB株式450,000円と金銭50,000円（全額がA社の最終事業年度分の剰余金の配当である。）の交付を受けている。

(3) A社の合併直前の1株当たりの資本構成は、次のとおりである。

　　資本金等の額　　　　60円
　　利益積立金額　　　　30円

解答　450,000−60×5,000＝150,000円

解説

交付を受けた金銭50,000円がありますが、通常の剰余金の配当であり、みなし配当に係る金銭の交付でないため、本問は新株のみを取得した場合に該当します。

したがって、B株式の帳簿価額（取得価額）は425,000円（275,000＋150,000）となります。本問の取引に係る税務上の仕訳を示すと、次のとおりとなります。

＜税務上の仕訳＞

（B　株　式）　425,000円　　（A　株　式）　275,000円
　　　　　　　　　　　　　　（みなし配当）　150,000円

Section 3 現物出資・分社型分割の課税関係

現物出資により資産等の移転をした場合には、原則として時価による譲渡があったものとされますが、その現物出資が適格現物出資に該当する場合には、現物出資法人が帳簿価額により譲渡をしたものとして譲渡損益の課税は繰り延べられます。なお、現物出資と分社型分割は基本的な課税関係が同じであるため、以下現物出資の場合を中心に触れていきます。

このSectionでは、現物出資・分社型分割の課税関係を学習します。

1 概要

現物出資又は分社型分割が行われた場合の基本的な課税関係は、次のとおりです。

1．非適格現物出資・非適格分社型分割の場合

区　分	取　扱　い
現物出資法人 分　割　法　人	移転資産等は時価により譲渡したものとして譲渡損益を認識します。
被現物出資法人 分割承継法人	移転資産等を時価により受け入れます。 現物出資法人等の利益積立金額は引継がれません。

2．適格現物出資・適格分社型分割の場合

区　分	取　扱　い
現物出資法人 分　割　法　人	移転資産等は帳簿価額により譲渡したものとして譲渡損益の計上は繰り延べられます。
被現物出資法人 分割承継法人	移転資産等を帳簿価額により受け入れます。 現物出資法人等の利益積立金額は引き継がれません[01]。

[01] 簿価譲渡と引継ぎの取扱いで大きく異なっている点です。

2 課税関係

1. 概　要

(1) 乙社の現物出資による移転資産・負債

乙社の現物出資による移転資産・負債	
資　産　57,600,000円	負　債　30,600,000円

　　(注)　現物出資により移転した資産の時価は72,000,000円、負債の時価は30,600,000円である（甲株式の時価は移転した資産の時価相当額72,000,000円から移転した負債の時価相当額30,600,000円を控除した金額41,400,000円とする。）。

(2) 甲社の現物出資による増加資本金の額　　22,500,000円

2. 非適格現物出資の場合

(1) 現物出資法人

　　時価を対価とする譲渡を行ったものとされ、譲渡損益に対して課税されます。

税務上の仕訳			
（負　債）	30,600,000円	（資　産）	57,600,000円
（甲株式）	41,400,000円	（譲渡益）	14,400,000円

(2) 被現物出資法人

　　資産及び負債を時価で受け入れる資本等取引を行ったものとされます。また、受け入れた純資産の額と増加資本金の額との差額は資本金等の額の加算項目として取り扱います。

税務上の仕訳			
（資　産）	72,000,000円	（負　債）	30,600,000円
		（資本金）	22,500,000円
		（資本金等）	18,900,000円

3．適格現物出資の場合

(1) 現物出資法人

帳簿価額を対価とする譲渡を行ったものとされ、譲渡損益は生じません。したがって、課税は繰り延べられることになります。

```
税務上の仕訳
（負　債）  30,600,000円   （資　産）  57,600,000円
（甲株式）  27,000,000円
```

(2) 被現物出資法人

資産及び負債を現物出資法人における帳簿価額で受け入れる資本等取引を行ったものとされます。また、受け入れた純資産の額と増加資本金の額との差額は資本金等の額の加算項目として取り扱います。

```
税務上の仕訳
（資　産）  57,600,000円   （負　債）   30,600,000円
                          （資本金）   22,500,000円
                          （資本金等）  4,500,000円
```

3 移転法人(現物出資法人又は分割法人)の取扱い

1. 移転資産の譲渡損益

(1) 非適格現物出資又は非適格分社型分割

分割法人が分割により分割承継法人にその有する資産及び負債の移転をしたときは、分割時の価額による譲渡をしたものとして、各事業年度の所得の金額を計算します[*01]。

*01) この規定は分割の規定です。非適格現物出資は法22条により処理されるため、別段の定めは設けられていません。

(2) 適格現物出資又は適格分社型分割

内国法人が適格分社型分割又は適格現物出資により分割承継法人又は被現物出資法人にその有する資産及び負債の移転をしたときは、適格分社型分割又は適格現物出資の直前の帳簿価額による譲渡をしたものとして、各事業年度の所得の金額を計算します。

2. 株式の取得価額

(1) 非適格現物出資又は非適格分社型分割

① 現物出資

現物出資法人が非適格現物出資により取得した株式の取得価額は、次の金額となります。

基本算式

給付資産の価額の合計額(取得費用の額を加算した金額)

② 分社型分割

分割法人が非適格分社型分割により取得した株式の取得価額は、次の金額となります。

基本算式

取得時における取得のために通常要する価額

(2) 適格現物出資又は適格分社型分割

適格現物出資又は適格分社型分割の場合には、現物出資法人又は分割法人は、移転資産等を帳簿価額により譲渡したものとされますが、受け入れた株式の取得価額は、次の算式により計算した金額となります。

基本算式

$$\left[\begin{array}{c}\text{移転資産の}\\ \text{帳 簿 価 額}\end{array} - \begin{array}{c}\text{移転負債の}\\ \text{帳 簿 価 額}\end{array}\right] + \begin{array}{c}\text{株式の交付を受ける}\\ \text{ために要した費用の額}\end{array}$$

設例3－1　適格現物出資（現物出資法人）

次の資料により、当社の当期における税務上の調整を示しなさい。

(1) 当社は、当期において販売部門を子会社として独立させるために、次に掲げる現物出資によりA株式会社（以下「A社」という。）を設立している。

なお、現物出資した資産及び負債の内訳は次のとおりである。

資　産	帳　簿　価　額	負　債	帳　簿　価　額
売　掛　金	18,000,000円	買　掛　金	24,000,000円
商　　　品	43,200,000円	借　入　金	72,000,000円
減価償却資産	81,600,000円		
土　　　地	97,200,000円		
合　　　計	240,000,000円	合　　　計	96,000,000円

(注) 減価償却資産には前期以前の繰越償却超過額1,440,000円がある。

(2) A社がその設立に際して発行した株式2,400株は、すべて当社が割当てを受けている。なお、当社は、この現物出資により交付を受けたA社株式の帳簿価額として、移転資産の帳簿価額から移転負債の帳簿価額を控除した144,000,000円を付している。

(3) 当社はA社株式の交付を受けるための費用960,000円を支出しているが、当期の費用に計上している。なお、この現物出資は、法人税法に規定する適格現物出資に該当するものである。

解答

(1) 会社計上の簿価

144,000,000円

(2) 税務上の簿価

｛(240,000,000＋1,440,000)－96,000,000｝＋960,000＝146,400,000円

(3) 計上もれ

(2)－(1)＝2,400,000円

（単位：円）

区　分		金　額	留　保	社外流出
加算	A　社　株　式　計　上　も　れ	2,400,000	2,400,000	
減算	減　価　償　却　超　過　額　認　容	1,440,000	1,440,000	

解説

税務上の簿価の計算上、繰越償却超過額は加算することになります。また、移転するため、その繰越償却超過額は認容することになります。

3．その他の取扱い

区　分	合併との一致点及び相違点
事業年度の特例	被合併法人は存続しなくなるため、事業年度の特例が生じますが、現物出資法人及び分割法人は存続するため、事業年度の特例は生じません。
減価償却	事業年度の特例は生じませんが、適格の場合は、移転する減価償却資産について、適格現物出資の日又は適格分割の日の前日を事業年度終了の日[*02]とした場合の償却限度額の計算を行います。
一括償却	減価償却と同様に、適格の場合の損金算入限度額の分子の月数は、適格現物出資の日又は適格分割の日の前日を事業年度終了の日[*02]とした場合の月数です。
繰延資産償却	減価償却と同様に、適格の場合の償却限度額の分子の月数は、適格現物出資の日又は適格分割の日の前日を事業年度終了の日[*02]とした場合の月数です。
交際費等、寄附金	資産の移転には関係がないため、減価償却のような計算は行わず、通常と同様に事業年度終了時において、計算を行います。

[*02] 合併と同様に事業年度の特例が生じたかのように償却限度額の計算を行います。事業年度が1年未満の場合の償却率等の調整計算を行います。

設例3−2　適格現物出資（現物出資法人）

次の資料により、当社の当期における税務上の調整を示しなさい。

(1) 当社は、当期において販売部門を子会社として独立させるために、2月1日に行われた次に掲げる現物出資によりA株式会社（以下「A社」という。）を設立している。なお、現物出資した資産及び負債の内訳は次のとおりである。当社は、移転の処理として譲渡益を10,000,000円計上している。

資　産	帳　簿　価　額	負　債	帳　簿　価　額
売　掛　金	18,000,000円	買　掛　金	24,000,000円
商　　　品	43,200,000円	借　入　金	72,000,000円
建　　　物	81,600,000円		
土　　　地	97,200,000円		
合　　　計	240,000,000円	合　　　計	96,000,000円

（注）　建物の期首帳簿価額は86,600,000円であったが、移転する際に減価償却費を5,000,000円計上している。この建物は、取得価額100,000,000円、償却方法旧定額法、法定耐用年数17年（旧定額法の償却率の年率は0.058）のものである。

(2) A社がその設立に際して発行した株式2,400株は、すべて当社が割当てを受けている。なお、当社は、この現物出資により交付を受けたA社株式の帳簿価額として、移転資産の帳簿価額及び譲渡益10,000,000円の合計額から移転負債の帳簿価額を控除した154,000,000円を付している。

なお、この現物出資は、法人税法に規定する適格現物出資に該当するものである。

解答

(1) 会社計上の簿価

154,000,000円

(2) 税務上の簿価

$(18,000,000 + 43,200,000 + {}^{※}82,190,000 + 97,200,000) - 96,000,000 = 144,590,000$円

※① 償却率の調整計算

$0.058 \times \dfrac{10}{12} = 0.0483\cdots \rightarrow 0.049$（小数点以下3位未満切上）

② 償却限度額

$100,000,000 \times 0.9 \times 0.049 = 4,410,000$円

③ 償却超過額

$5,000,000 - 4,410,000 = 590,000$円

④ 税務上帳簿価額

$86,600,000 - 5,000,000 + 590,000 = 82,190,000$円

(3) 過大計上

(1)−(2)=9,410,000円

（単位：円）

区　分		金　額	留　保	社外流出
加算				
減算	A　社　株　式　過　大　計　上	9,410,000	9,410,000	

> 解説

① 適格組織再編成により、減価償却資産を移転する場合には、移転時に償却費の損金算入が認められます。適格現物出資の場合は、合併の場合と異なり、事業年度の特例が生じませんが、適格組織再編成の日の前日において事業年度が終了したと仮定した場合の計算を行います。

② 本問の場合は、減価償却の計算上、2月1日の前日である1月31日に事業年度が終了したとみなすことになり、事業年度が10月間とみなされることになります。通常の償却率は年率のため、10月分に対応する率を計算することになります。

③ 減価償却の計算の結果、償却超過額が生じますが、移転するため、償却超過額認容が生じます。同じものが加算にも、減算にも生じますので、納税充当金支出事業税等の場合の法人税、地方法人税及び住民税と同様に調整を省略します。

4 受入法人（被現物出資法人又は分割承継法人）の取扱い

区　分	合併との一致点及び相違点
移転資産等の受入れの取扱い	適格の場合は、帳簿価額による取得となり、非適格の場合は、時価による取得になります。
減価償却資産の受入れの取扱い	適格の場合には、適格合併と同様の取扱いとされています。なお、被現物出資法人（分割承継法人）が、現物出資（適格分割）により移転を受けた有形減価償却資産の現物出資（分割）の日を含む事業年度の償却限度額の計算における分数の分子の数は、適格合併の場合に合併の日からとなっているところを、現物出資（分割）の日からとなります。
合併のその他にある圧縮記帳から売買目的有価証券の評価損益までの規定	合併の場合と適格又は非適格とも同様の取扱いとなっています。
繰越欠損金額	合併の場合と異なり、適格であっても、引き継ぎません。

Section 4 現物分配の課税関係

現物分配は、剰余金の配当等の手続きに基づく子法人から親法人への現物資産の移転等であり、組織再編成の一形態として位置づけられます。そのため、現物出資等と同様に、適格現物分配である場合には、帳簿価額による譲渡を行ったものとして現物分配による資産の譲渡損益への課税は繰り延べられることになります。

このSectionでは、現物分配の課税関係を学習します。

1 概　要（法22、23、62の5）

現物分配が行われた場合の基本的な課税関係は、次のとおりです。

1．非適格現物分配

区　分	取　扱　い
現物分配法人	移転資産は、時価により譲渡したものとして譲渡損益を認識します。
被現物分配法人	移転資産は時価により受け入れ、内国法人からの現物配当は受取配当等の益金不算入の対象とします。

2．適格現物分配

区　分	取　扱　い
現物分配法人	移転資産は、帳簿価額による譲渡をしたものとして譲渡損益の計上は繰り延べられます。
被現物分配法人	移転資産は帳簿価額により受け入れ、受取配当等の益金不算入制度とは、別の制度により益金不算入となります。

2 課税関係

1．概　要

(注)　現物配当により移転した資産の時価は12,500,000円、帳簿価額は5,000,000円である。

2．非適格現物分配

(1)　現物分配法人

時価を対価とする譲渡を行ったものとされ、譲渡損益に対して課税されます。また、資産の時価相当額は利益積立金額の減算項目とされます。

税務上の仕訳

(利・積)	12,500,000円	(資　産)	5,000,000円
		(譲渡益)	7,500,000円

(2)　被現物分配法人

資産を時価により受け入れます。なお、被現物分配法人において、内国法人からの現物分配による配当金は、受取配当等の益金不算入の規定の適用を受けることになります。

税務上の仕訳

(資　産)	12,500,000円	(受・配)	12,500,000円

3．適格現物分配

(1)　現物分配法人

帳簿価額を対価とする譲渡を行ったものとされ、譲渡損益は生じません。したがって、課税が繰り延べられることになります。また、資産の現物分配直前の帳簿価額相当額は利益積立金額の減算項目とされます。

税務上の仕訳

(利・積)	5,000,000円	(資　産)	5,000,000円

(2)　被現物分配法人

資産を現物分配法人における帳簿価額で受け入れます。なお、被現物分配法人において適格現物分配により生ずる収益の額[01]は、受取配当等の益金不算入の規定の適用はありませんが、別途益金不算入とされます。

[01] 受取配当金のことです。

税務上の仕訳

(資　産)	5,000,000円	(受・配)	5,000,000円

3 移転法人の処理

1．移転資産の譲渡損益

(1) 非適格現物分配（基通3－1－7の5）

現物分配法人が現物分配により被現物分配法人にその有する資産の移転をしたときは、配当等の額の支払効力発生日の価額による譲渡をしたものとして、各事業年度の所得の金額を計算します[*01]。

(2) 適格現物分配（法62の5③）

内国法人が適格現物分配により被現物分配法人にその有する資産の移転をしたときは、適格現物分配の直前の帳簿価額による譲渡をしたものとして、各事業年度の所得の金額を計算します[*02]。

[*01] 法人が剰余金の配当等として金銭以外の資産の移転（現物配当）をした場合には、原則としてその資産の譲渡損益の額は、益金の額又は損金の額に算入することになります。

[*02] 適格現物分配に該当する場合には、適格組織再編成として、移転資産の譲渡損益は繰り延べられることになります。

2．利益積立金額

剰余金の配当等として株主等に交付する金銭等の額は、利益積立金額の減算項目とされています。なお、現物分配法人における現物配当による利益積立金額の減少額は、次のとおりです。

区　分	利益積立金額の減少額
非適格現物分配	交付する金銭以外の資産の価額（時価）
適格現物分配	交付する金銭以外の資産の交付直前の帳簿価額

4 被現物分配法人の処理

1．移転資産の取得価額

次の区分に応じ、それぞれ次の金額とされます。

区　分	取　得　価　額
非適格現物分配	取得時における取得のために通常要する価額（時価）
適格現物分配	現物分配法人における交付直前の帳簿価額

2．益金不算入の適用

次の区分に応じ、それぞれ次のように取扱います。

区　分	益　金　不　算　入
非適格現物分配	現物分配により受けた配当金（時価）は受取配当等の益金不算入の規定を適用します。
適格現物分配	適格現物分配により生ずる収益の額は、適格現物分配に係る益金不算入額として、全額益金不算入とされます。

設例4—1　適格現物分配

次の資料により、当社の当期における税務上の調整を示しなさい。

(1) A社は、令和7年6月15日にその発行済株式のすべてを所有しているB社の株式を、剰余金の配当として当社に対し交付している。なお、交付時における時価は33,000,000円（交付直前の帳簿価額は11,000,000円）である。

(2) 当社及びA社は、B社株式の交付について次の経理を行っている。
　① A社
　　（繰越利益剰余金）　11,000,000円　　（B　社　株　式）　11,000,000円
　② 当社
　　（B　社　株　式）　11,000,000円　　（受　取　配　当　金）　11,000,000円

(3) 当社は、A社の発行済株式の全てを数年前より所有している。なお、上記の現物分配は法人税法に規定する適格現物分配に該当するものである。

【解答】
（単位：円）

区分		金額	留保	社外流出
加算				
減算	適格現物分配に係る益金不算入額	11,000,000		※　11,000,000

【解説】

当社は適格現物分配に係る被現物分配法人であるため、適格現物分配により生じた収益の額は、益金の額に算入されません。なお、受取配当等の益金不算入額ではなく、適格現物分配に係る益金不算入額として調整します。

また、A社においては、帳簿価額による譲渡があったものとして譲渡損益の課税は繰り延べられることになりますが、A社は適正に経理処理を行っているため税務調整は必要ありません。

Section 5 株式交換等の課税関係

完全子法人の立場において、適格株式交換等であるか、非適格株式交換等であるかによって課税関係に差が生じます。他の組織再編成の形態との調整を図るため、非適格株式交換等の場合には時価評価損益の計上が必要であり、適格株式交換等の場合には、時価評価の必要はありません。

このSectionでは、株式交換等の課税関係を学習します。

1 概 要（法61の2⑨、62の9、令119①九、十、二十七）

株式交換等が行われた場合の基本的な課税関係は、次のとおりです。

1．非適格株式交換・非適格株式移転の場合

区 分	取 扱 い		
完全子法人	一定の資産について時価評価を行い、時価評価損益を認識します。		
完全親法人	完全子法人株式を時価で受け入れる資本等取引となります。		
完全子法人の株主	みなし配当		みなし配当は生じません。
	譲渡損益	株式のみ	帳簿価額を引き継ぐ処理をし、有価証券の譲渡損益は認識しません。
		上記以外	有価証券の譲渡損益を認識します。

2．適格株式交換・適格株式移転の場合

区 分	取 扱 い	
完全子法人	株主が変更されたのみであり、特に課税関係は生じません。	
完全親法人	完全子法人株式を帳簿価額で受け入れる資本等取引となります。	
完全子法人の株主	みなし配当	みなし配当は生じません。
	株式のみ	帳簿価額を引き継ぐ処理をし、有価証券の譲渡損益は認識しません。

2 課税関係の概要

1. 概　要（株式交換の場合）

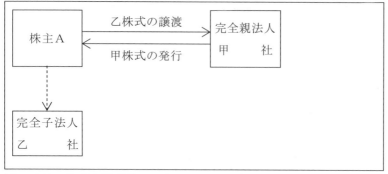

(1) 乙社の株式交換直前のB/S

B/S	
資　産　51,750,000円	負　債　36,800,000円
	資本金　11,500,000円
	利・積　 3,450,000円

（注）資産の時価は57,500,000円　負債の時価は36,800,000円である。

(2) 甲社の株式交換による増加資本金の額　　11,500,000円

(3) 株主Aの乙株式の帳簿価額　　13,800,000円（時価20,700,000円）

(4) 甲株式の時価　　19,700,000円

2. 適格株式交換の場合

(1) 完全親法人

① 完全子法人の株主数が50人未満の場合

乙株式の取得価額として、完全子法人の株主が有していたその完全子法人の株式のその適格株式交換の直前の帳簿価額相当額の合計額を付すことになります。なお、完全子法人の株式の取得価額から増加資本金の額を減算した金額は、資本金等の額の加算項目として取り扱います。

税務上の仕訳
（乙　株　式）　13,800,000円　（資　本　金）　11,500,000円
　　　　　　　　　　　　　　　（資本金等）　 2,300,000円

② 完全子法人の株主数が50人以上の場合

乙株式の取得価額として、完全子法人の前期期末時の純資産の帳簿価額[01]相当額を付すことになります。なお、完全子法人の株式の取得価額から増加資本金の額を減算した金額は、資本金等の額の加算項目として取り扱います（①と同様です。）。

税務上の仕訳
（乙　株　式）　14,950,000円　（資　本　金）　11,500,000円
　　　　　　　　　　　　　　　（資本金等）　 3,450,000円

(2) 完全子法人

株主が変更されたのみで、特に課税関係は生じません。

*01) 株式交換完全子法人の資産の帳簿価額から負債の帳簿価額を減算した金額をいいます。なお、前期期末時から適格株式交換等の直前の時までの間に資本金等の額又は利益積立金額が増加し、又は減少した場合には、その増加した金額を加算し、又はその減少した金額を減算した金額となります。

3. 非適格株式交換の場合

(1) 完全親法人

乙株式の取得価額は、時価を付すことになります。なお、完全子法人の株式の取得価額から増加資本金の額を減算した金額は、資本金等の額の加算項目として取り扱います。

```
税務上の仕訳
（乙株式）  20,700,000円  （資本金）    11,500,000円
                         （資本金等）   9,200,000円
```

(2) 完全子法人

時価評価を行い時価評価損益の計上をしなければなりません。

```
税務上の仕訳[02]
（資　産）  5,750,000円  （評価益）  5,750,000円
```

[02] 前ページのB/S（注）に資産の時価が57,500,000円となっていますので、帳簿価額との差額5,750,000円を評価益に計上することになります。実際には、時価評価資産の範囲は限定されていますが、便宜上、すべて時価評価資産であるものとしています。

4. 完全子法人の株主の取扱い

(1) 金銭等不交付の株式交換・株式移転の場合

完全親法人の株式以外の資産が交付されなかった場合には、株式交換により取得する甲株式の取得価額として完全子法人の株式のその株式交換の直前の帳簿価額相当額を付すことになります。結果として、乙株式の譲渡益の課税は繰り延べられることとなります。

```
税務上の仕訳
（甲株式）  13,800,000円  （乙株式）  13,800,000円
```

(2) (1)以外の場合（金銭の交付1,000,000円）

金銭等の交付がされた場合は、投資の清算を意味するため、譲渡損益の繰延べをすることはできず、譲渡損益が認識されることになります。

```
税務上の仕訳
（甲株式）  19,700,000円  （乙株式）  13,800,000円
（現金預金）  1,000,000円  （譲渡益）   6,900,000円
```

3 完全子法人の株主の課税関係[*01]

1．譲渡損益の計算

(1) (2)以外[*02]

内国法人が有価証券の譲渡をした場合には、その譲渡に係る譲渡利益額（①から②を控除した金額）又は譲渡損失額（②から①を控除した金額）は、その株式交換等の日の属する事業年度の益金の額又は損金の額に算入することとされています。

① その有価証券の譲渡時の有償によるその譲渡により通常得べき対価の額

② その有価証券の譲渡原価の額

(2) 金銭等不交付の株式交換・株式移転の場合[*02]

譲渡対価の額は、完全子法人の株式のその株式交換等の直前の帳簿価額とされます。

2．有価証券の取得価額

原則として株主において、有価証券の譲渡損益を認識することになります。したがって、交付を受けた株式の取得価額は時価を付すことになります。

また、新株のみを取得した場合には、株主の投資がそのまま継続しているものとして、譲渡損益は認識しません。したがって、その交付を受けた株式の取得価額は、旧株の帳簿価額相当額となります。なお、合併等のようにみなし配当は生じません。

区　分	取　得　価　額
新株のみ取得	旧株の帳簿価額＋付随費用
上記以外	新株の時価

[*01] 前頁4を参考にして下さい。

[*02] 完全子法人の株主の立場では、有価証券の譲渡損益の課税関係が生じる場合とそうでない場合がありますが、その取扱いの違いは、適格・非適格の区分にはよらず、金銭等不交付の株式交換・株式移転か否かにより判定することになります。

設例5－1　株式交換完全子法人の株主

次の資料により当社の当期における税務上の調整を示しなさい。

(1) 当社はA社株式を所有していたが、その発行法人であるA社は令和7年10月5日に会社法に規定する株式交換により、完全親会社となるB社に株式を移転して完全子会社となることとなった。

(2) 当社は、当社の所有するA株式の全てをB社に移転し、B社が発行する新株の割当及び交付金の交付を受けることとなった。

　なお、この株式交換に係る資料は次のとおりである。

　株式交換直前の当社所有A社株式　　10,000株（帳簿価額4,800,000円）
　割当を受けたB社株式　　　　　　　10,000株（時価総額7,680,000円）
　交付を受けた交付金の額　　　　　　旧株1株当たり32円（総額320,000円）

(3) 当社は、割当を受けたB社株式の取得価額として、A社株式の株式交換直前の帳簿価額4,800,000円を付し、交付を受けた交付金の額については当期の収益に計上している。

解答

(1) 会社計上の簿価
　　4,800,000円

(2) 税務上の簿価
　　7,680,000円

(3) 計上もれ
　　(2)－(1)＝2,880,000円

（単位：円）

	区　分	金　額	留　保	社外流出
加算	B 社 株 式 計 上 も れ	2,880,000	2,880,000	
減算				

解説

金銭等の交付を受けていない場合は旧株の帳簿価額を引き継ぎますが、金銭等の交付を受けているため、税務上の簿価は時価相当額になります。

4 完全子法人の課税関係（法62の9、令123の11）

1．取扱い

(1) 非適格株式交換等

内国法人が自己を株式交換完全子法人又は株式移転完全子法人とする非適格株式交換等を行った場合には、その内国法人がその非適格株式交換等の直前に有する時価評価資産の評価益又は評価損*01)は、その非適格株式交換等の日の属する事業年度の益金の額又は損金の額に算入します*02)。

(2) 適格株式交換等

株主が変更されたのみであり、特に課税関係は生じません。

2．時価評価資産の意義

時価評価資産とは、次の資産をいいます。

対象資産	固定資産 土地等（固定資産に該当するものを除きます。） 有価証券 金銭債権 繰延資産 ただし、下記のものを除きます。
除外資産	① 前5年内事業年度等において一定の圧縮記帳*03)の適用を受けた減価償却資産 ② 売買目的有価証券 ③ 償還有価証券 ④ 帳簿価額が1,000万円未満の資産 ⑤ 資産の価額とその帳簿価額との差額（注）がその内国法人の資本金等の額の$\frac{1}{2}$相当額又は1,000万円のいずれか少ない金額に満たない場合のその資産

（注） 前5年内事業年度等において一定の圧縮記帳の適用を受けた固定資産（減価償却資産を除きます。）で、その価額がその帳簿価額を超えるものについては、その前5年内事業年度等において圧縮記帳の規定により損金の額に算入された金額又はその超える部分の金額のいずれか少ない金額を控除した金額をいいます。

3．時価評価資産の判定の留意点

前5年内事業年度等において圧縮記帳の適用を受けた減価償却資産は、時価評価資産に該当しませんが、土地については、時価評価資産から除かれません。ただし、評価益が生じるものについては、通常の評価益からその圧縮記帳により損金の額に算入された金額を控除して上記2．除外資産の⑤の判定をします。

---

*01) 非適格株式交換等の日における時価で計算します。

*02) 株式交換により株式交換完全親法人は、株式交換完全子法人のすべてを実質的に支配することとなります。しかし、株式交換完全子法人から資産及び負債が移転していないため、譲渡損益の計上は行われません。一方、合併の場合は、被合併法人においてその移転資産に係る譲渡損益が計上されます。つまり、課税の公平を図るため、譲渡損益の計上の代わりに評価損益を計上することとされているということです。

*03) 一定の圧縮記帳は、国庫補助金等の圧縮記帳及び保険金等の圧縮記帳などです。

4. 時価評価損益と別表四上の調整

(1) 時価評価資産の判定

時価評価資産の判定は、次の算式により行います。

> **基本算式**
> (1) 譲渡資産の譲渡直前の帳簿価額 ≧ 10,000,000円
> (2) 時価[*04] と簿価との差額(時価評価損益) ≧ ※×× ∴適用あり
>   ※ 資本金等の額の2分の1と1,000万円のいずれか少ない金額

[*04] 非適格株式交換等の日における時価で計算します。なお、この算式における簿価は、評価損益計上前の簿価です。

(2) 別表四上の調整額の計算

別表四上の調整額の計算は、次のとおりです。

① 評価益の場合

> **基本算式**
> (1) 判 定
> (2) 会社計上の簿価
> (3) 税務上の簿価[*05]
> (4) 過大計上又は計上もれ
>   (2)-(3) → 時価評価資産評価益過大計上(減算留保)
>   又は
>   (3)-(2) → 時価評価資産評価益計上もれ(加算留保)

[*05] 非適格株式交換等の日における時価で計算します。

② 評価損の場合

> **基本算式**
> (1) 判 定
> (2) 会社計上の簿価
> (3) 税務上の簿価[*05]
> (4) 過大計上又は計上もれ
>   (2)-(3) → 時価評価資産評価損計上もれ(減算留保)
>   又は
>   (3)-(2) → 時価評価資産評価損過大計上(加算留保)

設例5－2　時価評価資産

次の資料により、当社が当期において時価評価資産の評価益又は評価損として益金の額又は損金の額に算入する金額を求めなさい。

(1) 当期において、当社の株主とA社との間で、A社を完全親会社とする株式交換が行われ、当社の株主はその有する当社の株式をA社に移転し、当社はA社の完全子会社となった。なお、この株式交換は、法人税法に規定する適格株式交換に該当しない。

(2) 当社の有する資産で、評価益又は評価損の計上ができるか否かの検討の対象となる資産は、次のとおりである。なお、これらの資産以外の資産に係る評価益又は評価損は考慮しなくてよい。

① 土地Xの明細

株式交換直前の帳簿価額	108,000,000円
株式交換直前時の時価	159,300,000円
当期末における時価	160,200,000円

（注）土地Xは一筆の土地で、当期開始の日前5年以内に開始した各事業年度において法人税法第42条第1項《国庫補助金等で取得した固定資産等の圧縮額の損金算入》の規定の適用を受け、10,800,000円を帳簿価額から減額し損金の額に算入している。

② 土地Yの明細

株式交換直前の帳簿価額	192,000,000円
株式交換直前時の時価	168,000,000円
当期末における時価	169,600,000円

（注）土地Yは一筆の土地で、当期開始の日前5年以内に開始した各事業年度において税法上の圧縮記帳制度の適用を受けていない。

(3) 当社は、資本金の額が165,000,000円（資本金等の額は220,000,000円）の内国法人である。

解答

(1) 判定（帳簿価額はすべて1,000万円以上のため時価評価資産に該当する可能性あり）

① 土地X

$159,300,000 － 108,000,000 －$※1$10,800,000 ＝ 40,500,000$円 $\geqq$ ※2$10,000,000$円

∴ 適用あり

※1　$10,800,000$円 $＜ 159,300,000 － 108,000,000 ＝ 51,300,000$円　∴　$10,800,000$円

※2　$220,000,000 \times \dfrac{1}{2} ＝ 110,000,000$円 $＞ 10,000,000$円　∴　$10,000,000$円

② 土地Y

$192,000,000 － 168,000,000 ＝ 24,000,000$円 $\geqq$ ※$10,000,000$円　∴　適用あり

※　$220,000,000 \times \dfrac{1}{2} ＝ 110,000,000$円 $＞ 10,000,000$円　∴　$10,000,000$円

(2) 時価評価損益

① 土地X

$159,300,000 － 108,000,000 ＝ 51,300,000$円（評価益）

② 土地Y

$192,000,000 － 168,000,000 ＝ 24,000,000$円（評価損）

解説

　土地Xは前5年内事業年度等において圧縮記帳の適用を受けていますが、減価償却資産ではないため、それにより、時価評価資産にならないことにはなりません。ただし、一定金額（資本金等の額の$\frac{1}{2}$相当額又は1,000万円のいずれか少ない金額）以上の評価損益の適用要件を満たすか否かの判定で、その評価益について、通常の評価益から圧縮記帳により損金の額に算入された金額を控除して判定します。

Try it　適格合併により減価償却資産を受け入れた場合

次の資料により、当社の当期における税務上の調整を示しなさい。なお、当社は、償却方法の選定の届出はしていない。また、耐用年数は法定耐用年数を適用することとする。

種　類	取得価額	受入帳簿価額	当期償却費	法定耐用年数
建　　　　物	50,000,000円	35,000,000円	1,000,000円	24年
機　械　B	30,000,000円	20,000,000円	1,200,000円	10年
機　械　C	15,000,000円	8,000,000円	1,500,000円	10年
一 括 償 却 資 産	1,800,000円	―	―	―

（注１）当社は、当期の12月1日を合併期日として、A社と合併を行い、その合併により、上記の減価償却資産を、A社から引き継いでいる。なお、取得価額はA社における取得価額である。

（注２）建物は、A社が平成9年3月31日に事業供用したものである。なお、A社において償却超過額として残された金額が1,300,000円ある。

（注３）機械Bは、A社が平成18年9月4日に事業供用したものである。なお、A社における最後事業年度終了時における帳簿価額は、20,700,000円である。

（注４）機械Cは、A社が平成23年4月1日に事業供用したものである。

（注５）一括償却資産は、A社において、前々期（自令和5年4月1日至令和6年3月31日）に事業の用に供されたものである。前々期において、消耗品費処理がされている。なお、A社において損金算入限度超過額として残された金額が200,000円ある。

（注６）償却率等は、次のとおりである。

耐用年数	旧定額法償却率	定額法償却率	旧定率法償却率	250％定率法			200％定率法		
				償却率	改定償却率	保証率	償却率	改定償却率	保証率
10	0.100	0.100	0.206	0.250	0.334	0.04448	0.200	0.250	0.06552
24	0.042	0.042	0.092	0.104	0.112	0.02157	0.083	0.084	0.02969

答案用紙

1．建物
　(1)　償却限度額

　(2)　償却超過額

2．機械B
　(1)　償却限度額

　(2)　償却超過額

3．機械C

　⑴　償却限度額

　⑵　償却超過額

4．一括償却資産

　⑴　損金算入限度額

　⑵　損金算入限度超過額

（単位：円）

	項　　　目	金　　額	留　　保	社外流出
加算				
減算				

解答

1．建物

　⑴　償却限度額

　　　$(35,000,000+1,300,000)\times 0.092\times \dfrac{4}{12}=1,113,200$円❶

　⑵　償却超過額

　　　$1,000,000-1,113,200=\triangle 113,200$

　　　113,200円＜1,300,000円　　∴　113,200円（認容）

2．機械B

　⑴　償却限度額

　　　$20,700,000\times 0.206\times \dfrac{4}{12}=1,421,400$円❶

　⑵　償却超過額

　　　$1,200,000-1,421,400=\triangle 221,400$

　　　221,400円＜20,700,000−20,000,000＝700,000円　　∴　221,400円（認容）

3．機械C
　⑴　償却限度額

　　　$8,000,000 \times 0.250 = 2,000,000$円 $> 15,000,000 \times 0.04448 = 667,200$円

　　　∴　$2,000,000 \times \dfrac{4}{12} = 666,666$円

　⑵　償却超過額

　　　$1,500,000 - 666,666 = 833,334$円

4．一括償却資産
　⑴　損金算入限度額

　　　$1,800,000 \times \dfrac{4}{36} = 200,000$円

　⑵　損金算入限度超過額

　　　$0 - 200,000 = \triangle 200,000$

　　　$200,000$円 ＝ $200,000$円　　∴　$200,000$円（認容）

（単位：円）

	項　　目	金　　額	留　　保	社外流出
加算	減 価 償 却 超 過 額 （機械C）	833,334	❷ 833,334	
減算	減 価 償 却 超 過 額 認 容 （建　物） （機械B） 一括償却資産損金算入限度超過額認容	113,200 221,400 200,000	❷ 113,200 ❷ 221,400 ❷ 200,000	

解説

①　適格合併により、減価償却資産を引き継いだ場合の、償却方法の適用区分における取得日は、その取得日も引き継ぐことになります。つまり、建物は当社が平成9年3月31日に事業供用（取得）したものとして償却方法の規定を適用していきます。当社は、償却方法を選定していないため、法定償却方法となり、建物の償却方法は旧定率法となります。また、合併法人は、被合併法人A社において繰越償却超過額として残された金額の引継ぎも行います。

②　機械Bは平成19年3月31日以前取得の建物以外の有形減価償却資産のため、償却方法（法定償却方法）は旧定率法となります。なお、機械Bにつき、帳簿価額に付した金額が、A社において帳簿価額とされていた金額に満たない金額が700,000円となります。その700,000円は当社の繰越償却超過額として取り扱われます。

③　機械Cは、平成19年4月1日以後かつ平成24年3月31日以前取得の建物以外の有形減価償却資産のため、償却方法（法定償却方法）は250％定率法となります。

④　一括償却資産は、期中に事業供用した場合においても分子の月数は12となりますが、適格合併があったことにより、一括償却資産を受け入れた場合の分子の月数は合併の日から事業年度末までの月数となります。なお、A社の最後事業年度において一括償却資産の取得価額の合計額につき、36月のうち8月分の損金算入がされ、当社において36月のうち4月分の損金算入がされることになります。

Try it　　　　　　　　　　　　　　　　　　　　　　　　　　　適格現物出資

次の資料により、当社の当期における税務上の調整を示しなさい。

(1) 当社は、令和7年4月1日に、その営む事業の分社化することを目的として、現金50,000,000円を払い込み、100%子会社であるA社（資本金50,000,000円）を設立した。

　なお、当社はA社の発行済株式の全部を継続して当期末まで保有しており、今後も継続保有する見込みである。

(2) 当社は、令和7年10月1日に、土地及び建物を借入金と併せて、上記(1)で設立したA社に現物出資した。当社は、これについて固定資産売却益として20,000,000円を計上し、取得したA社株式の取得額を40,000,000円としている。

　なお、現物出資した土地、建物及び借入金の詳細は次のとおりである。

① 土　地　　帳簿価額　30,000,000円　　時　　価　45,000,000円
② 建　物　　取得価額　50,000,000円　　期首帳簿価額　40,000,000円　　時　価　43,000,000円
③ 借入金　　残　　高　48,000,000円

（注）建物については、移転する際に減価償却費を2,000,000円計上している。この建物の償却方法は定額法、法定耐用年数は24年（定額法の償却率の年率は0.042）のものである。

答案用紙

(1) 会社計上の簿価

(2) 税務上の簿価

　　※① 償却率の調整計算

　　② 償却限度額

　　③ 償却超過額

　　④ 税務上帳簿価額

(3)

（単位：円）

区　分	金　額	留　保	社外流出
加算			
減算			

解　答

(1) 会社計上の簿価

　　40,000,000円

(2) 税務上の簿価

　　(30,000,000＋※38,950,000)－48,000,000＝20,950,000円❶

　※① 償却率の調整計算

　　　　$0.042 \times \dfrac{6}{12} = 0.021$❶（小数点以下3位未満切上）

　　② 償却限度額

　　　　50,000,000×0.021＝1,050,000円❶

　　③ 償却超過額

　　　　2,000,000－1,050,000＝950,000円❶

　　④ 税務上帳簿価額

　　　　40,000,000－2,000,000＋950,000＝38,950,000円❶

(3) 過大計上

　　(1)－(2)＝19,050,000円

（単位：円）

	区　分	金　額	留　保	社外流出
加算				
減算	A　社　株　式　過　大　計　上	19,050,000	❺　19,050,000	

解　説

① A社を設立する際は、現金の払込みによっていますが、これは単なる金銭出資です。

② 現物出資は、100％子会社に対するものであり、現物出資法人である当社に被現物出資法人であるA社の発行するA社株式以外の資産が交付されないものであるため、適格現物出資に該当します。

　　したがって、その移転資産の課税関係は帳簿価額による譲渡となります。

③ 適格組織再編成により、減価償却資産を移転する場合は、その移転資産について、減価償却をすることができます。その計算は、適格組織再編成の日の前日において事業年度が終了したと仮定して償却限度額を計算します。本問は、10月1日が現物出資日（組織再編成の日）のため、事業年度が6月間（令和7年4月1日～令和7年9月30日）として償却限度額を計算します。

④ 償却超過額が生じますが、移転するため、同額の認容が生じます。したがって、償却超過額と償却超過額認容の税務調整は、相殺し省略します。

Try it 非適格株式交換の場合の完全子法人

次の資料により、当社の当期における税務上の調整を示しなさい。

(1) 当期の10月1日において、当社の株主とA社との間で、A社を完全親会社とする株式交換が行われ、当社の株主はその有する当社の株式をA社に移転し、当社はA社の完全子会社となった。なお、この株式交換は、法人税法に規定する適格株式交換に該当しない。

(2) 当社の有する固定資産及び有価証券のうちには、次のものがある。なお、当社はこれらの固定資産及び有価証券につき何ら経理を行っておらず、売却していないため、株式交換直前の帳簿価額は当期末の帳簿価額と同額である。

① 土地の明細
　株式交換直前の帳簿価額　　　　80,000,000円
　株式交換直前時の時価　　　　　120,000,000円
　当期末における時価　　　　　　115,000,000円

② 建物の明細
　株式交換直前の帳簿価額　　　　150,000,000円
　株式交換直前時の時価　　　　　156,000,000円
　当期末における時価　　　　　　157,000,000円

③ 機械の明細
　株式交換直前の帳簿価額　　　　70,000,000円
　株式交換直前時の時価　　　　　92,000,000円
　当期末における時価　　　　　　91,000,000円

（注）機械は、前々期において法人税法第47条第1項《保険金等で取得した固定資産等の圧縮額の損金算入》の規定の適用を受け、30,000,000円を帳簿価額から減額し損金の額に算入している。

④ 有価証券Bの明細
　株式交換直前の帳簿価額　　　　90,000,000円
　株式交換直前時の時価　　　　　65,000,000円
　当期末における時価　　　　　　87,000,000円

⑤ 有価証券C（売買目的有価証券に該当）の明細
　株式交換直前の帳簿価額　　　　45,000,000円
　株式交換直前時の時価　　　　　70,000,000円
　当期末における時価　　　　　　80,000,000円

(3) 当社は、資本金の額が10,000,000円（資本金等の額は15,000,000円）の内国法人である。

答案用紙

1．土　地
(1) 判　定

⑵　会社計上の簿価

　⑶　税務上の簿価

　⑷

2．建　物
　⑴　判　定

　⑵

3．機　械
　⑴　判　定

　⑵

4．有価証券B
　⑴　判　定

　⑵　会社計上の簿価

　⑶　税務上の簿価

　⑷

5．有価証券C
　⑴　判　定

　⑵　会社計上の簿価

　⑶　税務上の簿価

　⑷

（単位：円）

区　　分	金　　額	留　　保	社外流出
加算			
減算			

解　答

帳簿価額はすべて1,000万円以上のため時価評価資産に該当する可能性あり

1．土　地

　⑴　判　定

　　　120,000,000－80,000,000＝40,000,000円≧※7,500,000円　　∴　適用あり❶

　　　※　$15,000,000×\dfrac{1}{2}$＝7,500,000円＜10,000,000円　　∴　7,500,000円

　⑵　会社計上の簿価

　　　80,000,000円

　⑶　税務上の簿価

　　　120,000,000円

　⑷　計上もれ

　　　⑶－⑵＝40,000,000円

2．建　物

　⑴　判　定

　　　156,000,000－150,000,000＝6,000,000円＜※7,500,000円　　∴　適用なし❶

　　　※　$15,000,000×\dfrac{1}{2}$＝7,500,000円＜10,000,000円　　∴　7,500,000円

　⑵　税務調整なし

3．機　械

　⑴　判　定

　　　前5年内事業年度等において圧縮記帳の適用を受けた減価償却資産のため、時価評価資産に該当しない。❶

　⑵　税務調整なし

4．有価証券B

　⑴　判　定

　　　90,000,000－65,000,000＝25,000,000円≧※7,500,000円　　∴　適用あり

　　　※　$15,000,000×\dfrac{1}{2}$＝7,500,000円＜10,000,000円　　∴　7,500,000円

　⑵　会社計上の簿価

　　　90,000,000円

(3) 税務上の簿価
    65,000,000円
  (4) 計上もれ
    (2)−(3)＝25,000,000円

5．有価証券C
  (1) 判定
    売買目的有価証券のため、時価評価資産に該当しない。ただし、売買目的有価証券の評価損益の規定の適用がある。❶
  (2) 会社計上の簿価
    45,000,000円
  (3) 税務上の簿価
    80,000,000円
  (4) 計上もれ
    (3)−(2)＝35,000,000円

(単位：円)

	区　分	金　額	留　保	社外流出
加算	土地評価益計上もれ	40,000,000	❷ 40,000,000	
	有価証券C評価益計上もれ	35,000,000	❷ 35,000,000	
減算	有価証券B評価損計上もれ	25,000,000	❷ 25,000,000	

解説

① 土地は棚卸資産又は固定資産のいずれの場合においても、一定以上の評価損益が生じている場合には、時価評価資産に該当します。一定以上の評価損益とは、非適格株式交換等の日における時価と帳簿価額との差額が、資本金等の額の2分の1と1,000万円のうちいずれか少ない金額以上であるものをいいます。

② 機械については、前5年内事業年度等において圧縮記帳の適用を受けた減価償却資産に該当するため、時価評価資産に該当しません。

③ 有価証券Cは売買目的有価証券であるため、時価評価資産に該当しませんが、売買目的有価証券の評価損益の規定の適用があります。売買目的有価証券の評価における時価は、期末時点の時価になります。

Chapter 17
グループ法人税制

Section 1 グループ法人税制

法人税法は、近年における企業統治のあり方の変化に対応して組織再編税制やグループ通算制度などを整備してきました。グループ法人税制は、企業グループを対象とした法制度や会計制度が定着しつつある中で、課税の中立性や公平性等を確保するために創設されたものです。

このSectionでは、グループ法人税制を学習します。

1 概　要

1．グループ法人税制

グループ法人税制は、完全支配関係がある法人について強制適用される制度です。したがって、完全支配関係がある法人のグループは、グループ法人税制の適用を受けることになります。

グループ法人税制には、次のものがあります。

① 完全支配関係がある法人間の資産の譲渡損益
② 完全支配関係がある法人間の寄附
③ 完全支配関係がある法人間の現物分配
④ 完全支配関係がある法人間の受取配当等
⑤ 完全支配関係がある法人の株式の発行法人に対する譲渡等

2．完全支配関係

完全支配関係には、当事者間の完全支配関係と法人相互の完全支配関係の2つがあります。

(1) 当事者間の完全支配関係

一の者[*01]が法人の発行済株式等の**全部**を直接又は間接に保有する関係として一定の関係をいいます。

① 直接完全支配関係

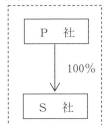

P社とS社は直接完全支配関係があり、当事者間の完全支配関係があることになります。

[*01] 一の者は、法人のみではなく、個人も含まれます。なお、個人の場合には、特定の1人とその特殊関係個人（親族等）も含まれます。

② みなし直接完全支配関係

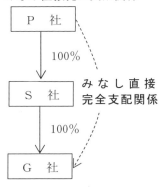

P社とG社はみなし直接完全支配関係があり、当事者間の完全支配関係があることになります[*02]。

[*02] P社とS社は①の関係（直接完全支配関係）にあり、当然完全支配関係があります。ここでは、完全支配関係のある法人を通じて、発行済株式等の全部を間接的に保有している場合でも、直接完全支配関係があるものとみなされることを示しています。

(2) 法人相互の完全支配関係

一の者との間に当事者間の完全支配関係がある法人相互の関係をいいます。

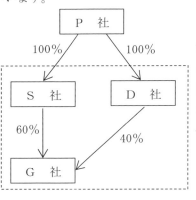

P社との間に当事者間の完全支配関係があるS社とD社とG社[*03]は、一の者との間に当事者間の完全支配関係がある法人相互の関係にあります。

[*03] P社との関係では、S社とD社は直接完全支配関係がありますが、その完全支配関係があるS社とD社で発行済株式等の全部を保有しているG社との間にも「みなし直接完全支配関係」があることになります。

Chapter 17 | グループ法人税制 | **17-3** （439）

2 完全支配関係がある法人間の譲渡損益

1．譲渡損益の繰延べ

(1) 内　容（法61の13）

内国法人（普通法人又は協同組合等に限ります。）が譲渡損益調整資産を完全支配関係がある他の内国法人（普通法人又は協同組合等に限ります。）に譲渡した場合には、その譲渡損益調整資産に係る譲渡利益額又は譲渡損失額相当額は、その譲渡した事業年度の損金の額又は益金の額に算入することとされています。

＜図解＞

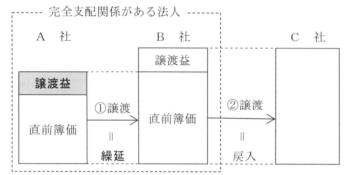

完全支配関係のある法人グループの一体性に着目すると、完全支配関係のある法人間の資産の譲渡は、一種の内部取引と考えられるため、その時点で譲渡損益を計上することは適当ではありません。

したがって、完全支配関係がある法人間の資産の譲渡損益は、その計上を一旦繰り延べ、その資産の譲受法人が譲渡等した時点で、その繰り延べた譲渡損益を戻し入れることになります。

(2) 譲渡損益調整資産

譲渡損益調整資産とは、次の資産をいいます。

対象資産	固定資産 土地等（固定資産に該当するものを除きます。*01） 有価証券 金銭債権 繰延資産 ただし、下記のものを除きます。
除外資産	① 売買目的有価証券 ② 譲受法人において売買目的有価証券とされる有価証券 ③ 譲渡直前の帳簿価額が1,000万円に満たない資産

*01) 土地等のカッコ書きで、固定資産に該当するものが除かれていますが、その前に列挙されている固定資産に土地等が含まれているため、除かれているだけです。つまり、土地等は棚卸資産及び固定資産を問わず、帳簿価額が1,000万円以上であれば、譲渡損益調整資産に該当することになります。

棚卸資産のように通常、短期間でグループ外に販売されることが予定されるものや少額の資産については対象資産から除かれています。

具体的には、次のように計算します。

基本算式
(1) 判　定
　　譲渡資産の譲渡直前の帳簿価額≧10,000,000円
　　∴　該　当
(2) 繰　入
　　譲渡利益額＝対価の額－原価の額　　譲渡損益調整勘定繰入額（減算留保）
　　　　　　　　　　又は
　　譲渡損失額＝原価の額－対価の額　　譲渡損益調整勘定繰入額（加算留保）

設例1－1　　　　　　　　　　　　　　　　　　　　　　　　　　　　譲渡損益の繰延べ

次の資料により、当社の当期における税務上の調整を示しなさい。

当社は、令和7年6月18日に当社との間に完全支配関係があるB社に対して土地（譲渡直前の帳簿価額は15,000,000円である。）を20,000,000円で譲渡している。

なお、B社は当社の当期末において、当該土地を保有している。

解答

(1) 判　定
　　15,000,000円≧10,000,000円　　∴　該　当

(2) 繰　入
　　20,000,000－15,000,000＝5,000,000円

（単位：円）

	区　分	金　額	留　保	社外流出
加算				
減算	譲渡損益調整勘定繰入額（土　地）	5,000,000	5,000,000	

2．譲渡損益の戻入れ

　内国法人が１．の譲渡損益の繰延べの適用を受けた場合において、譲受法人においてその譲渡損益調整資産の譲渡、償却等の事由が生じたときは、その譲渡損益調整資産に係る譲渡利益額又は譲渡損失額相当額は、各事業年度の益金の額又は損金の額に算入することとされています。

設例１－２　　　　　　　　　　　　　　　　　　　　　　　　　　譲渡損益の戻入れ

次の資料により、当社の当期における税務上の調整を示しなさい。

当社は、前期の令和６年11月に当社との間に完全支配関係があるＢ社に対し土地（譲渡直前の帳簿価額は12,000,000円である。）を15,000,000円で譲渡している。

なお、Ｂ社は令和７年12月に当社から取得した土地をＸ社に対して譲渡している。

解答　　　　　　　　　　　　　　　　　　　　　　　　　　　　　　　　　（単位：円）

	区　分	金　額	留　保	社外流出
加算	譲渡損益調整勘定戻入額 　　　　　（土　地）	3,000,000	3,000,000	
減算				

3．減価償却した場合の戻入れ

　譲渡された資産が減価償却資産であるときは、その資産の譲渡法人で繰り延べた譲渡損益のうち、その資産の譲受法人が計上した減価償却費に対応する金額を戻し入れることになります。

　具体的には、次のような計算になります。

基本算式

(1) 原則法

$$譲渡損益の額 \times \frac{譲受法人の償却費の損金算入額}{譲受法人の取得価額}$$

(2) 簡便法

$$譲渡損益の額 \times \frac{その事業年度の月数（※）}{譲受法人が適用する耐用年数 \times 12}$$

　※　譲渡事業年度である場合には、譲渡日からその事業年度終了日までの月数（１月未満切上）

(3) (1)と(2)のいずれか有利な方

　譲渡益の場合　…　少ない方　⎫
　譲渡損の場合　…　多い方　　⎬　譲渡損益調整勘定戻入額
　　　　　　　　　　　　　　　⎭

<図解>

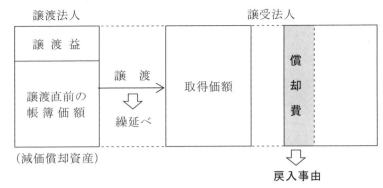

設例1-3　減価償却した場合の戻入れ

次の資料により、当社の当期における税務上の調整を示しなさい。

当社は、令和7年6月に当社との間に完全支配関係があるC社に対し車両（譲渡直前の帳簿価額は10,000,000円である。）を15,000,000円で譲渡している。C社は、当該車両の取得後、7月より事業の用に供している。

なお、当該車両について、C社が適用する耐用年数は4年であり、C社は当期において償却費2,812,500円を計上している（償却費の全額が損金の額に算入されている。）。

解答

(1) 判定
　10,000,000円 ≧ 10,000,000円　∴ 該当

(2) 繰入
　15,000,000 － 10,000,000 ＝ 5,000,000円

(3) 戻入
　① $5,000,000 \times \dfrac{2,812,500}{15,000,000} = 937,500$円
　② $5,000,000 \times \dfrac{10}{4 \times 12} = 1,041,666$円
　③ ① ＜ ②　∴ 937,500円

（単位：円）

区分		金額	留保	社外流出
加算	譲渡損益調整勘定戻入額（車両）	937,500	937,500	
減算	譲渡損益調整勘定繰入額（車両）	5,000,000	5,000,000	

解説

譲渡事業年度における戻入の②の分数の分子は、譲渡日から当期末までの月数です。本問のその月数は、6月に譲渡し、1月未満の端数を切り上げるため、10月になります。

3 完全支配関係がある法人間の寄附

1．内　容

(1) 寄附金の損金不算入（法37②）

内国法人がその内国法人との間に法人による完全支配関係がある他の内国法人に対して支出した寄附金の額は、各事業年度の損金の額に算入しないこととされています。

(2) 受贈益の益金不算入（法25の2）

内国法人がその内国法人との間に法人による完全支配関係がある他の内国法人から受けた受贈益の額は、各事業年度の益金の額に算入しないこととされています。

＜図解＞

寄附をした法人において寄附金の額の全額を損金不算入とするとともに、寄附を受けた法人においては受贈益の全額を益金不算入とすることになります。このことによりグループ内部の取引について、課税関係が生じないことになります。

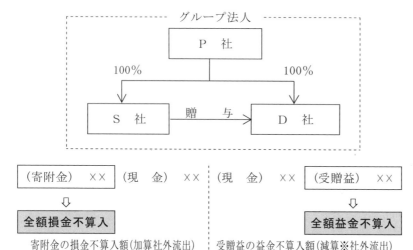

2. 対象取引

　適用対象となる完全支配関係は、法人による完全支配関係[*01]に限られています。つまり、この制度の対象となる寄附金及び受贈益は、内国法人から内国法人[*02]に対する寄附に限られているということです。

＜図解＞

① 法人による完全支配関係がある場合

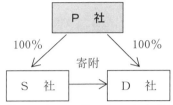

　法人であるP社による完全支配関係があるS社とD社間の寄附は、この制度の適用対象となります。

② 個人による完全支配関係がある場合

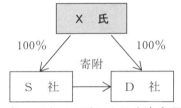

　個人であるX氏による完全支配関係があるS社とD社間の寄附は、法人による完全支配関係がないため、この制度の適用対象とはなりません。

③ 個人と法人の両方による完全支配関係がある場合

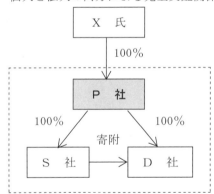

　個人であるX氏による完全支配関係も存在しますが、法人であるP社による完全支配関係があるS社とD社間の寄附は、この制度の適用対象となります。

*01) この制度の対象となる完全支配関係からは個人による完全支配関係が除かれていますが、これは、例えば親が発行済株式の100％を保有する法人から子が発行済株式の100％を保有する法人への寄附について、損金不算入かつ益金不算入とすると、親から子へ経済的価値の移転が無税で行われることとなり、相続税や贈与税の課税回避に利用される恐れがあるためです。

*02) 外国法人が関連する寄附金が対象外とされているのは、国境をまたぐ寄附は移転価格税制によって対応すべきものだからです。

3．損金不算入額の計算

完全支配関係のある法人に対する寄附金の額がある場合の寄附金の損金不算入額の計算は次のとおりとなります[*03]。

> **基本算式**
> (1) 支出寄附金
>   ① 指定寄附金等
>   ② 特定公益増進法人等
>   ③ 一般寄附金
>   ④ 完全支配関係がある法人
>   ⑤ 合　計　　①＋②＋③＋④
> (2) 損金算入限度額
>   ① 一般寄附金の損金算入限度額
>   ② 特別損金算入限度額
> (3) 損金不算入額
>   ① 完全支配関係がある法人
>   ② ①以外
>   (1)⑤－(1)④－(1)①－　※　－(2)①
>   ※　(1)②と(2)②のいずれか少ない方
>   ③ ①＋②
>   → 寄附金の損金不算入額（仮計の下・加算社外流出）

[*03] 完全支配関係のある法人に対する寄附金のみの場合は、その全額が損金不算入となるだけですので、コメントを記載するだけで、特に算式は不要です。

設例1-4　完全支配関係がある法人間の寄附

次の資料により、E社及びF社の当期における税務上の調整を示しなさい。

(1) P社は、数年前からE社及びF社の発行済株式の全てを保有している。E社は、令和7年8月にF社に対して現金10,000,000円の贈与をしている。

(2) E社は、令和8年2月にG社（E社との間で完全支配関係はない。）に対して時価5,000,000円の車両を贈与している。

(3) E社の、当期における所得金額18,000,000円（仮計の金額であり、調整は不要である。）であり、当期末における資本金の額は50,000,000円である。

解答　1．E社（寄附金の損金不算入）

(1) 支出寄附金
① 一般寄附金
5,000,000円
② 完全支配関係がある法人
10,000,000円
③ 合計
①＋②＝15,000,000円

(2) 一般寄附金の損金算入限度額
① 資本基準額
$50,000,000 \times \frac{12}{12} \times \frac{2.5}{1,000} = 125,000$円
② 所得基準額
$(18,000,000 + (1)③) \times \frac{2.5}{100} = 825,000$円
③ $(① + ②) \times \frac{1}{4} = 237,500$円

(3) 損金不算入額
① 完全支配関係がある法人
10,000,000円
② ①以外
(1)③ － (1)② － (2)③ ＝ 4,762,500円
③ ①＋②＝14,762,500円

（単位：円）

項目	金額	留保	社外流出
加算			
減算			
仮　計	18,000,000	×××	×××
寄附金の損金不算入額	14,762,500		14,762,500

2．F社（受贈益の益金不算入）

10,000,000円

（単位：円）

項目		金額	留保	社外流出
加算				
減算	受贈益の益金不算入額	10,000,000		※10,000,000

解説

E社は、F社に対して贈与をしていますが、E社とF社は法人（P社）による完全支配関係があるため、F社に対する寄附金の額の全額が損金不算入となります。

3．譲渡損益調整資産の低額譲渡

内国法人が低額譲渡を行った場合には、寄附金が生ずることになりますが、その低額譲渡が完全支配関係のある他の内国法人に対する譲渡損益調整資産の譲渡である場合には、譲渡損益の繰延べの規定も適用されます。

＜図解＞

譲渡損益調整資産を低額譲渡[*04]した場合には、次のとおりとなります。

（現金預金）×××　　（土　地）×××
（寄　附　金）×××　　（譲　渡　益）×××

⇩　　　　　　　　⇩

全額損金不算入	全額損金算入
寄附金の損金不算入額（加算社外流出）	譲渡損益調整勘定繰入額（減算留保）

*04) 譲渡損益調整資産は帳簿価額が1,000万円以上の資産であることが前提のため、低額譲渡した場合、その資産の帳簿価額が1,000万円未満の場合は、寄附金の全額損金不算入のみ適用されることになります。

設例1-5　完全支配関係がある法人に対する譲渡損益調整資産の低額譲渡

次の資料により、G社及びH社の当期における税務上の調整を示しなさい。

(1) P社は、数年前からG社及びH社の発行済株式の全てを保有している。G社は、令和7年10月にH社に対して時価50,000,000円の土地（帳簿価額10,000,000円）を30,000,000円で譲渡している。

(2) G社は、上記の取引につき、次の経理を行っている。なお、H社は、受贈益を適正に計上している。

（借）現金預金　30,000,000円　　（貸）土　地　　10,000,000円
（借）寄　附　金　20,000,000円　　（貸）譲渡益　　40,000,000円

(3) G社の、当期における所得金額80,000,000円（仮計の金額であり、調整は不要である。）であり、当期末における資本金等の額は60,000,000円である。

解答

1. G社
   (1) 譲渡損益調整資産の譲渡損益
      ① 判　定
         10,000,000円 ≧ 10,000,000円　∴ 該　当
      ② 繰　入
         50,000,000 － 10,000,000 ＝ 40,000,000円
   (2) 寄附金の損金不算入
      50,000,000 － 30,000,000 ＝ 20,000,000円

（単位：円）

項　目	金　額	留　保	社外流出
加算			
減算　譲渡損益調整勘定繰入額（土　地）	40,000,000	40,000,000	
仮　計	80,000,000	×××	×××
寄附金の損金不算入額	20,000,000		20,000,000

2. H社（受贈益の益金不算入）
   20,000,000円

（単位：円）

項　目	金　額	留　保	社外流出
加算			
減算　受贈益の益金不算入額	20,000,000		※20,000,000

解説

① 帳簿価額1,000万円以上で完全支配関係がある他の法人に対しての土地の譲渡であるため、譲渡損益調整資産の譲渡損益の繰延べの規定の適用があります。

② 譲渡資産の時価と対価との差額については、寄附金の額となり、完全支配関係（法人による完全支配関係）のある者に対するものであるため、全額損金不算入となります。なお、寄附金が完全支配関係のある者に対するもののみの場合は、損金算入限度額の計算も要しません。

4．グループ法人税制における寄附金の留意点

次の場合には、完全支配関係にある法人間における寄附金の損金不算入及び受贈益の益金不算入の規定の適用はないこととされています。

⑴ 広告宣伝用資産の贈与（基通4－2－1）

完全支配関係がある法人間で、広告宣伝用資産の贈与を行った場合には、通常どおり、贈与をした法人は繰延資産として取扱い、贈与を受けた法人は、その取得資産について、贈与をした法人の取得価額の3分の2等の取得価額とされ、受贈益は益金の額に算入されます。

① 広告宣伝用資産の贈与をした法人

税務上の仕訳

（繰 延 資 産）×× （広告宣伝用資産）××
　　　⇩
寄附金に該当しません。繰延資産の計算をします。

② 広告宣伝用資産の贈与を受けた法人

税務上の仕訳

（広告宣伝用資産）×× （受　贈　益）××
　　　⇩
益金不算入になりません[*04]。

*04）受贈益については、その贈与をした法人と完全支配関係があり、その法人において寄附金とされるものにつき、益金不算入となります。

⑵ 子会社支援（基通9－4－1、2）

債権の放棄や債務の引受けを行った場合には、原則として、寄附金の額になります。ただし、その債権の放棄や債務の引受けを行わないと、今後さらに大きな損害を被る場合があります。その場合における債権の放棄や債務の引受けは、経済的合理性のある取引として、損金の額に算入され、寄附金には該当しません。[*05]

① 支援を行った法人

税務上の仕訳

（支　援　損）×× （子 会 社 債 権）××
　　　⇩
寄附金に該当しません。損金算入されます。

② 支援を受けた法人

税務上の仕訳

（親 会 社 債 務）×× （受　贈　益）××
　　　⇩
益金不算入になりません。

*05）完全支配関係がない場合においても、寄附金に該当せず、損金算入となります。

5. 寄附修正（親法人の処理）

グループ法人間の寄附については、課税関係を生じさせないこととされていますが、この取扱いを利用して株式の価値を移転した上で、子法人の株式の譲渡損を意図的に作り出すことが可能になってしまいます。そこでこのような課税回避行為を防止するために、親法人において寄附修正を行うこととされています。

(1) 内　容

法人との間に完全支配関係がある子法人の株式等について寄附修正事由が生じた場合には、一定の金額を利益積立金額及び寄附修正事由が生じた時の直前の子法人の株式等の帳簿価額に加算することとされています。

(2) 寄附修正事由

寄附修正事由は、次の事由が該当します。

寄附修正事由
① 子法人が法人による完全支配関係のある他の内国法人から益金不算入の対象となる受贈益を受けたこと
② 子法人が法人による完全支配関係のある他の内国法人に対して損金不算入の対象となる寄附金の額を支出したこと

(3) 修正額

寄附修正事由が生じた場合には、次の算式により計算した修正額を、利益積立金額及び子法人の株式等の帳簿価額に加算することになります。

なお、この修正は、直接の株主段階のみで行うことになります。

基本算式

$$\begin{Bmatrix} 子法人が受けた \\ 益金不算入の対象 \\ となる受贈益の額 \end{Bmatrix} \times 持分割合 - \begin{Bmatrix} 子法人が支出した \\ 損金不算入の対象 \\ となる寄附金の額 \end{Bmatrix} \times 持分割合$$

＜具体例＞

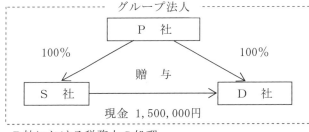

P社における税務上の処理

（利益積立金額）　1,500,000　　（S社株式）　1,500,000円

（D社株式）　　　1,500,000　　（利益積立金額）1,500,000円

別表五㈠ I　　　　　　　　　　　　　　　　　　　　　　　　　　（単位：円）

区　分	期首現在利益積立金額	当期の増減 減	当期の増減 増	差引翌期首現在利益積立金額
S社株式（寄附修正）			△ 1,500,000	△ 1,500,000
D社株式（寄附修正）			1,500,000	1,500,000

4 完全支配関係がある法人からのみなし配当（法61の2⑰、令8①二十一）

みなし配当を収受する場合には、株式の譲渡損益[*01]が伴いますが、そのみなし配当が完全支配関係のある内国法人からのものについては、譲渡損益を発生させないこととされています。

<具体例>

A社は100％親法人であるB社からA社株式を相対取引により取得した。その内容は次のとおりである。

(1) 譲渡直前の帳簿価額　　700円
(2) 売却価額　　　　　　1,000円
(3) A社の取得直前の資本構成
　① 資本金等の額　　800円
　② その他　　　　　200円

上記の税務上の仕訳は次のとおりです。なお、源泉徴収税額については、省略します。

(1) A 社

（資本金等の額）	800円	（現 金 預 金）	1,000円
（利益積立金額）	200円		

(2) B 社

（現 金 預 金）	1,000円	（みなし配当）	200円
		（有 価 証 券）	700円
		（資本金等の額）	100円

⇩

> 譲渡損益に対する課税を生じさせないため、資本金等の額を変動させることとされています。

[*01] グループ法人税制は、完全支配関係のあるグループを一つの法人と考えて、規定されていることから、みなし配当事由が生ずる場合の株式の譲渡損益は、生じないこととされています。なお、みなし配当についても、完全子法人株式に係る配当等の額として、全額益金不算入となることから、この場合には、課税所得について増減が生じないことになります。

5 残余財産が確定した場合の繰越欠損金の引継ぎ等（法57②）

完全支配関係がある他の内国法人の残余財産が確定[*01]した場合において、当該他の内国法人に繰越欠損金額があるときは、当該他の内国法人に対する所有割合に応じて、当該他の内国法人の繰越欠損金額を引き継ぎます[*02]。

1．適用要件

繰越青色欠損金の引継ぎの要件は、次のとおりです。

適用要件
(1) その内国法人による完全支配関係又は一の者との間に完全支配関係がある場合の法人相互の関係にある他の内国法人の残余財産が確定したこと。
(2) 当該他の内国法人の残余財産の確定日の翌日前10年（適用上、当期は実質9年）以内に開始した各事業年度（前10年内事業年度といいます。）において生じた未処理欠損金額[*03]があること。

2．当該他の内国法人に株主等が2以上ある場合

当該他の内国法人に株主等が2以上ある場合の未処理欠損金額の引継ぎ額は、次の算式により計算した金額となります。

基本算式

$$未処理欠損金額 \times \frac{内国法人の所有株式数}{発行済株式等（自己株式等を除く。）}$$

[*01] 残余財産確定の日は法人税上、その法人が存在する最後の日となります。

[*02] 当該他の内国法人において繰越欠損金でなく、利益積立金額がある場合には、親会社において、みなし配当が生じますが、その場合には、譲渡損益に対する課税は生じず、資本金等の額が増減することになります。

[*03] 「未処理欠損金額」とは、当該他の内国法人がその欠損金額が生じた前10年（適用上、当期は実質9年）内事業年度について青色申告書である確定申告書を提出していること等の要件を満たしている場合における欠損金額で、すでに損金の額に算入されたもの及び欠損金の繰戻しによる還付金の計算の基礎となったものを除いたものをいいます。

Try it **譲渡損益調整資産の低額譲渡**

次の資料により、当社の当期における税務上の調整を示しなさい。

当社(資本金３億円、資本準備金の額１億円)は、企業グループにおける親会社であり、100%子会社を複数有している。その100%子会社のうちのＡ社について、財務体質の健全化を図るために、Ａ社に、帳簿価額20,000,000円、時価80,000,000円の土地を30,000,000円で譲渡することとした。当社は、時価と帳簿価額との差額を譲渡益に計上し、時価と対価との差額を支援損として損金経理している。

答案用紙

１．譲渡損益調整勘定繰入額

２．寄附金の損金不算入額

(単位：円)

	項　　　目	金　額	留　保	社外流出
加算				
減算				
仮計下				

解答

1. 譲渡損益調整勘定繰入額
   (1) 判定
       20,000,000円 ≧ 10,000,000円 ∴ 該当❷
   (2) 繰入
       80,000,000 − 20,000,000 = 60,000,000円

2. 寄附金の損金不算入額
   80,000,000 − 30,000,000 = 50,000,000円

(単位：円)

	項目	金額	留保	社外流出
加算				
減算	譲渡損益調整勘定繰入額（土地）	60,000,000	❹60,000,000	
仮計下	寄附金の損金不算入額	50,000,000		❹50,000,000

解説

① 譲渡損益調整資産を低額で譲渡した場合の譲渡損益の計算は、時価を対価とした計算です。
② 完全支配関係がある法人に対する寄附金のみである場合には、全額損金不算入となることは明らかです。寄附金の額は時価と対価の額との差額になります。

Chapter 18
グループ通算制度

Section 1 グループ通算制度の概要

グループ通算制度は、完全支配関係がある企業グループの一体性に着目して、その経済的な実態に合った企業グループ内損益通算等を行うものです。
ただし、あくまでも各法人が個別に法人税額の計算及び申告を行っていきます。
このSectionでは、グループ通算制度の取扱いを学習します。

1 概　要（法64の9②）

　グループ通算制度とは、完全支配関係にある企業グループ内の各法人を納税単位として、各法人が個別に法人税額の計算及び申告を行い、その中で、損益通算等の調整を行う制度です。併せて、後発的に修更正事由が生じた場合には、原則として他の法人の税額計算に反映させない（遮断する）仕組みとされており、また、グループ通算制度の開始・加入時の時価評価課税及び欠損金の持込み等について組織再編税制と整合性の取れた制度とされています。

　親法人及び子法人が、通算承認を受けようとする場合には、強制適用であるグループ法人税制と異なり、一定の日までに、承認申請書をその親法人の納税地の所轄税務署長を経由して、国税庁長官に提出する必要があります。

＜図解＞

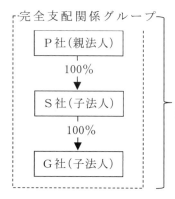

グループ通算制度の適用を受けることができます。

2 グループ通算制度の適用

1．適用法人（法64の9①）

グループ通算制度の適用を受けようとする場合には、「内国法人及びその内国法人との間にその内国法人による完全支配関係[*01]がある他の内国法人」の全てが国税庁長官の承認を受けなければならないこととされており、適用対象となる法人は、下記の親法人及びその親法人との間にその親法人による完全支配関係がある下記の子法人に限られます。

区分	要件等
親法人	普通法人又は協同組合等のうち、次の①から⑥までの法人及び⑥に類する一定の法人のいずれにも該当しない法人をいいます。 ① 清算中の法人 ② 普通法人（外国法人を除きます。）又は協同組合等との間にその普通法人又は協同組合等による完全支配関係がある法人 ③ 通算承認の取りやめの承認を受けた法人でその承認日の属する事業年度終了後5年を経過する日の属する事業年度終了の日を経過していない法人 ④ 青色申告[*02]の承認の取消通知を受けた法人でその通知後5年を経過する日の属する事業年度終了の日を経過していない法人 ⑤ 青色申告の取りやめの届出書を提出した法人でその提出後1年を経過する日の属する事業年度終了の日を経過していない法人 ⑥ 投資法人、特定目的会社 ⑦ その他一定の法人（普通法人以外の法人、破産手続開始の決定を受けた法人等）
子法人	親法人との間にその親法人による完全支配関係[*03]がある他の内国法人のうち上記③から⑦までの法人以外の法人をいいます。

[*01] 基本的にはグループ法人税制にあるものと同じものです。

[*02] グループ通算制度の承認を受けるためには、正規の簿記の諸原則に従った帳簿の記録及び保存等が行われていなければなりません（青色申告の承認を受ける場合と同様のものです。）。また、グループ通算制度の承認を受けた場合には、青色申告の承認があったものとみなされます。

[*03] グループ通算制度における「完全支配関係」は、完全支配関係のうち上記親法人の要件等の③から⑦までの法人及び外国法人が介在しない一定の関係に限ります。

＜図解＞

完全支配関係グループ
- 親法人
  - 100% → 内国法人A社（子法人）
    - 100% → 内国法人B社
    - 70% → 内国法人C社
  - 30% → 内国法人C社

グループ通算制度対象外
- 100% ← 外国法人D社
- 100% → 外国法人E社
- 90% → 内国法人F社

2．手続規定（法64の9②）

　親法人及び子法人が、通算承認を受けようとする場合には、原則として、その親法人のグループ通算制度の適用を受けようとする最初の事業年度開始の日の3月前の日までに、その親法人及び子法人の全ての連名で、承認申請書をその親法人の納税地の所轄税務署長を経由して、国税庁長官に提出する必要があります。

＜まとめ＞

申　　請	親法人及び子法人のすべての連名で申請しなければなりません。
期　　限	原則として、グループ通算制度を適用しようとする事業年度開始の日の3月前の日までに申請する必要があります。
承　　認	国税庁長官の承認を受ける必要があります[*04]。

＜用語の意義＞

　グループ通算制度における用語意義は、次のとおりです。

通算親法人	グループ通算制度の承認を受けた親法人（内国法人）をいいます。
通算子法人	グループ通算制度の承認を受けた子法人（他の内国法人）をいいます。
通算法人	通算親法人及び通算子法人をいいます。
通算完全支配関係	通算親法人と通算子法人との間の完全支配関係又はその通算親法人との間にその完全支配関係がある通算子法人相互の関係をいいます。

*04) グループ通算制度を適用しようとする事業年度開始の日の前日までに処分がなかったときは、その開始日において承認されたものとみなされます。

3. 通算子法人の事業年度の特例（法14）

(1) 事業年度

通算子法人でその通算子法人に係る通算親法人の事業年度開始の時にその通算親法人との間に通算完全支配関係がある通算子法人の事業年度は、その開始の日に開始するものとされ、通算子法人でその通算子法人に係るその通算親法人の事業年度終了の時にその通算親法人との間に通算完全支配関係がある通算子法人の事業年度は、その終了の日に終了するものとされます。

(2) 事業年度の特例

上記(1)により、次のそれぞれの期間がその通算子法人の事業年度とされます。

事　由　等	期　　間
①　通算子法人でその通算子法人に係る通算親法人の事業年度開始の時にその通算親法人との間に通算完全支配関係があるものの事業年度は、その開始の日に開始するものとする。	その事業年度開始の日からその通算親法人事業年度開始の日の前日までの期間
②　通算子法人でその通算子法人に係る通算親法人の事業年度終了の時にその通算親法人との間に通算完全支配関係があるものの事業年度は、その終了の日に終了するものとする。	その親法人事業年度開始の日からその終了の日までの期間
③　その他一定の場合	一定の期間

＜図解＞

グループ通算制度は、通算親法人の事業年度を基準にして計算することになるため、通算親法人の事業年度と通算子法人の事業年度を一致させておく必要があります。

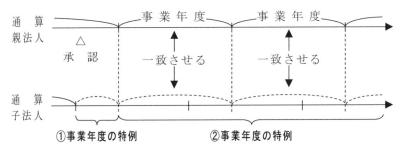

3 申告・納付等

1．個別申告方式（法74 等）

グループ通算制度においては、その適用を受ける通算グループ内の各通算法人を納税単位として、その各通算法人が個別に法人税額の計算及び申告を行います。

2．電子情報処理組織（e-Tax）による申告（法75 の4 ①②、法150 の3①②）

通算法人は、事業年度開始の時における資本金の額又は出資金の額が1億円以下であるか否かにかかわらず、電子情報処理組織（以下「e-Tax」といいます。）を使用する方法により納税申告書を提出する必要があります。

これに際し、通算親法人が、通算子法人の法人税の申告に関する事項の処理として、その通算親法人の電子署名をして e-Tax により提供した場合には、その通算子法人が e-Tax による申告の規定により提出したものとみなされます。

3．連帯納付の責任（法152①）

通算法人は、他の通算法人の各事業年度の法人税（その通算法人と当該他の通算法人との間に通算完全支配関係がある期間内に納税義務が成立したものに限ります。）について、連帯納付の責任を負います。

4 所得金額及び法人税額の計算

1．損益通算

(1) 所得事業年度の損益通算による損金算入（法64の5①）

通算法人の所得事業年度終了の日（以下「基準日」といいます。）において、その通算法人との間に通算完全支配関係がある他の通算法人の基準日に終了する事業年度において通算前欠損金額が生ずる場合には、その通算法人の所得事業年度の通算対象欠損金額は、その所得事業年度の損金の額に算入されます。 すなわち、通算グループ内の欠損法人の欠損金額の合計額が、所得法人の所得の金額の比で配分され、その配分された通算対象欠損金額が所得法人の損金の額に算入されます。

(2) 欠損事業年度の損益通算による益金算入（法64の5③）

通算法人の欠損事業年度終了の日（以下「基準日」といいます。）において、その通算法人との間に通算完全支配関係がある他の通算法人の基準日に終了する事業年度において通算前所得金額が生ずる場合には、その通算法人の欠損事業年度の通算対象所得金額は、その欠損事業年度の益金の額に算入されます。 すなわち、上記(1)で損金算入された金額の合計額と同額の所得の金額が、欠損法人の欠損金額の比で配分され、その配分された通算対象所得金額が欠損法人の益金の額に算入されます。

(3) 損益通算の遮断措置（法64の5⑤）

上記(1)又は(2)の場合において、通算事業年度の通算前所得金額又は通算前欠損金額が当初申告と異なるときは、それぞれの当初申告額がその通算事業年度の通算前所得金額又は通算前欠損金額とみなされます。 すなわち、通算グループ内の一法人に修更正事由が生じた場合には、損益通算に用いる通算前所得金額及び通算前欠損金額を当初申告額に固定することにより、原則として、その修更正事由が生じた通算法人以外の他の通算法人への影響を遮断し、その修更正事由が生じた通算法人の申告のみが是正されます。

〈損益の通算方法の概要〉

通算親法人A社	通算子法人B社	通算子法人C社	通算子法人D社
通算前の所得金額 4,000,000	通算前の所得金額 1,000,000	通算前の欠損金額 △800,000	通算前の欠損金額 △1,200,000
⇩	⇩	⇩	⇩
各社の所得金額及び欠損金額をそれぞれ合算			
⇩	⇩	⇩	⇩
損金算入額を計算するために所得金額を合算 5,000,000		損金算入額を計算するために欠損金額を合算 △2,000,000	
⇩	⇩	⇩	⇩
欠損金額の合計額△2,000,000をA社とB社の所得金額の比で損金算入		A社とB社で損金算入した欠損金額の合計額△2,000,000をC社とD社で益金算入	
⇩	⇩	⇩	⇩
損金算入額 $△2,000,000 × \frac{4,000,000}{5,000,000}$ $=△1,600,000$	損金算入額 $△2,000,000 × \frac{1,000,000}{5,000,000}$ $=△400,000$	益金算入額 $2,000,000 × \frac{800,000}{2,000,000}$ $=800,000$	益金算入額 $2,000,000 × \frac{1,200,000}{2,000,000}$ $=1,200,000$
通算後の所得金額及び欠損金額			
⇩	⇩	⇩	⇩
4,000,000−1,600,000 =2,400,000	1,000,000−400,000 =600,000	△800,000+800,000 =0	△1,200,000+1,200,000 =0
⇩	⇩	⇩	⇩
法人税額の計算			
⇩	⇩	⇩	⇩
2,400,000×23.2% =556,800	600,000×23.2% =139,200	0	0

(注1) 通算対象欠損金額

他の通算法人の基準日に終了する事業年度の通算前欠損金額の合計額（次の分母の金額を超える場合には分母の金額）	×	通算法人の所得事業年度の通算前所得金額 / 通算法人の所得事業年度及び他の通算法人の基準日に終了する事業年度の通算前所得金額の合計額

(注2) 通算対象所得金額

他の通算法人の基準日に終了する事業年度の通算前所得金額の合計額（次の分母の金額を超える場合には分母の金額）	×	通算法人の欠損事業年度の通算前欠損金額 / 通算法人の欠損事業年度及び他の通算法人の基準日に終了する事業年度の通算前欠損金額の合計額

2．繰越し欠損金の通算（法64の7）

通算法人に係る欠損金の繰越し（法57①）の規定の適用については、次の(1)及び(2)等の一定の調整を行う必要があります。

(1) 欠損金の繰越控除額の計算（法64の7①二）

① 各通算法人の十年内事業年度の欠損金額の配分

通算法人の適用事業年度開始の日前10年（一定の場合は9年）以内に開始した各事業年度において生じた欠損金額は、特定欠損金額[*01]と非特定欠損金額[*02]の合計額とされます。非特定欠損金額は、通算グループ全体の非特定欠損金額の合計額が、過年度において損金算入された欠損金額及び特定欠損金額を控除した後の損金算入限度額の比で配分されます。

② 各通算法人の欠損金額の損金算入限度額等の計算（法64の7①三）

各通算法人の繰越控除額は、それぞれ次の金額が限度とされます。

イ　特定欠損金額

各通算法人の損金算入限度額の合計額を各通算法人の特定欠損金額のうち欠損控除前所得金額に達するまでの金額の比で配分した金額[*03]

ロ　非特定欠損金額[*04]

各通算法人の特定欠損金額の繰越控除後の損金算入限度額の合計額を各通算法人の上記①による配分後の非特定欠損金額の比で配分した金額

また、適用事業年度後の事業年度の繰越欠損金額から除かれる過年度において損金算入された欠損金額は、上記①による配分前の欠損金額を基に計算された金額とされます。

(2) 欠損金の通算の遮断措置（法64の7④～⑦）

① 他の通算法人の修更正による影響の遮断

上記(1)の場合において、通算法人の適用事業年度終了の日に終了する他の通算法人の事業年度（以下「他の事業年度」といいます。）の損金算入限度額又は過年度の欠損金額等が当初申告額と異なるときは、それらの当初申告額が当該他の事業年度の損金算入限度額又は過年度の欠損金額等とみなされます。すなわち、通算グループ内の他の通算法人に修更正事由が生じた場合には、欠損金の通算に用いる金額を当初申告額に固定することにより、その通算法人への影響が遮断されます。

② 通算法人の修更正による損金算入欠損金額の調整

上記(1)の場合において、通算法人の適用事業年度の損金算入限度額又は過年度の欠損金額等が当初申告額と異なるときは、

[*01] 時価評価除外法人の最初通算事業年度開始の日前10年以内に開始した各事業年度において生じた欠損金額等をいいます（法64の7②）。この特定欠損金額は、その通算法人の所得の金額のみから控除できます。

[*02] 欠損金額のうち特定欠損金額以外の金額をいいます。

[*03] 損金算入限度額に余裕がある場合は、通常、特定欠損金額で損金算入されていない金額が損金算入限度額となります。

[*04] 非特定欠損金額は特定欠損金額と異なり、その欠損金額が発生した通算法人の他の法人においても欠損金の損金算入の適用が受けられるものです。すなわち、非特定欠損金額については、どの通算法人に適用されるのか配分計算から行い、次に、各通算法人において、欠損金額の損金算入限度額等の計算を行うものです。①欠損金額の配分－通算法人の適用事業年度開始の日前10年（一定の場合は9年）以内に開始した各事業年度において生じた欠損金額は、特定欠損金額と非特定欠損金額の合計額とされます。非特定欠損金額は、通算グループ全体の非特定欠損金額の合計額が、過年度において損金算入された欠損金額及び特定欠損金額を控除した後の損金算入限度額の比で配分されます。②各通算法人の欠損金額の損金算入限度額等の計算（、18－10具体例参照）各通算法人の繰越控除額は、それぞれ次の金額が限度とされます。イ特定欠損金額－各通算法人の損金算入限度額の合計額を各通算法人の特定欠損金額のうち欠損控除前所得金額に達するまでの金額の比で配分した金額ロ非特定欠損金額－各通算法人の特定欠損金額の繰越控除後の損金算入限度額の合計額を各通算法人の上記①による配分後の非特定欠損金額の比で配分した金額

欠損金額及び損金算入限度額（中小通算法人等である場合を除きます。）で当初の期限内申告において通算グループ内の他の通算法人との間で配分し又は配分された金額を固定する調整等をした上で、その通算法人のみで欠損金額の損金算入額等が再計算されます。

3．税率（法66①⑦⑧⑨⑪）

通算法人の各事業年度の所得の金額に対する法人税の税率は、各通算法人の区分に応じた税率が適用されます。したがって、原則として、普通法人である通算法人は 23.2％、協同組合等である通算法人は19％の税率が適用されます。

なお、中小通算法人（大通算法人以外の普通法人である通算法人をいいます。）の各事業年度の所得の金額のうち軽減対象所得金額以下の金額については、15％の税率が適用されます。

各中小通算法人の軽減対象所得金額は、一定の場合を除き、年800万円を通算グループ内の所得法人の所得の金額の比で配分した金額とされます。

（注）　「大通算法人」とは、通算法人である普通法人又はその普通法人の各事業年度終了の日においてその普通法人との間に通算完全支配関係がある他の通算法人のうち、いずれかの法人がその各事業年度終了の時における資本金の額又は出資金の額が1億円を超える法人等一定の法人に該当する場合におけるその普通法人をいいます。

＜特定欠損金額の損金算入限度額の具体例＞—中小法人前提—

	欠損金控除前の所得金額	特定欠損金額
通算法人A社	100	30
通算法人B社	200	20
通算法人C社	300	150

上記のA社の損金算入限度額の計算（条文どおりの算式）

$$30 \times \frac{100+200+300}{30+20+150} \text{（1を超える場合は1）} = 30$$

＜非特定欠損金額の損金算入限度額の具体例＞—中小法人前提—

	欠損金控除前の所得金額[05]	非特定欠損金額
通算法人A社	300	60
通算法人B社	600	40
通算法人C社	900	200

[05] 特定欠損金額の繰越控除がある場合は控除します。

上記のA社の損金算入限度額の計算（条文どおりの算式）

$$60 \times \frac{300+600+900}{60+40+200} \text{（1を超える場合は1）} = 60$$

5　グループ通算制度の適用開始、通算グループへの加入及び通算グループからの離脱

グループ通算制度の適用開始、通算グループへの加入及び通算グループからの離脱時において、一定の場合には、資産の時価評価課税や欠損金の切捨て等の制限があります。

1．時価評価除外法人

グループ通算制度の適用開始又は通算グループへの加入に伴う資産の時価評価について、対象外となる法人（「時価評価除外法人」といいます。）は、次の法人とされています。

(1) 適用開始時の時価評価除外法人（法64の11①、64の12①）
① いずれかの子法人との間に完全支配関係の継続が見込まれる親法人
② 親法人との間に完全支配関係の継続が見込まれる子法人

(2) 加入時の時価評価除外法人
① 通算グループ内の新設法人
② 適格株式交換等により加入した株式交換等完全子法人
③ 適格組織再編成と同様の要件として次の要件（通算グループへの加入の直前に支配関係がある場合には、イの各要件）の全てに該当する法人
　イ　通算親法人との間の完全支配関係の継続要件、加入法人の従業者継続要件、加入法人の主要事業継続要件
　ロ　通算親法人又は他の通算法人と共同で事業を行う場合に該当する一定の要件

2．時価評価法人のグループ通算制度の適用開始・加入前の欠損金額の切捨て（法57⑥）

時価評価除外法人以外の法人（時価評価法人）のグループ通算制度の適用開始又は通算グループへの加入前において生じた欠損金額は、原則として、切り捨てられます。

3．時価評価除外法人のグループ通算制度の適用開始・加入前の欠損金額及び含み損等に係る制限（法57⑧、64の14①、法64の6③、64の7②三、64の6①、64の7②三）

時価評価除外法人（親法人との間の支配関係が5年超の法人等一定の法人を除きます。）のグループ通算制度の適用開始又は通算グループへの加入前の欠損金額及び資産の含み損等については、次のとおり、欠損金額の切捨てのほか、支配関係発生日以後5年を経過する日と効力発生日以後3年を経過する日とのいずれか早い日まで一定の金額を損金不算入又は損益通算の対象外とする等の制限が行われます。

⑴　支配関係発生後に新たな事業を開始した場合には、支配関係発生前に生じた欠損金額及び支配関係発生前から有する一定の資産の開始・加入前の実現損から成る欠損金額は切り捨てられるとともに、支配関係発生前から有する一定の資産の開始・加入後の実現損に係る金額は損金不算入とされます。

⑵　多額の償却費の額が生ずる事業年度に通算グループ内で生じた欠損金額については、損益通算の対象外とされた上で、特定欠損金額とされます。

⑶　上記⑴又は⑵のいずれにも該当しない場合には、通算グループ内で生じた欠損金額のうち、支配関係発生前から有する一定の資産の実現損から成る欠損金額については、損益通算の対象外とされた上で、特定欠損金額とされます。

4．通算グループからの離脱（法64の13①）

通算グループから離脱した法人が主要な事業を継続することが見込まれていない場合等には、その離脱直前の時に有する一定の資産については、離脱直前の事業年度において、時価評価により評価損益の計上が行われます。

6 各個別制度の取扱い

1．各個別制度の取扱い

グループ通算制度においては、連結納税制度と異なり、全体計算をするものが少ないですが、外国税額控除及び試験研究費の特別控除については、全体計算で行うこととされています。

2．受取配当等の益金不算入（法23①②④⑥、令19①②④）

負債利子控除額のうち支払負債利子基準額の計算を除いて、個別計算となります。

支払負債利子基準額の計算は次のとおりです。

$$A \times \frac{B}{C}$$

A…各グループ通算法人の支払負債利子の額の合計額（他のグループ通算法人に対する支払負債利子の額を控除した金額）
B…そのグループ通算法人が受ける関連法人株式等に係る配当等の額
C…各グループ通算法人が受ける関連法人株式等に係る配当等の額の合計額

設例1－1　グループ通算制度における受取配当等の益金不算入

次の資料により、当社の受取配当等の益金不算入額を計算しなさい。

(1) 当社は、数年前からA社の発行済株式の全てを所有しており、令和5年4月1日から当社を通算親法人としてグループ通算制度を適用している。

(2) 当社が当期において内国法人から収受した剰余金の配当の額は、次のとおりである。当社は、配当等の額から源泉徴収税額を控除した差引手取額を当期の収益に計上している。なお、いずれの銘柄もここ数年、所有株式数に異動はない。

銘　柄	当社の持株割合	剰余金の配当の額	源泉徴収所得税額	源泉徴収復興特別所得税額
A社株式	100％	2,300,000円	460,000円	9,660円
B社株式	25％	1,200,000円	240,000円	5,040円
C社株式	17％	700,000円	140,000円	2,940円
D社株式	5％	450,000円	90,000円	1,890円

(3) A社が当期において内国法人から収受した剰余金の配当の額は次のとおりである。A社は、配当等の額から源泉徴収税額を控除した差引手取額を当期の収益に計上している。なお、いずれの銘柄もここ数年、所有株式数に異動はない。

銘　柄	A社の持株割合	剰余金の配当の額	源泉徴収所得税額	源泉徴収復興特別所得税額
D社株式	30％	2,700,000円	540,000円	11,340円
E社株式	2％	50,000円	10,000円	210円

(4) 当期に支払った負債利子の額は当社が1,500,000円（うちA社に支払った負債利子は200,000円）でA社が275,000円である。

解答

(1) 配当等の額
 ① 完全子法人株式等　2,300,000円
 ② 関連法人株式等　450,000円
 ③ その他株式等
  1,200,000＋700,000＝1,900,000円

(2) 控除負債利子
 ① 当期支払負債利子
  $(1,500,000-200,000+275,000) \times \dfrac{450,000}{450,000+2,700,000} = 225,000$円
 ② 控除負債利子の額
  イ 配当等の額基準額
   450,000×4％＝18,000円
  ロ 支払負債利子基準額
   ①×10％＝22,500円
  ハ イ＜ロ　∴ 18,000円

(3) 益金不算入額
  (1)①＋((1)②－(2))＋(1)③×50％＝3,682,000円

(単位：円)

区　分		金　額	留　保	社外流出
加算				
減算	受取配当等の益金不算入額	3,682,000		※　3,682,000

解説

各グループ通算法人の支払負債利子の額の合計額からは、他のグループ通算法人に対する支払負債利子の額を控除します。本問の場合は、A社に対して支払った利子を控除することになります。

3．交際費等の損金不算入（措法61の4①②③）

通算法人がその支出する交際費等の損金算入額として、通算定額控除限度額（年800万円）を各通算法人が支出する交際費等の金額に応じて、各通算法人に配分します。

その配分計算は次のとおりです。

$$通算定額控除限度額 \times \frac{その通算法人が支出する交際費等の額}{各通算法人が支出する交際費等の額の合計額}$$

設例1−2　グループ通算制度における交際費等の損金不算入

次の資料により、当社の交際費等の損金不算入額を求めなさい。

(1) 当社は、数年前からA社の発行済株式の全てを所有しており、令和5年4月1日から当社を通算親法人としてグループ通算制度を適用している。なお、当社の資本金の額は90,000,000円であり、A社の資本金の額は100,000,000円である。

(2) 当社が当期において交際費として費用に計上した金額は、次のとおりである。
　① 新製品の展示会等に得意先を招待した際の交通費、食事代等の通常費用　　4,230,000円
　② 得意先に対して見本品を供与した費用　　　　　　　　　　　　　　　　　745,000円
　③ 上記の他、税務上の交際費等の額に該当するもの　　　　　　　　　　　1,950,000円
　　（うち接待飲食費に該当するもの　　　　　　　　　　　　　　　　　　1,000,000円）

(3) A社が当期において交際費として費用に計上した金額は、次のとおりである。
　① 得意先に対する中元、歳暮の贈答費用　　　　　　　　　　　　　　　　2,470,000円
　② 得意先の従業員に対して取引の謝礼として交付した金品の額　　　　　　　937,000円
　③ 上記の他、税務上の交際費等の額に該当するもの　　　　　　　　　　　4,700,000円
　　（うち接待飲食費に該当するもの　　　　　　　　　　　　　　　　　　2,000,000円）

解答 (1) 支出交際費等
　① 接待飲食費
　　イ　当　社　1,000,000円
　　ロ　A　社　2,000,000円
　　ハ　イ＋ロ＝3,000,000円
　② ①以外
　　イ　当　社　1,950,000－1,000,000＝950,000円
　　ロ　A　社　2,470,000＋937,000＋4,700,000－2,000,000＝6,107,000円
　　ハ　イ＋ロ＝7,057,000円
　③ 合　計
　　イ　当　社　1,000,000＋950,000＝1,950,000円
　　ロ　A　社　2,000,000＋6,107,000＝8,107,000円
　　ハ　イ＋ロ＝10,057,000円

(2) 損金算入限度額
　① 接待飲食費基準額
　　1,000,000×50％＝500,000円
　② 定額控除限度額
　　$1,950,000円 > 8,000,000 \times \dfrac{12}{12} \times \dfrac{1,950,000}{10,057,000} = 1,551,158円$　∴　1,551,158円
　③ ①＜②　∴　1,551,158円

(3) 損金不算入額
　　(1)③イ－(2)＝398,842円

（単位：円）

	区　分	金　額	留　保	社外流出
加算	交際費等の損金不算入額	398,842		398,842
減算				

解説

　通算定額控除限度額を配分するために、他のグループ通算法人の支出交際費等の額を計算する必要があります。

Chapter 19
公益法人税制

Section 1 公益法人税制の概要

我が国の社会を活力あるものとしていくために、行政部門だけでなく「民間が担う公益」の重要性が大きいです。そこで、「民間が担う公益」を支えるために、法人税において、公益法人について、特別の規定を定めています。
このSectionでは、公益法人税制の取扱いを学習します。

1 概　要

　国は、「民間が担う公益」を育成するために、公益活動を行おうとする法人の設立を容易にしています。次に、その法人が公益法人として支援を行うにふさわしい公益活動を行っている場合には、法人税法において、特別の規定が適用される対象法人とされています。
　その「民間が担う公益」を育成するための法人として社団法人と財団法人があり、その種類及び性格は、次のとおりです。

区　分	意義及び性格
① 一般社団法人 一般財団法人	社員等に対する剰余金の分配を目的としない社団又は財団であって、準則主義（登記）により簡便に法人格を取得することができることを特徴とする法人をいいます。
② 非営利型に該当する一般社団法人・一般財団法人	①の法人のうちその定款に剰余金の分配を行わない旨の定めがあること、その定款に解散したときはその残余財産が国若しくは地方公共団体、公益社団法人又は公益財団法人など一定の法人に帰属する旨の定めがあることなどその他一定の要件を満たす法人をいいます。
③ 公益社団法人 公益財団法人	①の法人のうち独立した民間有識者からなる公益認定等委員会等の関与の元で、公益目的事業を行うのに必要な経理的基礎及び技術的能力を有するものであること、公益目的事業の収入がその実施に要する適正な費用を償う額を超えないことなどの認定基準を満たし、行政庁の認定（公益認定）を受けた法人をいいます。
④ 非営利型に該当しない一般社団法人・一般財団法人	①の法人のうち②及び③以外の法人をいいます。

2 公益法人税制

1．課税所得等の範囲及び税率（法66、措法42の3の2）

社団法人、財団法人などの課税所得等の範囲及び税率は、次のとおりとされています。

区　分	法人の種類	課税所得等の範囲	税　率
① 非営利型に該当する一般社団法人・一般財団法人	公益法人等	収益事業課税	23.2% (15%)
② 公益社団法人・公益財団法人			
③ 非営利型に該当しない一般社団法人・一般財団法人	普通法人	全所得課税	
④ 上記以外の公益法人等		収益事業課税	19% (15%)

（注）税率のかっこ書きは軽減税率です。

2．寄附金の区分（法37④、令77）

社団法人、財団法人などに対して、寄附金を支出した場合の寄附金の区分は、次のとおりです。

区　分	寄附金の区分
① 非営利型に該当する一般社団法人・一般財団法人	一般寄附金
② 公益社団法人・公益財団法人	特定公益増進法人に対する寄附金
③ 非営利型に該当しない一般社団法人・一般財団法人	一般寄附金
④ 上記以外の公益法人等	その支出先及びその支出目的により、指定寄附金等、特定公益増進法人に対する寄附金、一般寄附金のいずれか

3．普通法人又は協同組合等が公益法人等に移行する場合（法10の3）

　課税所得の範囲に変更が生じ全所得課税から収益事業課税となる場合には、それ以前の課税関係をいわば清算し、新たな課税関係の出発とする取扱いとされます。

　これは、収益事業課税がそもそも限定的な課税であることから、例えば、全所得課税であるときに適用を受けていた課税の繰延べ等の措置について、その前提となっていた将来的な課税の機会が担保されなくなるといった状態になります。このため、普通法人又は協同組合等から公益法人等への移行に際しては、新たな課税関係の出発とする取扱いとされています。

　すなわち、その移行の日までの間についてはその前日をもって解散したものとみなし、その移行の日以後はその日に設立されたものみなして法人税の規定を適用することとされています。ただし、課税関係を清算する扱いといっても、時価評価による評価損益の計上の取扱いの適用はありません。

　また、本措置は、新たな法人に対する税制上の措置の一環として手当てするものであるため、対象となる法人も新たな法人制度に基づく法人を対象としています。

＜図解＞

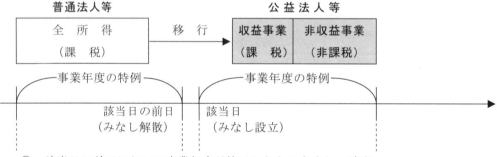

① 該当日の前日において事業年度が終了したとみなされ、該当日において事業年度が開始したとみなされます。
② 該当日の前日を含む事業年度において欠損金の繰戻しによる還付の適用が可能です。
③ 該当日の属する事業年度以後の事業年度に、繰越欠損金を繰越すことはできません。
④ 該当日の前日を含む事業年度において、国庫補助金等及び保険差益等に係る特別勘定の金額の取崩しをしなければなりません。

4．公共法人又は公益法人等が普通法人又は協同組合等に移行する場合（法64の4）

普通法人又は協同組合等が公益法人等に移行する場合とは逆に、課税所得の範囲に変更が生じ収益事業課税から全所得課税となる場合には、原則として公益目的以外に特定の者に分配されないことを前提に非課税とされてきた収益事業以外の事業から生じた所得の累積額について、構成員等に分配することも可能となります。

そこで、このような場合には、非課税とされていた前提が存在しなくなったことから、この時点で全所得課税が行われていたとしたならば、課税されていたであろう部分について、課税所得を構成するものとされました。逆に、全所得課税が行われていたとしたならば欠損金額とされていた部分については課税所得から控除することとされました。

＜図解＞

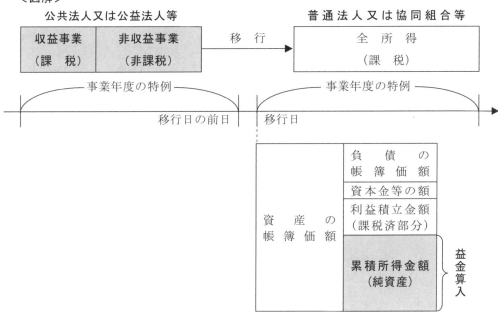

2025年度版　ネットスクール出版
税理士試験教材のラインナップ

● 税理士試験に合格するためのメイン教材

税理士試験教科書・問題集・理論集

ネットスクール税理士WEB講座の講師陣が自ら「確実に合格できる教材づくり」をコンセプトに執筆・監修した教材です。

税理士試験の合格に必要な内容を効率よく、かつ、挫折しないように工夫した『教科書』、計算力を身に付ける『問題集』、理論問題対策の『理論集』から構成されており、どの科目の教材も、豊富な図解と受験生がつまずきやすいポイントを押さえた、ネットスクール税理士WEB講座でも使用している教材です。

簿記論・財務諸表論の教材

税理士試験教科書	簿記論・財務諸表論I	基礎導入編【2025年度版】	3,630円（税込）	好評発売中
税理士試験問題集	簿記論・財務諸表論I	基礎導入編【2025年度版】	3,300円（税込）	好評発売中
税理士試験教科書	簿記論・財務諸表論II	基礎完成編【2025年度版】	3,630円（税込）	好評発売中
税理士試験問題集	簿記論・財務諸表論II	基礎完成編【2025年度版】	3,300円（税込）	好評発売中
税理士試験教科書	簿記論・財務諸表論III	応用編【2025年度版】	3,630円（税込）	好評発売中
税理士試験問題集	簿記論・財務諸表論III	応用編【2025年度版】	3,300円（税込）	好評発売中
税理士試験教科書	財務諸表論　理論編【2025年度版】		3,850円（税込）	好評発売中

☆簿記論・財務諸表論の方はこちらもオススメ！☆

穂坂式 つながる会計理論

税理士 財務諸表論 穂坂式 つながる会計理論【第2版】	2,640円（税込）	好評発売中

過去問ヨコ解き問題集

税理士試験過去問ヨコ解き問題集 簿記論【第4版】	3,850円（税込）	好評発売中
税理士試験過去問ヨコ解き問題集 財務諸表論【第6版】	3,850円（税込）	好評発売中

● 試験前の総仕上げには必須のアイテム！

ラストスパート模試　　毎年5～6月ごろ発売予定

試験直前期は、出題予想に基づいた『ラストスパート模試』で総仕上げ！
全3回分の本試験さながらの模擬試験を収載。
分かりやすい解説とともに直前期の得点力UPをサポートします。

※ 画像や内容は2024年度版をベースにしたものです。変更となる場合もございます。

● 税理士試験の学習を本格的に始める前に…

知識ゼロでも大丈夫！　税理士試験のための簿記入門
税理士試験向けの独自の内容で簿記の基本が学習できる1冊です。
本書を読むことで、税理士試験の簿記論に直結した基礎学習が可能なので、簿記の学習経験が無い方や基礎が不安な方にオススメです。
2,640円（税込）好評発売中！

法人税法の教材

税理士試験教科書・問題集　法人税法Ⅰ　基礎導入編【2025年度版】	3,300円（税込）	好評発売中
税理士試験教科書　法人税法Ⅱ　基礎完成編【2025年度版】	3,630円（税込）	好評発売中
税理士試験問題集　法人税法Ⅱ　基礎完成編【2025年度版】	3,300円（税込）	好評発売中
税理士試験教科書　法人税法Ⅲ　応用編【2025年度版】	3,850円（税込）	好評発売中
税理士試験問題集　法人税法Ⅲ　応用編【2025年度版】	3,520円（税込）	好評発売中
税理士試験理論集　法人税法【2025年度版】	2,420円（税込）	好評発売中

相続税法の教材

税理士試験教科書・問題集　相続税法Ⅰ　基礎導入編【2025年度版】	3,300円（税込）	好評発売中
税理士試験教科書　相続税法Ⅱ　基礎完成編【2025年度版】	3,630円（税込）	好評発売中
税理士試験問題集　相続税法Ⅱ　基礎完成編【2025年度版】	3,300円（税込）	好評発売中
税理士試験教科書　相続税法Ⅲ　応用編【2025年度版】	3,850円（税込）	好評発売中
税理士試験問題集　相続税法Ⅲ　応用編【2025年度版】	3,300円（税込）	好評発売中
税理士試験理論集　相続税法【2025年度版】	2,420円（税込）	好評発売中

消費税法の教材

税理士試験教科書・問題集　消費税法Ⅰ　基礎導入編【2025年度版】	3,300円（税込）	好評発売中
税理士試験教科書　消費税法Ⅱ　基礎完成編【2025年度版】	3,630円（税込）	好評発売中
税理士試験問題集　消費税法Ⅱ　基礎完成編【2025年度版】	3,300円（税込）	好評発売中
税理士試験教科書　消費税法Ⅲ　応用編【2025年度版】	3,630円（税込）	好評発売中
税理士試験問題集　消費税法Ⅲ　応用編【2025年度版】	3,520円（税込）	好評発売中
税理士試験理論集　消費税法【2025年度版】	2,420円（税込）	好評発売中

国税徴収法の教材

税理士試験教科書　国税徴収法【2025年度版】	4,620円（税込）	好評発売中
税理士試験理論集　国税徴収法【2025年度版】	2,420円（税込）	好評発売中

書籍のお求めは全国の書店・インターネット書店、またはネットスクールWEB-SHOPをご利用ください。

ネットスクール WEB-SHOP

https://www.net-school.jp/

ネットスクール WEB-SHOP　検索

※ 書名・価格・発行年月は変更する場合もございますので、予めご了承ください。（2024年12月現在）

本書の発行後に公表された法令等及び試験制度の改正情報、並びに判明した誤りに関する訂正情報については、弊社WEBサイト内の『読者の方へ』にてご案内しておりますので、ご確認下さい。

https://www.net-school.co.jp/

なお、万が一、誤りではないかと思われる箇所のうち、弊社WEBサイトにて掲載がないものにつきましては、書名（ＩＳＢＮコード）と誤りと思われる内容のほか、お客様のお名前及び郵送の場合はご返送先の郵便番号とご住所を明記の上、弊社まで郵送またはe‐mailにてお問い合わせ下さい。

＜郵送先＞　〒101－0054
　　　　　東京都千代田区神田錦町3－23　神田錦町安田ビル3階
　　　　　ネットスクール株式会社　正誤問い合わせ係
＜e‐mail＞　seisaku@net-school.co.jp

※正誤に関するもの以外のご質問、本書に関係のないご質問にはお答えできません。
※お電話によるお問い合わせはお受けできません。ご了承下さい。

税理士試験　教科書
法人税法Ⅲ　応用編　【2025年度版】

2024年12月7日　初版　第1刷

著　　　　者	ネットスクール株式会社
発　行　者	桑原知之
発　行　所	ネットスクール株式会社　出版本部
	〒101－0054　東京都千代田区神田錦町3－23
	電　話　03（6823）6458（営業）
	ＦＡＸ　03（3294）9595
	https://www.net-school.co.jp
執筆総指揮	田中政義
表紙デザイン	株式会社オセロ
編　　　　集	吉川史織　安倍淳
ＤＴＰ制作	中嶋典子　石川祐子　吉永絢子
	有限会社ドアーズ本舎　長谷川正晴
印刷・製本	日経印刷株式会社

©Net-School　2024　Printed in Japan　ISBN 978-4-7810-3832-2

本書は、「著作権法」によって、著作権等の権利が保護されている著作物です。本書の全部または一部につき、無断で転載、複写されると、著作権等の権利侵害となります。上記のような使い方をされる場合には、あらかじめ小社宛許諾を求めてください。

落丁・乱丁本はお取り替えいたします。